CUE0919649

DANS LE MURMURE DES FEUILLES QUI DANSENT

Sage-femme de formation, Agnès Ledig est l'une des romancières préférées des Français. Depuis novembre 2018, elle s'est engagée comme « ambassadonneuse » auprès de l'Établissement français du sang afin de promouvoir le don de sang envers le grand public. Elle est l'auteure de six romans : *Marie d'en haut, Juste avant le bonheur* (prix Maison de la Presse 2013), *Pars avec lui, On regrettera plus tard, De tes nouvelles* et *Dans le murmure des feuilles qui dansent.* Chaque histoire constitue une rencontre entre des êtres sensibles que la vie n'a pas épargnés, mais qui se font la courte échelle pour remonter ensemble vers la lumière. Ses ouvrages sont traduits dans dix-neuf langues. Elle écrit également des livres pour enfants : *Le petit arbre qui voulait devenir un nuage* et *Le Cimetière des mots doux.*

AGNÈS LEDIG

Dans le murmure des feuilles qui dansent

ROMAN

ALBIN MICHEL

ISBN : 978-2-253-10060-7 – 1re publication LGF

Nathanaël

Je te devais enfin ce livre
Pour ton courage et puis ta joie
Honorer ta force de vivre
Celle que tu laisses derrière toi…

Crois-tu que l'eau du fleuve et les arbres des bois,
S'ils n'avaient rien à dire, élèveraient la voix ?
Prends-tu le vent des mers pour un joueur de flûte ?
Crois-tu que l'océan, qui se gonfle et qui lutte,
Serait content d'ouvrir sa gueule jour et nuit
Pour souffler dans le vide une vapeur de bruit,
Et qu'il voudrait rugir, sous l'ouragan qui vole,
Si son rugissement n'était une parole ?
…
Non, tout est une voix et tout est un parfum ;
Tout dit dans l'infini quelque chose à quelqu'un ;
Une pensée emplit le tumulte superbe.
Dieu n'a pas fait un bruit sans y mêler le Verbe.
Tout, comme toi, gémit ou chante comme moi ;
Tout parle. Et maintenant, homme, sais-tu pourquoi
Tout parle ? Écoute bien. C'est que vents, ondes, flammes
Arbres, roseaux, rochers, tout vit ! Tout est plein d'âmes.

Victor Hugo,
« Ce que dit la bouche d'ombre »,
Les Contemplations, 1856

Prologue

Il était né avec l'âme d'un arbre.

L'homme qui veillait sur lui en avait la certitude depuis leur toute première promenade en forêt, alors qu'il était encore minuscule, à peine un mois et quelques journées. Le soleil se faufilait entre les branches, l'air était doux et le vent léger. Il s'était allongé dans les feuillages et avait posé le nourrisson emmitouflé sur son ventre, le visage vers le ciel. Tous deux regardaient les feuilles danser au-dessus d'eux.

Le bébé, de ses grands yeux ronds et bleu foncé, se nourrit du spectacle près d'une heure durant. Et s'il n'avait fallu rentrer pour rassurer la mère, le grand aurait pu prolonger ce savoureux partage longtemps encore. À l'observer d'un regard qui, portant loin, dédouble la réalité, il a vu en ce petit comme un mélange de sève et de sang, d'écorce et de peau, de tronc et de torse, de nœuds et d'yeux, de feuilles et de mèches. Ce premier contact au pied d'un chêne deux fois centenaire fut un des plus beaux moments de la vie du jeune homme, spectateur ému de cet échange silencieux, comme si l'arbre et l'enfant s'étaient parlé. Peut-être s'étaient-ils reconnus. Ou retrouvés ?

Les années suivantes ne firent que confirmer l'attachement de l'enfant à la nature et plus particulièrement aux chênes. De jour, de nuit, à l'ombre de la canicule ou dans le froid polaire, dans le brouillard ou sous la pluie, à l'aube ou au crépuscule, ils arpentaient longuement les sentiers et rentraient chaque jour plus riches de quelques trouvailles et secrets levés à propos du sous-bois qui leur délivrait ses mystères.

Ils revenaient surtout plus paisibles.

Mais un jour la tempête s'abattit sur la forêt. Et les deux garçons y étaient.

1

La surprise d'une lettre

Mercredi 2 février,
bureau du procureur de Strasbourg

La greffière entre dans la pièce d'un pas déterminé, les lèvres pincées, le menton en avant et le dos cambré, pour se donner un semblant de contenance, ce qui lui manque cruellement face à l'homme. Dans sa main, le courrier du jour dont elle consent à se séparer dans un coûteux effort.

— Une admiratrice, Monsieur le procureur, lui lance-t-elle en lui tendant l'enveloppe.

— Qu'est-ce qui vous fait dire cela, Jocelyne ?

— L'écriture est féminine, l'adresse au verso le confirme, une certaine Anaëlle, tout cela avec la précision « courrier personnel » soulignée d'un trait à la règle et surlignée d'un fluorescent jaune, vous faut-il d'autres arguments ?

— Vous semblez contrariée…

— Pas du tout, répond-elle d'un ton sec en tournant les talons.

— J'aurais pu croire, commente-t-il en élevant la voix pour que la femme l'entende, alors qu'elle a déjà atteint le bout du couloir.

Il s'installe à son bureau, repousse la pile trop haute de dossiers que la greffière vient de déposer par la même occasion, saisit le coupe-papier et tranche d'un geste précis la pliure de l'enveloppe en se demandant ce qu'il espère d'un courrier personnel. Le fait est si rare.

Qui pourrait m'admirer ?

*

Sélestat, 31 janvier

Monsieur le procureur de la République,

Je me permets de vous écrire ce courrier en qualité d'ancienne étudiante. (Il y a deux ans, vous avez donné un cours magistral sur le risque médico-légal en troisième année de pharmacie.)

J'aurais besoin de quelques précisions d'ordre juridique, non pas dans un cadre professionnel mais pour assouvir ma passion de l'écriture. En effet, après ma journée de travail, je m'assois à mon ordinateur et j'écris des livres. Le premier a été édité par une maison d'édition régionale. Les ventes ne sont pas transcendantes, mais je suis déjà très fière qu'il apparaisse dans les rayons des librairies locales. J'en suis à mon deuxième ouvrage, un roman policier, pour être plus précise. Je vous contacte car j'ai quelques doutes quant au déroulement de la procédure de mon enquête. Je vous expose tout cela sur la feuille jointe à cette présente missive. J'espère que vous accepterez d'y répondre et que je ne vous retarderai pas trop dans votre travail, que je suppose intense.

Je comprendrais que vous ne puissiez pas et me tournerais alors vers d'autres ressources.

Je vous remercie par avance de l'attention que vous porterez à cette lettre et m'excuse de vous avoir dérangé.

Je vous prie d'agréer, Monsieur le procureur de la République, mes salutations distinguées.

Anaëlle Desmoulins
47, rue des Roseaux
67600 Sélestat

Le procureur jette un œil aux questions jointes. Elles sont assez pointues, un peu abstraites sans le contexte de l'histoire, mais il ne lui faudra pas plus d'un quart d'heure pour y répondre. Son téléphone sonne alors.

— Oui, Jocelyne ?

— Nous devons nous rendre à l'audience. Si nous ne partons pas maintenant, nous serons en retard. Je vous prévois un café ?

— Oui pour le café. Et oui, j'arrive. Vous êtes une mère pour moi. Ou une admiratrice ? demande-t-il en souriant, sûr de l'effet de sa remarque.

Il l'entend raccrocher avec fracas.

Lorsqu'il passe devant son bureau, elle le regarde en coin, plus insistante qu'à l'accoutumée, le sourcil gauche levé, probablement pour déceler le trouble sur son visage.

— Jocelyne, arrêtez de me dévisager ainsi. C'est à cause de la lettre ? Seulement une ancienne étudiante qui a besoin d'informations d'ordre juridique.

— Voulez-vous que je lui réponde, Monsieur le procureur ? Je dois être en mesure de le faire.

— Non, ça ira. Ça me changera les idées.

— Et accentuera encore votre retard, ajoute-t-elle alors qu'il a déjà disparu derrière la cloison.

— Ah oui, au fait, précise-t-il en revenant sur ses pas, si l'idée vous traversait l'esprit de chercher cette fameuse lettre qui vous intrigue, je l'ai rangée dans ma sacoche.

Sa main gauche tapote ladite sacoche comme pour donner un peu plus de relief à ses propos.

Comme si la greffière était le genre de personne à fouiner dans les courriers…

Le procureur a pourtant raison. Il suffit à Jocelyne d'un maigre signe pour que le doute s'installe à tout jamais dans la vis sans fin qui lui sert de cerveau et qui, dès lors, tournera jusqu'à obtenir des réponses.

Toujours cet irrépressible besoin de savoir.

2

Déjà

Le samedi en fin de matinée, Anaëlle revient toujours avec son petit sac à dos chargé de pain, de fromages, de fruits, de légumes et de l'ambiance animée du marché. Les spots assènent à longueur d'année leur message de prévention autour des cinq fruits et légumes, mais rien concernant les sourires, alors que la jeune femme trouve cela au moins aussi important pour la santé. Aussi a-t-elle ajouté ce critère pour choisir les étals des vendeurs, en évitant ceux qui sont désagréables ou qui se mêlent de ce qui ne les regarde pas. Elle n'est jamais très à l'aise au milieu de la foule et des paniers à roulettes qui changent de direction sans prévenir, juste devant elle, au risque de la faire trébucher. Mais elle s'arrange pour ne pas rater ce rendez-vous hebdomadaire, maintenant qu'elle a repéré des petits producteurs locaux dont elle aime privilégier la qualité des produits. Sa liste de courses est particulière aujourd'hui, car elle a prévu de préparer un dîner savoureux pour ses amies. Elles se connaissent depuis le collège et elles ne se sont jamais vraiment perdues de vue, même si l'entrée dans la vie active les a un peu éloignées. Elles se retrouvent plusieurs fois dans l'année toujours avec le même plaisir, les mêmes fous rires, la même émotion. Ce soir, c'est chez Anaëlle.

En rangeant ses achats dans le frigo, elle repense à ces quelques regards qu'elle a encore dû essuyer dans les travées du marché.

Finira-t-elle par s'y habituer ?

Puis elle épluche le courrier du jour avant ses légumes, assise à sa table de cuisine, et tombe sur une lettre à en-tête du tribunal, cachée entre deux publicités. Quel délai rapide pour une réponse ! Trop, se dit-elle. À coup sûr, il décline sa demande de renseignements, faute de temps, ou en raison de la futilité de sa requête. Elle regrette déjà de lui avoir écrit. Il a dû trouver la démarche ridicule. Elle décachette l'enveloppe et déplie le feuillet, étonnée de découvrir une lettre manuscrite.

*

Strasbourg, 3 février

Mademoiselle Desmoulins,

Vous trouverez les réponses à vos questions sur la feuille que vous m'avez envoyée.

J'espère qu'elles vous éclaireront. J'ai cependant quelques doutes sur certaines réponses, ne connaissant pas l'ensemble du dossier de vos enquêteurs virtuels. N'hésitez donc pas à me recontacter en cas de besoin.

Je sais à quel point il est difficile de se faire éditer, et l'idée que mon expertise contribue à l'un de vos romans m'est agréable.

Je vous remercie pour votre confiance.

Veuillez croire, Mademoiselle, en l'expression de ma considération distinguée.

Hervé Leclerc,
procureur de la République

3

Le souffle des anges

Le petit s'est endormi, le corps épuisé par la lutte, mais rassuré de sentir le jeune homme à ses côtés. Il a cette chance de sombrer encore dans un sommeil d'enfant puissant et infaillible. Des rêves en forme de bulles impénétrables qui le protègent de cette réalité qui le rattrape aussitôt les yeux ouverts.

Il n'a rien demandé, rien fait de mal. Il ne comprend pas tout de cette maladie qui le ronge, mais le plaisir du jeu, et l'insouciance, et la chance folle d'ignorer ce que savent les adultes lui offrent de dormir ainsi.

Il accepte les événements, même s'ils sont injustes, sans protester, comme ils se présentent, comme ils s'imposent à lui. Pas le choix.

Il pense surtout au vent qui promène les nuages, aux arbres, à la neige sur les toits.

Aux coccinelles et aux ruisseaux qui chantent, au tas de sable devant la maison sur lequel dévalent ses billes et aux bulles de savon qu'il aime voir s'envoler. À ses copains. À Annabelle. À tout ce qui fait son enfance, en somme.

Thomas regarde les traits finement dessinés de son visage, ses paupières closes et calmes, son sourire simple, son ventre qui se soulève au rythme de sa respiration. Le souffle est silencieux. Il ne fait que passer. On pourrait voir sous les draps la présence d'un ange.

Ô toi, la vie injuste, fais qu'il ne le devienne pas.

Ou pas avant longtemps.

Il a encore tout à vivre.

Tout.

Vivre.

4

Un grincement dans les rouages

D'une redoutable efficacité, Jocelyne est une greffière dévouée dont nombre de magistrats ne voudraient se séparer. Elle a instauré au fil du temps et à grand renfort de sacrifices personnels un ronronnement sécurisant dans le fonctionnement du bureau du procureur, le ronronnement n'étant pas incompatible avec l'ordre et la rapidité, bien au contraire. Son organisation sans faille et sa maîtrise du détail apportent un confort certain à l'homme dans ses fonctions. Jocelyne se sent utile et influente.

Mais il a suffi d'un grain de sable pour faire grincer son roulement à billes. Un tout petit grain de rien du tout qui vient mettre en danger son mécanisme si bien rodé. Une lettre.

— Encore votre admiratrice ! annonce Joce-lyne d'une voix mi-douce mi-acerbe en dépo-sant le courrier du jour.

— Vous avez reconnu l'écriture ?

— Elle se reconnaît entre cent.

— C'est vrai, l'écriture est jolie. Pas autant que la vôtre…

— Vous essayez d'acheter ma bienveillance !

— Quelle drôle d'idée. Pourquoi vous achè-terais-je votre bienveillance ?

— Parce que vous êtes marié. Dois-je vous le rappeler ?

— Mais enfin, vous êtes ridicule, Jocelyne. C'est une simple demande de renseignements.

— Ce sourire sur votre visage… Je connais trop bien les hommes.

— En êtes-vous certaine ?

— Oui. C'est pour votre bien que je vous mets en garde, vous savez.

— Croyez-vous qu'elle soit aussi jolie que son écriture ? Auquel cas j'espère qu'elle aura d'autres questions, conclut le procureur, taquin, pour apporter de l'eau au moulin de sa greffière.

Jocelyne rejoint son bureau en haussant les épaules. On pourrait croire qu'elle clôt cette conversation inutile avec toute l'indifférence que cela mérite. Pourtant, une rage sourde l'a envahie depuis l'arrivée de ce deuxième courrier. Son ventre s'est noué instantanément. Le haussement d'épaules n'est qu'une façade.

Elle a aussi appris à jouer la comédie.

*

Sélestat, dimanche 6 février

Monsieur le procureur,

Merci pour votre réponse si rapide. C'est très gentil de votre part.

Vos informations sont claires mais, en effet, un doute subsiste et je me permets, comme vous me l'avez proposé, de vous soumettre quelques questions supplémentaires.

Je suis ravie que cela vous soit agréable de contribuer à mon travail. Je vous ferai évidemment apparaître dans les remerciements en fin d'ouvrage.

Je vous prie d'agréer, Monsieur le procureur, mes salutations distinguées.

Anaëlle Desmoulins

*

Un sourire léger se dessine sur le visage du procureur lorsqu'il replie la lettre. Peut-être celui qu'évoquait sa greffière dont il croise alors le regard, ce qui lui donne envie de l'accentuer juste pour la faire pester.

Et ça marche, Jocelyne bout à l'intérieur. Elle connaît évidemment la raison de sa rage. Mais pas le traitement.

À moins que…

5

La subtilité du jeu

Décidément, Anaëlle est abonnée aux lettres officielles du samedi. Pour la deuxième fois, avec une étonnante rapidité, le procureur a répondu à son courrier. Est-il honoré de contribuer à l'écriture d'un roman ? Peut-être s'agit-il d'une passion commune pour cet exercice ou d'un rêve enfoui ? Ou simplement de gentillesse ?

*

Strasbourg, 10 février

Mademoiselle Desmoulins,

Comme la semaine dernière, voici mes réponses. J'espère avoir été pédagogue. Les notions juridiques sont parfois complexes.

Vos remerciements en fin d'ouvrage ne sont pas obligatoires, je le fais de bon cœur. Cela dit, j'éprouverais sûrement une grande fierté d'apparaître dans un roman. Ce n'est plus le cas aujourd'hui, mais il se trouve que moi aussi, il y a quelques années, j'écrivais pour le plaisir, trouvant largement l'inspiration dans mon métier. Je n'ai hélas jamais été publié.

Et puis, le quotidien d'un procureur de la République n'est guère joyeux alors me dire que j'aide une ancienne étudiante dans l'élaboration de son livre me sort de l'ordinaire. Dans le contexte d'une justice qui ne semble pas avoir beaucoup d'effets sur les justiciables – le taux de récidive est effrayant –, je me sens quelque peu utile et cela n'est pas pour me déplaire.

Je dois vous avouer que les deux lettres que vous m'avez envoyées m'ont fait sourire. Non que le contenu soit drôle, mais la réaction de ma greffière est étonnante. Elle fait semblant d'être indifférente, mais je vois bien qu'elle fulmine.

Vous allez peut-être me prendre pour un mufle à me moquer ainsi d'elle. Cependant, m'amuser de sa propension au soupçon me permet au moins d'en sourire. Et réussir à me faire sourire est assez inhabituel. Je vous remercie donc d'avoir pensé à moi pour vos questions.

N'hésitez pas à me solliciter, si vous en avez d'autres, je suis assez curieux de la réaction de Jocelyne à un troisième courrier de votre part.

Bien à vous.

Hervé Leclerc

*

Sélestat, dimanche 13 février

Monsieur Leclerc,

Merci une nouvelle fois pour votre contribution. Je suis heureuse de savoir que mes missives vous sortent de l'ordinaire et vous donnent le sentiment d'être utile. Je suis sûre que vous l'êtes aussi pour la bonne marche de notre pays, contrairement à ce que vous pensez. En parlant d'utilité, vous n'imaginez pas à quel point vous me faites gagner du temps dans mes recherches, et je vous en suis très reconnaissante.

Je vais pouvoir développer un peu mieux la dimension juridique de mon récit, qui gagnera en crédibilité. Mais je ne veux surtout pas vous déranger. J'avoue que l'une de vos dernières réponses m'étonne et va à l'encontre de mon plan d'action pour l'intrigue, pourriez-vous le confirmer ou l'infirmer ?

Bien à vous.

Anaëlle Desmoulins

PS 1 : Comment a réagi votre greffière à ce troisième courrier ?

PS 2 : J'espère que personne n'aura envie de me tester comme vous le faites avec elle…

*

Strasbourg, mercredi 16 février

Mademoiselle Desmoulins,

Mal.

Ma greffière a mal réagi, même si elle tâche de se contenir. Je lui ai pourtant expliqué l'objet de votre requête mais elle doit imaginer autre chose.

Le point que vous évoquez n'est en effet que peu plausible dans votre scénario, et cela ne m'étonne pas, c'est une idée reçue largement répandue dans la population. Et pourtant, il en est autrement dans les secrets d'un palais de justice. Dites-moi si vous y voyez plus clair avec les précisions que je vous apporte conjointement à cette lettre.

Je dois vous avouer que je reste sur une petite frustration. Vous me connaissez, et moi, je n'ai aucune idée de qui vous êtes. J'ai un peu l'impression d'écrire dans le vide, c'est bien dommage. Il est toujours plus agréable de savoir à qui l'on s'adresse, non ?

Étiez-vous de ces étudiantes qui peuvent marquer les esprits ?

J'espère avoir éclairé vos derniers doutes.

Je crois pourtant espérer ne pas y avoir complètement répondu. Peut-être parce que j'ai envie de sourire à nouveau. Et de tester ma greffière.

Hervé Leclerc

6

Du sable entre les dents

Jocelyne commence à compter les petits grains. Son sous-main en similicuir abrite une feuille où elle écrit la date de chaque lettre. L'habitude de garder une trace de toutes les procédures. Celle aussi de ne rien laisser passer.

Quand le sable s'accumule, il se forme une dune, qui un jour devient infranchissable.

Il ne faudrait pas qu'elle en arrive là.

*

Sélestat, dimanche 20 février

Monsieur Leclerc,

Au risque de vous décevoir, je ne pense pas avoir marqué l'esprit de mes professeurs. Je n'avais pas vraiment de signe distinctif durant mes études.

Vous m'avez aussi fait sourire dans votre dernier courrier en évoquant le comportement de votre greffière, ce qui m'arrange, non que ma vie soit un ensemble de dossiers tristes ou effrayants comme les vôtres, mais parce que je me suis fait opérer de la mâchoire il y a quelques semaines, et mon chirurgien m'a prescrit quelques exercices des zygomatiques pour la rééduquer.

Je ne m'y attendais guère. À première vue, on n'imagine pas un procureur sourire. C'est bête, je vous l'accorde, vous devez être un homme comme les autres, mais je n'ai de vous que le souvenir de vos cours magistraux. Rien de drôle, donc.

Encore quelques petites questions jointes à ce courrier, après, je ne devrais plus vous embêter, ou du moins pas tout de suite…

À bientôt.

Avec mes salutations sincères.

Anaëlle Desmoulins

PS : Et vous ? Rééducation de la mâchoire ou besoin de fantaisie ?

*

Jocelyne s'attarde à son bureau ce soir. Le procureur est parti depuis une heure. Elle en profite pour glaner quelques informations dans son ordinateur. De toute façon, personne ne l'attend à la maison.

Elle connaît les ficelles, la façon d'investiguer. Elle ne va pas se laisser marcher sur les pieds par une petite étudiante qui a décidé de perturber le travail du procureur et de mettre le bazar dans la mécanique bien huilée qu'elle a mis si longtemps à instaurer dans sa relation avec le magistrat. Le nom, l'adresse, des études de pharmacie. De quoi trouver ce qu'elle cherche.

Mais elle se heurte à une difficulté à laquelle elle ne s'attendait pas et qui ne fait qu'accentuer sa contrariété.

7

Un parfum de paix

Bien des jours, Thomas pleura. En silence, la joue posée sur l'oreiller. Les larmes coulaient doucement puis imprégnaient sa taie en flanelle. La froideur du chagrin absorbée par la douceur du tissu.

Pas d'effusion, pas de rage. Ou alors tout intérieure. De celle qu'il est inutile de crier puisque personne n'écoute. Une colère monstre contre le destin. Une soif de vengeance, aussi. Thomas l'a éprouvée, au début, mais contre qui ? Personne n'est responsable. La faute à pas de chance, à un ensemble de facteurs, à ces choses que la société engendre sous couvert de progrès ou de gains financiers, sans se demander si ce sera délétère pour l'homme. Personne n'est responsable et tout le monde à la fois. Alors, contre qui se venger ?

Et puis, pourquoi ? Thomas a vite compris que la vengeance ne supprime pas la colère. Il préfère donc la disséminer sur les chemins de forêt, dans les arbres, dans les flaques et les fougères. Dans toute cette nature immense qui n'a que faire des émotions humaines et qui offre en retour et sans conditions la paix d'un vent qui souffle et de feuilles qui bruissent. Il troque sa rage et l'insupportable injustice contre de belles images à transmettre à Simon pour qu'il oublie le reste. Les perfusions, les nausées, les douleurs dans le ventre, dans le dos, dans les jambes, chaque jour, à chaque instant, et depuis des semaines. Un enfant de huit ans n'a pas à vivre tout ça. Et pourtant, il l'affronte.

Ça n'aurait pas pu tomber plutôt sur un sale type pour le rendre inoffensif ? Il y a pourtant l'embarras du choix ! À croire que la méchanceté protège. L'insupportable injustice.

Thomas, c'est Simon qu'il doit protéger, son amour, son petit, tous deux liés par le cœur et par le sang. Le jeune homme est bien résolu à l'extirper du réel, chaque jour, au moins le temps de l'endormir, pour l'aider à sauter dans ses rêves, lavé de la journée et sans conscience du lendemain.

Il inspire profondément sous son masque en papier, saisit la main de l'enfant allongé sur le lit, installe un sourire dans ses yeux, seule partie visible de son visage, et commence :

— Notre projet de refuge avance, tu sais ? J'y travaille dès que je peux, mais j'espère que tu vas vite sortir de l'hôpital pour continuer à m'aider. Tu te souviens quand nous en avons eu l'idée ?

— Bah oui ! Quand on a trouvé une oie sauvage blessée dans le champ, à la sortie du village. On l'avait emmenée au refuge des oiseaux, dans le Ried, et tu m'avais dit qu'on ferait pareil pour les animaux de la forêt derrière chez nous.

— Exact ! Eh bien, je les ai entendues, la nuit dernière.

— Les oies sauvages ?

— Oui. Elles remontent vers les grands marais sauvages du Nord. Norvège, Suède, Finlande. Tu ne les as pas entendues ici ?

— Non. Rien du tout. Il y a trop de bruits dans l'hôpital.

— On les écoutera ensemble de chez nous, quand elles repartiront cet automne puisqu'elles passent deux fois par an.

— Elles n'en ont pas marre de faire le voyage ?

— Elles n'ont pas le choix, il leur faut bien trouver un endroit accueillant pendant les grands froids.

— Mais comment elles font pour faire un si long voyage ?

— Elles sont courageuses et résistantes ! Elles peuvent faire six cents kilomètres d'une traite, en volant dix heures d'affilée.

— Comme quand on part en vacances et que maman n'a pas envie de faire pipi !

— Les oies peuvent faire pipi en vol, c'est un indéniable avantage ! Cela dit, la voiture ne bat pas des ailes ! Avec l'essence, ça roule tout seul. Les oies, c'est une autre histoire. C'est quand même un sacré marathon ! Mais elles ont une technique bien à elles. Tu te souviens il y a deux ans ? Nous en avions vu en fin de journée. Elles volaient en V. La première oie fait beaucoup d'efforts pour fendre l'air, mais les autres derrière profitent chacune des remous liés aux battements d'ailes de la précédente. Elles doivent fournir moins d'énergie que si elles volaient seules.

— Elle doit être super forte, la première !

— Quand elle est à son poste, mais elles se relaient régulièrement. Comme les cyclistes du Tour de France. Et puis, elles sont gentilles entre elles, les plus faibles restent à l'arrière pour se préserver et les plus solides prennent la direction des opérations.

— Moi, je resterais derrière en ce moment !
soupire Simon.

— Bientôt, tu pourras prendre la tête, j'en
suis sûr. Je t'ai déjà raconté l'histoire de Nils
Holgersson ?

— Oui, mais c'est pas grave, je veux bien
que tu me la racontes de nouveau !

— Alors, file sous les draps et ouvre grand
tes oreilles, nous partons en voyage en Suède !

8

Une simple caresse

Cette salle d'attente ressemble à la cour des Miracles. De quoi relativiser sa propre situation. Anaëlle a passé son tour au profit d'un couple avec leur enfant qui pleurait de fatigue. Après tout, elle n'est pas pressée. Son sac à main recèle toujours un bon livre et son petit carnet où elle note toutes les idées qui lui passent par la tête pour son prochain roman, et parfois les suivants. Avec ce qu'elle traverse depuis plusieurs mois, elle s'est habituée au milieu médical où le mot « patient » n'a pas comme seul sens « celui qui souffre ».

Deux heures après l'horaire théorique du rendez-vous, la jeune femme s'assoit enfin sur l'une des chaises en face du bureau du professeur Lorentz. Le médecin entre dans la pièce peu après, un épais dossier sous le bras, et la nervosité de celui qui en a encore vingt à traiter et ne doit donc pas perdre de temps. Il la salue d'une poignée de main vigoureuse, sans vraiment sourire. Il n'est pas désagréable, juste affairé.

— Comment allez-vous, madame Desmoulins ?

— Ça va.

— Vous vous y faites ?

— Je n'ai pas franchement le choix.

— Certes. Mais vous pourriez rencontrer des difficultés.

— Physiquement ça va, j'ai cessé de tomber. Dans la tête, je ne me suis toujours pas relevée.

— Êtes-vous suivie psychologiquement ?

— Oui.

— Cela vous aide ?

— Je ne demande pas la lune. Mais j'accepte ma condition sur terre, si c'est ce que vous voulez savoir, même si l'équilibre est encore instable.

— Installez-vous sur la table d'examen, vous voulez bien ? Je vais vous examiner.

Anaëlle s'exécute. Si l'homme n'est pas enclin à une chaleur humaine débordante, il faut cependant lui reconnaître ses compétences. Elle n'est pas là pour passer un bon moment mais pour se reconstruire…

Trois heures plus tard, après s'être extirpée de la file d'attente du secrétariat où elle devait récupérer sa Carte vitale, précieux et indispensable sésame depuis l'accident, puis du parking du CHU, puis des bouchons autoroutiers, Anaëlle se gare devant chez elle, plutôt satisfaite qu'aucune complication ne soit venue assombrir le tableau de son état général. Elle prend le courrier en passant.

Ah ?

Un nouvel exercice pour sa mâchoire !

Elle entre à la hâte dans son appartement et s'installe sur le canapé. Son chat la rejoint sans attendre, inébranlable béquille féline pour tous les moments où elle a besoin d'être plus forte. Elle dirait bien à Nougat que cette lettre a de grandes chances d'être un petit bout de béquille à elle seule, mais il pourrait se vexer. Et puis, elle ne se lasse pas de plonger les doigts dans le pelage hirsute de son chat, de lui caresser le cou et de sentir les vibrations de l'animal pleinement heureux d'une simple caresse.

Pleinement heureux d'une simple caresse.

Depuis quand n'a-t-elle pas ressenti cette vibration ?

*

Mademoiselle Desmoulins,

Voici mes longues réponses. Le monde juridique ne sait pas faire simple.

Je suis à la fois surpris et ravi de vous imaginer sourire à la lecture de ma lettre, surtout si cela aide votre chirurgien. Ce que vous me dites est-il vrai ou est-ce une façon imagée de me faire comprendre que je vous amuse ?

Me concernant, pas de mâchoire à rééduquer, mais un besoin de fantaisie, sûrement. Car oui, je suis un homme comme les autres. Ma greffière n'étant pas un modèle d'extravagance, ni de plaisanterie, elle peine à rendre mon quotidien plus enjoué. Je la soupçonne même de contribuer à ce qu'il soit morne et répétitif. Je guette désormais sa réaction quand elle examine mon courrier. Ses lèvres pincées, ce petit temps d'arrêt sur l'une des enveloppes et son soupir à peine feint m'annoncent une lettre de vous.

Si vous n'aviez aucun signe distinctif, je n'ai aucune chance d'imaginer à qui je m'adresse. Il ne tient qu'à vous de réparer ce petit désagrément. Une simple photo dans votre prochain courrier ?

Puis-je vous demander où vous exercez votre métier de pharmacienne ? Vous devez avoir fini vos études à l'heure actuelle.

Vous n'êtes pas obligée de me répondre, peut-être est-ce moi qui vous dérange maintenant.

À très bientôt.

Salutations sincères.

Hervé Leclerc,
procureur de la République
et entraîneur de mâchoire

9

Vibrer ensemble

D'après lui, leur amour n'a que peu à voir avec les liens du sang. C'est la force de l'attachement, la douceur d'être ensemble, l'évidence qu'ils sont sur la même longueur d'onde, qui donnent un sens à leur famille.

Ce début du mois de mars est plutôt froid et Thomas passe son temps à se couvrir pour se rendre à son travail, à se découvrir dans l'atelier chauffé par les moteurs des machines, à se couvrir pour aller sur les chantiers, à se découvrir en arrivant à l'hôpital. Il a vite compris qu'en enfilant une blouse, une charlotte sur la tête, un masque et des gants, il valait mieux n'être qu'en T-shirt, même quand il gèle dehors. Simon, dans sa chambre protégée, a perdu toute notion de vent et de pluie, lui que Thomas emmenait tous les week-ends des heures entières dans la forêt, quelle que soit la météo.

Les membres de l'équipe hospitalière se sont interrogés. À vingt-sept ans, Thomas était bien jeune pour être le père d'un enfant de huit ans. Cependant, ce sont des choses qui arrivent, non ? Le voir entrer dans le service chaque après-midi et rester jusqu'à ce que le petit garçon s'endorme, quand même…

Alors il a expliqué, vaguement, en ne donnant que peu de détails.

L'écart d'âge. La famille recomposée. Demi-frères mais d'amour entier.

Il n'a pas raconté comment son père, expert au Parlement européen de Strasbourg, était tombé amoureux de son assistante de vingt ans sa cadette. Ça ne regarde personne. Une histoire pourtant banale qui aurait pu se poursuivre quelques années avant de s'étioler, comme c'est souvent le cas. Un homme qui ne quitte pas sa femme, une assistante qui se lasse de l'attendre. Mais Christian était vraiment amoureux de Clotilde. Et Clotilde, amoureuse et persévérante. L'homme ne voulait pas prendre le risque de perturber son fils unique. Pour lâcher les rênes de la famille, il a donc attendu que Thomas fête sa majorité et ait une situation stable. Voilà un an qu'il avait trouvé une place en apprentissage chez un menuisier bienveillant qui le payait correctement et lui promettait un avenir dans son entreprise. L'épouse n'avait rien vu venir. À ne plus s'attarder dans les yeux de son conjoint, elle n'avait pas remarqué qu'il regardait ailleurs. La crise pour elle fut donc de taille, par peur de perdre son confort plutôt que leur amour de toute façon exsangue. En ce jour d'anniversaire, Thomas venait de souffler les bougies et chacun mangeait sa part de gâteau quand Christian annonça qu'il partait définitivement la semaine suivante. Malgré ses vociférations et ses demandes de justifications, sa mère n'eut pour seule explication qu'un « Tu m'emmerdes ». Il daigna ajouter « depuis trop longtemps » pour appuyer sa décision et la rendre irrévocable.

Onze mois après naissait Simon.

Certes, Thomas avait déjà son appartement, non loin de la menuiserie où il travaillait, mais c'était à quelques rues de la maison du nouveau couple et il s'attacha très vite à son petit frère. Très vite et très fort. D'autant qu'avec un père toujours en voyage, il aidait souvent Clotilde, atteinte durant les premiers mois d'une dépression post-partum sévère, comme sa mère vingt-quatre ans plus tôt. Ainsi, après sa journée de travail, Thomas passait prendre Simon, encore minuscule, le glissait dans un porte-bébé, d'abord à l'avant, puis très vite sur le dos, avant de l'emmener regarder les feuilles et les ruisseaux, dans les forêts autour de Neubois et du château du Frankenbourg, par tous les temps, chaud, froid, sec, humide. Il suffisait de négocier avec la maman inquiète, d'adapter les vêtements et de se protéger quand il faisait mauvais. Thomas a toujours considéré que la pluie, la neige ou le vent ne doivent pas être un frein mais au contraire une invitation à découvrir la forêt avec un autre regard. Des heures, des jours, des années passés à crapahuter sur les sentiers escarpés, à lui apprendre les arbres, les chants des oiseaux, la beauté des ciels du soir et parfois ceux de l'aube après une nuit sous les étoiles dans d'épais sacs de couchage. D'indéfectibles liens se sont ainsi créés, poussant même Thomas à faire des choix professionnels lui permettant de ne pas trop s'éloigner d'eux. Il aurait pu partir en Savoie, dans une belle entreprise, dynamique et innovante, mais il était heureux comme ça, et ne plus voir Simon aurait été un déchirement.

Passé le choc de l'annonce du diagnostic, le chagrin et la peur apprivoisés, Thomas se mit en tête de poursuivre leur projet de refuge pour petits animaux que Simon avait très à cœur de réaliser et d'apporter la nature jusqu'à son frère puisque l'inverse n'était pas envisageable pour plusieurs semaines, voire quelques mois encore.

Il ne savait pas à quel point cette forêt follement aimée des deux allait bientôt mettre du baume sur la grosse écorchure de leur avenir chancelant.

10

Une attente nerveuse

— Bonjour, Monsieur le procureur. Voïci votre courrier de la journée, dit-elle, restant devant son bureau, comme si elle hésitait à repartir.

— Un souci, Jocelyne ? Vous avez oublié quelque chose ?

— Elle ne vous aura pas longtemps admiré ! remarque-t-elle presque fièrement. Une semaine et aucun courrier de votre étudiante.

— Elle est en vacances, lui lance-t-il du tac au tac. Mais si vous continuez à scruter mon courrier, c'est moi qui vais partir en vacances. Et ne plus vous voir m'en fera vraiment. Retournez à votre travail, Jocelyne, je crois que vous n'en manquez pas.

— Pardon, je ne voulais pas vous froisser. Vous voulez un café ?

L'homme saisit alors son bloc de correspondance et son stylo-plume, pose les yeux sur le papier et prend quelques instants avant de commencer à écrire, en se demandant si c'est le petit jeu sardonique de Jocelyne qui génère en lui cette envie de recevoir une nouvelle lettre ou s'il a pris goût à l'échange.

*

Strasbourg, mercredi 2 mars

Mademoiselle Desmoulins,

Un petit mot griffonné pour vous demander un service. J'ai dû servir à ma greffière l'argument que vous étiez en vacances pour expliquer cette semaine sans lettre de votre part, afin qu'elle me fiche la paix. Elle surveille mon courrier comme un paparazzi une star.

Vous est-il arrivé quelque chose ? un accident ?

À y réfléchir, tout cela est ridicule, vous n'êtes nullement obligée de m'écrire. Mais j'avoue attendre. Peut-être avez-vous mis le doigt sur un besoin jusque-là oublié : cette fameuse fantaisie qui manque à mon travail (et peut-être à ma vie).

J'espère ne pas vous avoir froissée dans mon précédent courrier et ne pas vous importuner avec celui-ci.

J'espère surtout qu'il ne vous est rien arrivé, et que vous allez bien.

Très cordialement.

Hervé Leclerc, le guetteur de facteur

11

Le souvenir des luttes

Thomas, Clotilde et Christian se sont orga-
nisés dès le premier jour d'hospitalisation de
Simon. On les a prévenus d'emblée : « Ce sera
long, vous ne pourrez pas dormir sur place,
l'infrastructure ne le permet pas, et il faudra
veiller à ne pas perdre votre emploi, vous en
aurez besoin. » La jeune maman n'avait jamais
repris son travail d'assistante au Parlement
européen après sa dépression et avait opté
pour un poste de secrétaire de mairie à temps
partiel dans un village non loin de Neubois,
où ils avaient construit un petit nid pour cette
nouvelle vie.

Christian vient dès qu'il le peut, mais ses
déplacements le rendent rare auprès de son fils.
Il se rattrape les week-ends où il passe parfois
la journée entière avec lui. Quant à Thomas, il

a obtenu de son patron d'adapter ses horaires.
Celui-ci était d'accord pour un temps partiel
mais lui a proposé de le payer plutôt en fonction des chantiers réalisés. Un système prévu
pour rendre plus souple l'organisation du travail vis-à-vis des autres salariés. Ainsi, Thomas
gère ses propres clients, ses projets, et dispose
de toute l'infrastructure de la menuiserie. Cela
convient à tout le monde. Son salaire en a pris
un coup, mais Thomas se fiche de se serrer la
ceinture. Tant qu'il peut manger, se loger et
payer l'essence pour les trajets jusqu'au CHU,
rien d'autre n'a d'importance.

Clotilde arrive chaque matin au réveil de
Simon, participe à sa toilette et joue avec lui
le reste de la matinée, souvent entrecoupée de
nombreuses visites du personnel soignant. Cela
lui permet d'être informée au jour le jour de
l'état de santé de son fils. Elle repart en début
d'après-midi en avalant un sandwich dans la
voiture sur l'autoroute et se rend directement
à la mairie pour ouvrir le secrétariat. Il arrive
alors à Simon de passer du temps avec l'institutrice du service, la prof de sport et parfois les
clowns, en attendant son grand frère qui vient
vers 16 heures et ne repart pas avant d'avoir la
certitude qu'il dort à poings fermés. Thomas
permet ainsi à Clotilde de disposer de sa soirée

pour gérer la maison, passer l'appel quotidien à Christian, parfois au bout du monde, et se coucher tôt, afin de partir le lendemain dès 6 heures vers l'hôpital.

Si le planning est bien rodé, le rythme n'en est pas moins harassant et, vu de l'extérieur, presque un peu fou, mais comment faire autrement ? Aucun des trois ne peut imaginer laisser trop longtemps Simon orphelin de leur présence. Les nuits sont déjà bien assez éprouvantes de solitude.

Ce dimanche, Thomas a proposé à son père de le relayer en milieu d'après-midi, pour qu'il puisse partager un peu de temps avec sa jeune compagne encore fragile émotionnellement. Des semaines plus tôt, elle a dû encaisser le choc et faire face à cette nouvelle organisation en l'espace de quelques jours. Une poignée d'années à peine après avoir remonté la pente de sa dépression, l'équilibre est instable.

Après le bain de bouche orange et pâteux, infect mais obligatoire, et le brossage de dents, le pyjama enfilé et le dernier passage de l'infirmière avant la relève de la nuit, Simon s'est glissé sous les draps. Il attend une histoire comme Thomas sait en raconter. Mais en prenant son pouce et en tournicotant ses cheveux comme à son habitude, une touffe entière lui reste dans la main. Il jette alors un regard paniqué à son grand frère, qui contient fermement son émotion et retient ses larmes pour atténuer le drame qui est en train de se jouer. Cela devait arriver. C'est là, maintenant, ce soir, sous la lumière blafarde de la veilleuse. La chimiothérapie détruit tout. Y compris les cheveux. Simon pleure. En arrivant ici, il a pourtant vu d'autres enfants qui semblaient joyeux courir dans les couloirs, le crâne lisse comme un œuf. Mais il n'a pas voulu croire qu'il en serait de même pour lui. La pensée magique des enfants est extraordinaire mais elle présente des limites.

— Ça va repousser, tu sais ?

— Et si ça repousse pas ? sanglote l'enfant.

— Ça repousse toujours. C'est comme un arbre. Il perd ses feuilles chaque automne, et chaque printemps de nouvelles pousses apparaissent, toutes jolies, toutes vertes, pour le faire grandir.

— Il perd ses feuilles à cause des médicaments ?

La curiosité prend le pas sur les larmes et Simon s'essuie la joue du revers de sa manche de pyjama. Sa respiration est encore entrecoupée de spasmes, mais il s'apaise doucement.

— Non, un arbre, c'est différent. Il perd ses feuilles pour prendre des forces, en utilisant celles tombées au sol pour nourrir ses racines, et aussi pour se protéger du froid. Un arbre, c'est comme un corps. Tu as du sang qui coule partout dans tes veines, et c'est par là que passent tes médicaments, explique Thomas en lui montrant le fil de la perfusion qui part sous son T-shirt jusqu'au cathéter central. Eh bien, un arbre a de la sève qui coule dans ses canaux. Il y en a un peu partout, y compris dans les feuilles. Mais s'il les garde l'hiver, et que la sève gèle, ça peut faire des bulles d'air qui bouchent le canal et la feuille meurt, ou parfois même la branche entière. Ça s'appelle une embolie hivernale. Les humains aussi peuvent faire des embolies, sur le même principe.

— Alors si je perds mes cheveux, je ferai pas d'embolie ?

— Tu perds tes cheveux à cause des médicaments dont ton corps a besoin pour soigner ta maladie. Tu sais, l'hiver, on pense que les arbres ne font plus rien, mais ils sont en dormance et ils en profitent pour soigner toutes leurs petites blessures de l'année et certaines maladies. Tu vois, vous en êtes au même stade. Tes cheveux repousseront dès que ton printemps reviendra, je te le promets. Et tu seras encore plus fort. Les arbres se tiennent debout, par tous les temps.

— Sauf celui près du château, tu te souviens ? On peut se coucher dessus tellement il est penché.

— Oui, je vois de quel arbre tu parles. Mais il est vivant quand même, il fait son lot de feuilles chaque année, puis il les perd, puis il en fabrique d'autres, et il grandit, même un peu de travers. Un vieux philosophe qui s'appelait Sénèque a dit : « Seul l'arbre qui a subi les assauts du vent est vraiment vigoureux, car c'est dans cette lutte que ses racines, mises à l'épreuve, se fortifient. »

— Ça veut dire quoi ?

— Que cette tempête qui souffle sur toi est en train de renforcer tes racines. Tu en sortiras plus solide. Depuis que tu es tout petit, tu as toujours aimé regarder les arbres, les toucher, grimper dedans et t'y poser. Tu pouvais rester des dizaines de minutes couché dessous à regarder les feuilles bouger dans le vent. Tu perds tes feuilles, mais c'est pour te soigner et mieux grandir. Maintenant, ferme les yeux et laisse-moi t'emmener dans la fabuleuse histoire de la petite feuille qui ne voulait pas tomber...

12

Léger frisson

On aurait parfois envie de prendre Hervé Leclerc par la main pour lui donner un peu d'entrain. Pour le motiver à se lever, malgré un petit déjeuner familial dont il n'attend plus rien. Pour lui ouvrir les yeux sur l'utilité de son métier, là où il ne voit plus que des récidivistes qui n'en ont rien à faire de leur condamnation, même quand il s'agit de prison, alors à quoi bon... Lui éviter d'emprunter les transports en commun, alors qu'il est déjà en retard.

Oui, ce lundi matin, on aurait envie de le prendre par la main et de lui dire qu'il y aura des jours meilleurs.

Hervé s'est levé, parce qu'il n'a pas le choix. Il salue vaguement sa greffière, déjà à son poste, s'installe à son bureau et constate qu'une lettre l'attend, plus grande qu'à l'accoutumée.

La même jolie écriture d'Anaëlle. Enfin une bonne nouvelle pour oublier le reste. D'autant que l'enveloppe est là, sans que Jocelyne ait souligné le fait d'une remarque déplacée. Elle a bien compris la mise au point récente, ou alors elle a changé de stratégie pour endormir le poisson et mieux le surveiller afin de le ferrer le moment venu.

Hervé Leclerc, procureur de la République, se demande en la décachetant s'il y a quelque chose de mal à échanger des lettres avec une jeune femme qu'il a eue en cours. En soi, il n'y a pas de mal. En revanche, l'attente à peine dissimulée du facteur n'est pas anodine, et il sait que cette correspondance débutante n'est pas vraiment innocente. Il pourrait n'y voir qu'un échange cordial d'informations techniques, mais autre chose s'est immiscé dans ces quelques lettres, autant les siennes que celles de son ancienne étudiante. Une complicité ? Leur plaisir commun de l'écriture ? Un jeu ? Il se sent presque comme le gamin qui pioche dans le bocal à bonbons quand l'épicière a le dos tourné. Une petite gourmandise clandestine. Qui pourrait le lui reprocher, à part Jocelyne, l'épicière avec son œil dans le dos ? Et si une relation s'installait, sans

arrière-pensées, juste une jolie rencontre, enri-
chissante et joyeuse ?

*

Sélestat, vendredi 4 mars

Monsieur Leclerc,

Ce serait un comble que vous me dérangiez.
J'apprécie de vous lire, aussi de vous écrire. Ce
sont vos questions qui m'ont un peu froissée.
J'avais besoin d'y réfléchir. Non qu'elles soient
trop directes ou indiscrètes, mais je n'ai pas
forcément le cœur à y répondre.

Et puis, j'ai été bien occupée durant la
semaine à visiter une petite maison et à faire
quelques démarches pour voir si elle pourrait devenir la mienne. Je vous en parlerai.
Je suis tombée sous le charme, et je crois que
dans ces cas-là, il ne faut pas laisser passer
l'occasion.

J'ai réfléchi à cette histoire de photo, et je
comprends votre désarroi à l'idée de ne pas
savoir à quoi je ressemble (mais est-ce vraiment
nécessaire ?). J'ai donc décidé de vous envoyer
une photo de ma promotion. Peut-être me
reconnaîtrez-vous.

Concernant la juridiction française, je n'ai pour l'instant pas d'autres questions, ce qui n'est évidemment pas définitif. Il faut que j'avance dans l'écriture avant de savoir si je serai confrontée à d'autres doutes.

Serez-vous encore là quand ce sera le cas ?

À bientôt.

Anaëlle Desmoulins

PS : Pardon de vous avoir fait attendre.

*

Hervé, partagé entre la joie et l'agacement, replie la lettre, saisit son bloc de correspondance et commence à griffonner nerveusement une réponse. Il a peu de temps avant de devoir filer en audience. Il se contentera des couloirs à arpenter pour se remémorer les affaires qu'il doit traiter ce matin. Et puis, Jocelyne sera là pour le seconder. Elle sait si bien le faire.

*

Chère Anaëlle,

Vous êtes cruelle avec moi. Comment voulez-vous que je vous reconnaisse sur une photo de promo où vous êtes quarante-sept jeunes femmes ! (Oui, j'ai compté, pour argumenter mon propos avec précision – déformation professionnelle.) Vous auriez au moins pu mettre une petite gommette ou dessiner une auréole au-dessus de votre tête. Vous êtes cruelle, parce que je vais devoir attendre votre réponse, et je suis d'un naturel impatient. Où êtes-vous ?

Quant à mes questions dérangeantes, je vous prie de m'en excuser. Il m'était difficile de deviner que vous demander où vous exercez votre métier de pharmacienne puisse vous froisser. Dois-je vous prêter un fer à repasser pour réparer mon impair ? Ma femme en a un très bon. Un des cadeaux de fête des Mères qu'elle m'avait demandés (j'aurais préféré qu'elle ait envie d'un baptême en parapente) car elle ne supporte pas que je parte au bureau avec le moindre pli à ma chemise. Je lui explique qu'après cinq minutes en voiture, les plis sont revenus mais elle soutient mordicus qu'on arrive à faire la différence entre un pli de séchage et un pli d'usage et qu'un procureur ne peut pas se permettre de se présenter au tribunal avec une chemise mal repassée.

Faites-vous la différence entre un pli de séchage et un pli d'usage ? De grâce, répondez-moi que non…

Excusez-moi encore de vous avoir chiffonnée.

Avec toute mon amitié.

Hervé Leclerc, votre anti-pli

PS 1 : Vous êtes toute pardonnée pour l'attente.

PS 2 : Je ne sais pas quoi faire de vos courriers. Je veux les garder, évidemment, mais ma greffière est une fouineuse de première, pire qu'un cochon à truffes, et comme en plus elle vous a d'emblée collé l'étiquette d'admiratrice à mon égard, elle est à l'affût, la patte avant à quatre-vingt-dix degrés, ladite truffe (une autre) au vent. Si je les emmène dans ma sacoche, c'est ma femme qui risque de tomber dessus, et elle se demanderait ce que ce genre de courrier fait dans une sacoche de procureur, avec, en plus, une photo où je n'aurai pas manqué de dessiner une auréole dès que vous m'aurez dit où. Une idée ?

PS 3 (on frôle le record !) : Je serai là pour toutes vos questions, et même pour vos non-réponses.

Hervé colle le rabat, écrit l'adresse de la jeune femme, qu'il connaît désormais par cœur, et cherche un timbre dans le premier tiroir de son bureau. Il ira lui-même à la poste. Il aime de temps en temps éprouver ce petit frisson de plaisir quand, une fois l'enveloppe lâchée dans la fente de la boîte, plus rien ne peut interrompre sa route vers le destinataire.

Jocelyne le regarde s'éloigner, le courrier à la main. Il vient à peine de recevoir cette lettre, et il a déjà répondu. Ce petit jeu ne lui plaît pas du tout. Elle est d'autant plus contrariée qu'elle n'a trouvé aucun élément concernant la jeune pharmacienne. Rien. Ni dans le fichier des diplômés, ni sur les réseaux sociaux. Pas de casier judiciaire, pas de numéro de Siret.

Aucune information.

Tant pis, elle fera autrement.

Aux grands maux les grands remèdes, puisque aux siens, nul antidote.

13

Une maison qui fait de l'œil

Anaëlle se repose sur le vieux canapé du salon familial. Le velours côtelé est un peu usé aux accoudoirs mais on s'y enfonce comme dans un nid. Et puis, il connaît tout de l'histoire de ses parents. Les câlins du jeune couple, fier de ce premier gros achat, l'arrivée des enfants, les taches de gouache, le fils adolescent qui s'y vautrait des heures entières, la convalescence d'Anaëlle durant des semaines, des mois, après l'accident. Si ce canapé pouvait parler, il serait leur plus beau journal intime.

Ses parents s'affairent à la cuisine, ils préparent le repas du soir, en parlant de choses et d'autres. On ne distingue pas le contenu de la conversation mais on entend quelques rires discrets, les petits rires du quotidien, ceux qui ponctuent les échanges heureux entre deux personnes qui s'aiment. Leur couple est un exemple pour Anaëlle, elle qui rêve d'un amour simple et sincère, comme celui dans lequel elle a grandi. Elle peut compter sur les doigts de la main les disputes dont elle a été témoin. Ils parlent beaucoup, s'écoutent et se respectent, partagent les mêmes goûts, les mêmes envies, les mêmes combats aussi. Ils ont toujours été là pour elle, rassurants et disponibles. Elle aime venir chez eux, sur les hauteurs de Breitenbach, ce village charmant où une petite maison est à vendre. Ce serait idéal ici, seul havre de paix et de sécurité où presque personne ne la regarde de travers.

Elle relit les lettres du procureur en reprenant ses quelques notes pour faire avancer l'enquête de son livre, un peu déçue de n'avoir pas d'autres problèmes juridiques à lui soumettre pour l'instant. Elle ne va quand même pas en inventer, juste pour lui écrire.

D'ailleurs, a-t-elle besoin de questions pour légitimer un courrier ? C'est lui, après tout, qui lui en pose désormais, même si certaines la mettent dans l'embarras, mais comment lui en vouloir, il ne peut pas savoir qu'elle préfère éviter de trop se dévoiler. À y réfléchir, ce sont des questions anodines pour le commun des mortels. Il semble bienveillant à son égard et ne veut probablement pas lui faire de mal. Elle qui pensait que cette prise de contact se limiterait à quelques réponses techniques.

Elle n'aime pas l'idée que l'on puisse imaginer des choses à propos de cette correspondance qui commence à s'installer. Car si ce genre d'idée germe dans la tête d'une autre femme, son cochon à truffes ou sa chasseuse de plis, c'est qu'il y a une bonne raison à cela. Est-elle cependant prête à prendre le risque de vivre une histoire avec un homme, quelle qu'elle soit ?

Pourtant, les courriers du procureur commencent à la faire rire, en particulier le dernier, et cela lui fait du bien. Un bien fou, même. Comme si elle revenait d'un séjour loin de tout et qu'elle retrouvait la civilisation.

Advienne que pourra. Il sera toujours temps d'arrêter l'échange si les choses se gâtent. La vie lui sourit, elle ne va pas lui tourner le dos. Il est temps, désormais.

La petite maison qui lui fait de l'œil est un signe supplémentaire de nouveau départ. Un peu plus tôt dans l'après-midi, elle y a emmené ses parents, sans pouvoir y entrer, mais au moins l'apercevoir, en faire le tour. C'est la demeure d'une vieille femme partie en maison de retraite d'où l'on revient rarement. Les enfants se sont résolus à la vendre pour payer le loyer de l'EHPAD. Pas le choix. À un prix presque dérisoire tant les travaux sont nécessaires afin de la rendre habitable pour une personne d'une autre génération que celle de leur mère, qui s'est contentée une vie entière de ce qui représentait déjà un grand degré de confort après la guerre. Anaëlle a besoin d'un nid, pas d'un château. Une petite pièce principale au rez-de-chaussée, une salle de bains attenante et fonctionnelle. Et une simple chambre qu'elle pourrait aménager au grenier. Il lui faut cependant un avis technique avant de signer le compromis de vente. Ainsi a-t-elle pris rendez-vous avec un artisan dans la semaine. L'agent immobilier lui a prêté la clé avec l'accord des vendeurs, heureux qu'une opportunité se présente aussi vite.

La jeune femme semble tellement inoffensive qu'on lui fait confiance sans douter un instant de sa sincérité.

Et pourtant…

14

Des lutins dans la canopée

— Pourquoi tu as dessiné un A dans la forêt ? demande Simon en regardant l'esquisse de son frère collée à la vitre, la tête calée sur l'oreiller, son doudou contre lui.

— Ce n'est pas moi qui l'ai dessiné, ce sont les arbres, juste au-dessus du village, sur le sentier qui mène à notre refuge, après le virage que tu aimes bien parce que tu coupes toujours par le raccourci pour me passer devant. Je n'ai fait que le recopier pour te le montrer. Quand tu sortiras d'ici, je t'emmènerai voir toutes les bizarreries que les arbres nous réservent, et je t'expliquerai ce que peu de gens connaissent. Dans toutes les forêts, il y en a des dizaines de sortes, il suffit de regarder d'un peu plus près et de sortir des chemins. Ici, les deux arbres se sont réunis, et maintenant ils poussent ensemble.

Chaque dimanche, depuis quelques semaines, Thomas va marcher seul jusqu'au refuge en prenant des chemins différents, au-dessus du village, autour du château du Frankenbourg, sur les sentiers qu'ils connaissent par cœur à force de les avoir arpentés. Un carnet à dessin, un crayon, une gomme l'accompagnent. Parfois sa boîte de craies grasses, quand il a le cœur aux couleurs.

Il se pose quelque part, respire, attend. Il observe, se détend, oublie presque le sombre reste. Ou plutôt il classe ses pensées dans des tiroirs. Positives, négatives, encourageantes, effrayantes, douces, joyeuses, douloureuses. Il se représente chaque tiroir et décide de fermer les noirs et d'ouvrir grand les autres. On passe son temps à croiser du mauvais, mais aussi du bon, et c'est une question de survie de ruminer le bon, au sens bovin du terme : se poser au calme, fermer les yeux, et mâcher longuement des fleurs.

Cette pratique à laquelle Thomas s'adonne depuis bien longtemps relève certes d'un entraînement de chaque instant, mais elle dépend également d'une tournure d'esprit, d'un caractère, d'un allant inné vers l'optimisme, qui aujourd'hui, dans la marée noire qu'ils traversent, prend tout son sens.

Question de survie.

Il dessine les arbres, les cailloux, les oiseaux, parfois un écureuil, des araignées, un ruisseau. Tout ce qui bouge autour de lui. La vie, bon sang ! La vie qui fourmille ! Il dessine pour se vider la tête, pour digérer la colère et la peur. Il rentre dans l'après-midi, se douche, file vers Strasbourg et prend le relais de son père, parfois de Clotilde, en ayant scotché au préalable le résultat esquissé de sa randonnée sur la vitre du sas où les infirmières préparent les soins et où tout visiteur enfile son costume jetable tout propre parce qu'il vient d'un monde trop sale. Ainsi, en écoutant l'histoire du soir, Simon regarde le dessin et se sent un peu là-bas, avec Thomas. Puisqu'il ne peut plus s'y promener, c'est la forêt qui vient à lui. Une pratique encore plus puissante que celle de ruminer des fleurs.

— Et pourquoi ils poussent ensemble ? demande l'enfant.

— L'un de ces deux arbres a probablement été bousculé par une tempête et s'est penché vers son voisin. Parfois, ils ne sont pas suffisamment déracinés pour mourir, mais ils prennent une autre direction. L'une de ses branches s'est alors mise à frotter le tronc de l'autre, à tel point qu'ils en ont perdu chacun leur écorce et se sont soudés. Au fil du temps, le tronc de l'un absorbe la branche de l'autre, ils mélangent leur sève et leur écorce, et le petit bout de branche qui dépassait finit par tomber. Ça, c'est la barre horizontale du A. Et comme ils étaient penchés l'un vers l'autre, ils forment un triangle au sommet, c'est la pointe du A. Ce sont donc deux arbres qui communiquent par un petit pont de bois.

— C'est pratique pour les écureuils !

— Oui, et puis, ça les rend plus solides. Ils n'ont pas qu'un seul système de racines, ils en ont deux, espacés d'un bon mètre, comme les deux pieds d'un géant bien ancrés dans le sol.

Simon sourit à son frère. D'un sourire fatigué, mais d'un sourire paisible. Son crâne est lisse. Il a passé la semaine à s'arracher des touffes entières, « pour arrêter d'en avoir partout dans le lit et être tranquille plus vite, parce que sinon ça gratte ». Quelques rares cheveux s'accrochent encore à l'enfant, à moins que ce ne soit l'inverse.

Pour qu'il garde des muscles discrètement réveillés et qu'il puisse encore marcher ou du moins claudiquer quand il sortira, son père l'a fait bouger une partie de l'après-midi sur le lit qu'il n'a pas le droit de quitter. La maladie est grave mais tout le monde s'accroche à l'espoir, indispensable pour ne pas devenir fou à l'idée de vivre sous une épée de Damoclès aussi lourde que le fil qui la retient est fragile.

— Tu te souviendras de tous les endroits où tu vois des arbres bizarres sans moi pour pouvoir m'y emmener ?

— Évidemment !

L'enfant commence à cligner des yeux. La fatigue des médicaments, de la lutte contre les cellules malignes. Peut-être aussi la fatigue de ne rien faire, enfermé dans sa chambre depuis ces longues semaines. Mais il s'endort joyeux, en pensant à cette balade qu'il fera bientôt avec son grand frère pour résoudre toutes les énigmes des arbres cachottiers. Ce sourire vaut de l'or pour Thomas. L'or de se dire qu'il part dans les rêves avec la paix que chaque enfant mérite. Alors qu'il plonge délicatement dans le sommeil, Thomas lui chuchote à l'oreille :

— Toi et moi, on est ce dessin. La tempête nous bouscule avec ta maladie, mais on a une branche solide qui nous relie tous les deux, et on dessine un A, comme Amour. Un amour qui résiste à tout, quoi qu'il arrive. Je serai toujours ton arbre d'à côté, et je te tiendrai toujours par la branche. Tu ne pourras pas tomber, Simon, je te le promets. Bonne nuit. À demain. Que les lutins t'emmènent dans la canopée.

Il referme la porte délicatement et signale son départ aux infirmières en passant devant la salle de soins, avant de rejoindre le vestiaire pour se changer. Il a le temps de la route pour écouter de la musique et sortir de ce monde stérile et inquiétant, avant de rentrer chez lui grignoter un morceau de fromage avec du pain puis se pencher sur ses papiers afin d'avancer sur les dossiers concernant les chantiers à venir. Plans, devis, facturation, fonctionner comme s'il était indépendant, sans l'investissement des machines, lui convient mais c'est difficile. Il n'arrive pas toujours à répondre aux attentes, à être dans les temps pour assurer ses fins de mois. Il a beau faire de son mieux, un escalier, un dressing, un parquet sont tellement moins importants pour lui que son petit frère.

Thomas n'arrive plus à laisser passer un jour sans aller le voir à l'hôpital, ce serait un jour perdu, un jour en noir et blanc, tel un vieux film muet et triste, un jour qu'il n'aurait pas mérité de traverser.

Thomas veut mériter chaque jour vécu.

Il veut mériter d'être le digne frère de Simon.

Il veut être la branche du A comme Amour.

15

Peu importe les plis

— Elle a beaucoup de questions, votre ancienne étudiante ! annonce la greffière avec un sourire qui sonne faux.

— Mais enfin, Jocelyne, en quoi cela vous gêne ?

— Solidarité féminine. Je n'aime pas l'idée que votre femme puisse avoir un mari qui pense à une autre femme. Le risque de dérapage.

— Rappelez-vous, Jocelyne, vous êtes payée pour être la greffière du procureur, pas sa conscience, et si je devais me payer une conscience, ce n'est probablement pas vous que je choisirais. Le marché en compte de moins acerbes.

*

Monsieur Leclerc,

Je ne suis pas cruelle, je suis joueuse. Pas vous ? Il eût été trop facile de vous fournir une photo uniquement de moi. Vous auriez été déçu de me découvrir si vite. C'est comme si le lapin de Pâques déposait les œufs sur la table du petit déjeuner. C'est la recherche dans les fourrés qui est excitante, et la trouvaille qui est délicieuse, plus que le chocolat...

Premier indice : je m'habille simplement. Vous pouvez donc éliminer les quelques étudiantes qui sortaient de l'ordinaire. Je pense à Vanessa en particulier, qui s'habillait toujours en rose, de la tête aux pieds. Tout le monde l'appelait « Spasfon ».

Concernant l'archivage de mes lettres, vous n'avez qu'à faire un dossier intitulé « Confidentiel » – cela devrait passer assez inaperçu dans un tribunal – et mettre un petit mot de menace à l'égard de la greffière qu'elle trouvera si elle l'ouvre, du genre : « Jocelyne, ce que vous faites est mal, vous venez d'ouvrir un dossier classé confidentiel, il est encore temps pour vous de le refermer et d'aller rougir de honte dans les toilettes. Si vous franchissez ce nouveau cap, sachez que ledit dossier a été piégé et que je saurai forcément que vous l'avez ouvert, auquel cas j'entamerai une procédure de renvoi pour faute grave. »

Cela fonctionnerait aussi avec votre épouse. Un tiroir « Courrier personnel Hervé » et un petit mot d'avertissement, du genre « Chérie, ce que tu fais est mal – vous tutoyez votre femme, rassurez-moi ? –, tu viens d'ouvrir un tiroir qui abrite mon jardin secret, il est encore temps pour toi de le refermer et d'aller rougir de honte dans les toilettes ».

Mais une question me taraude : faisons-nous quelque chose de répréhensible pour une greffière attentionnée ou une épouse comblée ? Je ne vois pas trop.

Il y a une différence entre un pli de séchage et un pli d'usage ??? Je l'ignorais. Pour moi, un pli est un pli, et ça ne change rien à la vie. Par contre, je rêve plus d'un baptême en parapente que d'un fer à repasser. Il y a donc des gens sur cette terre qui sont perturbés par un pli de chemise ? Quel monde étrange !

Rassurez-vous, je défroisse mes états d'âme aussi vite qu'ils ont pris le pli. Je vais quand même répondre à votre question. Elle m'a chiffonnée parce qu'elle appuie là où ça fait mal. Un renoncement que j'ai bien du mal à digérer.

Je ne suis pas pharmacienne, car je n'ai pas pu finir mes études. Je travaille donc, à défaut, comme secrétaire médicale dans un cabinet de gynécologues de ma ville. Ce travail me plaît quand même. C'est déjà ça.

C'est agréable de vous savoir présent, même pour mes non-réponses.

Amitiés.

Votre cruelle Anaëlle froissée-défroissée !

PS 1 : Pourquoi une auréole sur la photo ? Je ne suis pas un ange.

PS 2 : Dans huit jours c'est le printemps. Je revis.

16

Un étrange concours de moignons

Anaëlle patiente depuis bientôt une demi-heure devant la vieille maison de Breitenbach. Assise sur le banc de bois, elle regarde le petit mur de pierre qui sépare la ruelle du minuscule jardin dont les friches racontent la profonde et définitive sénescence de la dame qui vivait là. Il y a aussi les volets bleus et fermés, un cœur découpé pour laisser entrer la lumière. Cette maison lui parle, elle l'entend d'ici : « Hé, psst, viens vivre au creux de moi, je te protégerai. » Elle espère que les travaux indispensables seront possibles. Elle hésite à appeler le menuisier, pour être sûre qu'il n'a pas oublié, ou qu'il n'est pas perdu dans le village. Mais il arrive enfin, se gare juste devant le portillon et sort avec empressement de sa voiture.

— Pardon pour le retard, j'ai eu un petit souci à régler sur un chantier, lance-t-il en lui tendant la main pour la saluer.

— Le principal est que vous soyez là. L'agent immobilier m'a exceptionnellement prêté les clés pour aujourd'hui, ç'aurait été compliqué de reporter. Vous travaillez toujours le samedi ?

— Je n'ai pas le choix.

— J'espère que vous n'avez pas trop de rendez-vous après moi.

— Il va falloir que je reparte assez vite, mais expliquez-moi votre projet.

— J'envisage d'acheter cette maison, mais c'est conditionné à la possibilité d'aménager les combles en chambre, commence Anaëlle en essayant d'ouvrir la porte d'entrée.

Celle-ci lui résiste. De n'avoir pas été ouverte durant l'hiver, elle a pris ses aises. La jeune femme se souvient que l'agent avait dû donner un petit coup d'épaule. L'artisan a remarqué sa prothèse et sa difficulté à prendre appui et à venir à bout de la récalcitrante.

— Laissez, je vais essayer, peu de portes en bois me résistent, sinon, il faudrait que je change de métier. On devra faire quelque chose pour elle également, si vous achetez la maison.

L'impression étrange qu'Anaëlle a ressentie en le saluant quelques instants plus tôt se confirme sous ses yeux, alors que l'homme plaque ses deux mains contre l'ouvrage en bois pour le pousser. Il lui manque deux phalanges à l'annulaire et à l'auriculaire de la main droite et la première phalange du majeur et de l'annulaire à la main gauche. Le probable excès de zèle d'une scie circulaire.

La porte cède facilement. Tout en observant la structure de la maison, il écoute la jeune femme lui exposer ses projets, en particulier l'aménagement d'un accès facile aux combles pour y installer sa chambre à coucher. L'homme saisit la perche qui pend le long du mur juste à côté de la trappe qui donne sur le grenier, l'enclenche dans le crochet et tire d'un coup sec pour faire descendre l'échelle escamotable.

— Vous avez déjà été là-haut ? demande-t-il avant de poser le pied sur la première marche étroite.

— Non, je ne peux pas bien monter avec ma prothèse. Mais mon père y est allé, il m'a décrit l'endroit. Par contre, il ne sait pas si l'espace de la trappe est suffisant pour installer un escalier solide et fixe.

— Je vais voir, il faut que je prenne quelques mesures. Vous avez réfléchi à la largeur précise des marches et à l'inclinaison maximum de l'ouvrage pour pouvoir y monter facilement ?

— Non, je me débrouille, du moment que je peux disposer de deux barres latérales pour me tenir quand je monterai sans ma prothèse.

— Que vous est-il arrivé ?

— Un accident de voiture. Et vous ? demande-t-elle en remuant les doigts devant elle.

— Un accident de scie circulaire. Elle roulait trop vite, elle m'a refusé la priorité, répond-il en souriant.

— Ça n'est pas trop compliqué pour votre travail ?

— Sûrement moins que pour vous.

Puis il monte dans le grenier, arpente le plancher à plusieurs reprises, prend des mesures, note des chiffres sur un vieux carnet à spirale, avant de redescendre et de fermer la trappe d'un claquement sec et ferme.

— L'accès avec un vrai escalier est tout à fait envisageable, mais il faudra peut-être prévoir un chien-assis dans la charpente pour apporter un peu de hauteur quand on arrive, à cause de l'angle. Ça augmenterait sensiblement le coût des travaux. Il faut que je calcule si on peut faire sans, mais je ne peux pas vous donner la réponse maintenant.

— Je vais déposer un dossier pour essayer d'obtenir quelques aides pour l'aménagement. J'ai surtout besoin de savoir si c'est techniquement réalisable et dans quels délais.

— Ça l'est. Pour le délai, je dirais autour de juillet. J'ai pas mal de chantiers en ce moment. Vous avez d'autres travaux ?

— J'aimerais réaménager la salle de bains, avec une douche à l'italienne, et…

— Ça, ce n'est pas de mon ressort. Il faut faire appel à un chauffagiste.

— Je sais bien, mais j'aimerais aménager un système escamotable qui me permette de reposer ma jambe quand je suis devant mon miroir. De même à la cuisine.

— Ça devrait pouvoir se faire après. Vous n'avez prévu qu'une chambre ?

— Je suis seule.

— Vous aurez peut-être des enfants un jour ?

Anaëlle s'éloigne de quelques pas en détournant rapidement le visage pour ne pas laisser paraître son trouble. Elle n'aime pas montrer ses émotions, encore moins ses faiblesses. Puis elle se retourne et s'adresse à l'homme sur un ton qu'elle ne voulait pas arrogant mais qui traduit son désarroi :

— Qui voudrait encore de moi avec cette jambe en moins ?

— J'espère bien que tous ces morceaux manquants ne m'empêcheront pas de trouver l'amour, rétorque-t-il en remuant les doigts devant lui, aussi joyeusement que possible pour dédramatiser les propos de la jeune femme.

— Votre handicap est plus petit que le mien.

— Oui, mais j'ai plus de moignons que vous.

Anaëlle, d'abord surprise par la tournure de la conversation, se prend à sourire de l'échange. L'homme aussi.

— Je n'aurais jamais imaginé participer un jour à un concours de moignons, s'amuse-t-elle.

— Entre deux amputés, la discussion est plus facile. On évite la pitié ou le dégoût, non ?

— Si un jour je fonde quand même une famille, je déménagerai, ou je ferai une extension. Je peux donc signer le compromis de vente ?

— Oui. On se débrouillera. Au pire, on peut faire un escalier d'angle, il y a la place. Je vous envoie le devis rapidement, lui promet Thomas en l'aidant à verrouiller la porte d'entrée. Par contre, vous n'êtes pas seule sur l'affaire.

— Comment ça ?

— Je pense qu'il y a une fouine dans le grenier.

— Comment vous savez ?

— Crottes typiques !

— Elle ne devrait pas enchérir mon offre auprès de l'agent immobilier. C'est grave ?

— Non. Vous pouvez quand même acheter la maison. Nous en reparlerons si vous voulez, je dois partir.

Il monte dans sa voiture et s'éloigne en jetant un œil dans son rétroviseur. Puis il regarde ses quatre moignons posés sur le volant, soudain ridicules en regard d'une jambe. Ça ne doit pas être facile pour elle, mais elle semble s'être relevée. Elle a des projets.

La jeune femme, heureuse de s'imaginer déjà dans sa petite maison, à quelques rues de chez ses parents, dans ce village qu'elle aime, dépose les clés à l'agence immobilière en annonçant au vendeur qu'il peut préparer le compromis de vente. Puis elle rentre chez elle où quelques enveloppes patientent dans sa boîte aux lettres. L'une d'elles l'attend un peu plus que les autres.

*

Chère Anaëlle,

Plus que trois jours avant le printemps. J'aime aussi cette date. Je pourrais même vous dire que, puisqu'on parle de printemps, vous me faites l'effet d'une petite fleur au milieu d'une étendue de terre morne et stérile (ma vie !), mais si je vous fais des compliments, vous allez peut-être me répondre que c'est du baratin.

À propos de l'auréole, ne connaissez-vous pas l'expression « un ange passe » quand un silence s'installe ? Quelques jours sans nouvelles de vous me font le même effet. Vous êtes donc un ange, d'où la légitimité d'une auréole… Vous allez vraiment dire que c'est du baratin. Pour l'explication pragmatique, une auréole sera plus jolie qu'une simple croix sur votre poitrine.

J'ai donc commencé à jouer au jeu du « Qui est-ce ? » en éliminant toutes les étudiantes à l'allure excentrique. Il n'y en avait pas tant que ça, en plus de Spasfon.

« Faisons-nous quelque chose de mal ? »… Je suppose que oui, eu égard à la morale de notre société. En quelques lettres, nous avons déjà parlé de votre allure, je vous ai demandé une photo de vous, vous m'avez parlé de « recherche excitante dans les fourrés », alors que nous ne nous sommes croisés qu'à l'occasion d'un cours sur le risque médico-légal du pharmacien, ce qui n'a rien d'émoustillant, reconnaissons-le. Rassurez-vous, je n'ai aucune pensée déplacée à votre égard. Ce n'est pas mon genre. Mais je pense à vous. Oui, je pense à vous, et j'ai hâte, chaque jour, de consulter mon courrier.

Quant à l'archivage de vos lettres, je vous remercie pour vos suggestions. J'en déduis qu'il faut que je choisisse le moins pire des deux risques : perdre ma greffière attentionnée ou mon épouse comblée. J'avoue ne pas vraiment savoir. L'une et l'autre me sont utiles.

Je sens que je vais devoir apprendre à accepter votre petit côté énigmatique. Vous m'avez dit où vous travaillez, sans m'expliquer les raisons de ce revirement professionnel. Mais je ne veux pas vous froisser à nouveau.

À très bientôt.

Hervé Leclerc,
votre fer à repasser mal réglé

PS : Je tutoie ma femme !

17

Quelques miettes d'amour

Désormais, la greffière hausse les épaules en déposant le courrier, feignant l'indifférence. Elle reste cependant très attentive au moindre signe et doit fournir un effort conséquent pour dissimuler sa rancœur aux yeux du procureur. Elle n'est pas méchante, Jocelyne, elle ne veut pas lui nuire, mais le protéger de cette étudiante. Le procureur est bel homme, il a une épouse et deux enfants, une situation confortable et sérieuse, une belle maison dans un quartier chic de la ville.

En arrivant il y a cinq ans, Jocelyne, de la même génération que lui, célibataire endurcie, était tombée sous le charme, mais ses jupes trop droites, ses chemisiers trop classiques, sa coiffure d'un autre âge et son manque d'humour éliminèrent toute chance de se faire une petite place dans le champ de vision du procureur. Blessure insupportable. Le rejet, encore une fois. Quand le premier sentiment de ce genre opère avant même la naissance, toutes les autres situations au fil de l'existence remuent le couteau dans la plaie, inlassablement, et parfois sans répit. N'a-t-elle donc pas droit à quelques miettes du gâteau d'amour ? Elle ne demande pas la cerise, juste une petite part. Et ces lettres qui débarquent et installent un sourire niais sur les lèvres du procureur raflent tout : les miettes et la cerise.

*

Sélestat, samedi 19 mars

Monsieur Leclerc,

Vous avez raison de ne pas me faire de compliments, ça fait enfler les chevilles et, c'est bien connu, les femmes ont horreur des chevilles qui gonflent. Le tableau est tellement disgracieux avec des talons hauts. Cela dit, je n'en porte jamais.

Vous êtes donc doté de l'option baratin ! Peu importe. Les grands mots qui sonnent faux glissent sur moi comme l'eau sur les plumes d'un canard. À moins que vous ne soyez de ces hommes, au demeurant touchants, qui font semblant de baratiner quand ils disent quelque chose de gentil, de peur d'être ridicules. C'est un classique.

Dessinez une auréole sur la photo, une croix ou ce que vous voulez, vous pouvez même découper tous les autres pour ne garder que moi, auquel cas, je ne vous garantis pas une issue heureuse si votre greffière ou votre épouse venaient à braver votre interdiction de fouiner dans vos archives.

Encore faut-il que vous me trouviez !

Nouvel indice : je ne suis pas à côté du type qui a des lunettes rondes et une coupe au bol. Je ne le supportais pas !

Je comprends votre embarras quant à l'idée de savoir si nous faisons quelque chose de mal en nous réjouissant de nos courriers respectifs. Je n'ai pas trop à me poser la question, puisque je n'ai pas à piéger mes dossiers d'archives et rien ne m'interdit de vous avoir dans mes pensées.

Vous ai-je dit que mon chirurgien maxillo-facial est très content de l'évolution de ma mâchoire ? C'est un peu grâce à vous…

C'est aussi grâce à vous que mon manuscrit avance, et je suis particulièrement inspirée ces dernières semaines. Merci encore pour les pas de géant que vous me permettez de faire.

J'ai envie de partager avec vous cette joie incroyable qui m'inonde depuis la fin de l'après-midi. Le menuisier que j'ai fait venir pour évaluer la faisabilité des aménagements nécessaires à la petite maison qui me fait de l'œil est affirmatif : « C'est possible. » Si tout va bien, je vais donc devenir propriétaire très prochainement. Je me réjouis beaucoup. Même s'il reste énormément de travail avant que je puisse dormir sous mon nouveau toit. Seule m'inquiète la présence d'une fouine. J'espère qu'elle ne me causera pas trop de désagréments. Mais je ne vais pas renoncer à ce joli projet à cause d'une petite bête de rien du tout.

À très bientôt.

Anaëlle Desmoulins,
votre petite fleur de printemps

PS : Je ne savais pas qu'on pouvait être marié par utilité. Suis-je trop jeune ? trop naïve ? ou trop fleur bleue ?

18

Se battre de tous ses muscles

Anaëlle revient de sa séance de musculation. À raison de plusieurs rendez-vous par semaine depuis des mois, le travail se révèle laborieux, fatigant, parfois désespérant. Un investissement énorme pour des progrès minuscules, *mais des progrès quand même*, comme lui dit fièrement Nathalie, sa kiné. Une chance que celle-ci soit agréable car Anaëlle n'a pas le choix. Elle doit faire ses exercices inlassablement. Parfois, elle en a assez de répéter les mêmes mouvements, de ressentir les mêmes douleurs, et d'en ajouter d'autres. Mais elle a mesuré l'importance des capacités corporelles dans sa vie quotidienne et sa marge de progrès est encore importante. Elle ne pourra plus relâcher la garde. Plus jamais. Condamnée à se battre de tous ses muscles pour un confort physique précaire mais indispensable.

Elle ouvre désormais la boîte aux lettres avec un plaisir manifeste. Elle se surprend à se languir, alors que les délais postaux ne peuvent être plus efficaces. L'homme est charmant, drôle, gentil, et il avoue qu'elle lui fait du bien. C'est bien normal d'attendre. Ce qui le serait moins serait qu'elle s'attache trop à lui. Il est marié. Si cet échange est agréable, l'approfondir n'est même pas envisageable. Est-il du même avis ? Il ne faudrait pas qu'il se mette à faire des plans sur la comète. Mais que peut-elle y faire ?

Chacun est responsable de ce qu'il imagine.

*

Strasbourg, mardi 22 mars

Chère Anaëlle,

Je ne sais pas si vous êtes trop jeune (PUISQUE JE NE VOUS AI TOUJOURS PAS REPÉRÉE SUR LA PHOTO !!!), trop naïve ou trop fleur bleue, pour comprendre en quoi un couple peut être utile. Je ne sais pas si vous êtes vous-même en couple (j'ai cru comprendre que non – ou alors votre compagnon n'est pas très investi dans votre projet d'achat immobilier), mais le mariage ne colle pas toujours à l'image heureuse et magique que l'on s'en fait ou du moins il n'y colle pas éternellement, pour peu que l'un, l'autre, ou les deux protagonistes évoluent vers des chemins différents. N'allez pas croire que je suis malheureux, je ne suis simplement pas comblé.

Dans mon travail, je ne m'ennuie pas, c'est plutôt le contraire, mais ce dont mes journées sont remplies est assez déprimant : meurtres, vols, petite et grande délinquance, violence conjugale. Y a-t-il un métier joyeux et euphorisant à côté duquel je serais passé ? Que dire du vôtre ? Il semble vous convenir, est-ce suffisant ?

Vous devez me trouver un peu morose. C'est sûrement le cas. Je suis surtout prudent. Vous comprendrez donc pourquoi j'appartiens à cette catégorie d'« hommes, au demeurant touchants, qui font semblant de baratiner quand ils disent quelque chose de gentil, de peur d'être ridicules ». Ce classique que vous savez si bien mettre en mots. Alors, préparez vos chevilles car j'aimerais vous dire que vous êtes réellement une petite fleur de printemps au milieu d'une étendue morne et stérile et qu'à ce titre vous méritez une auréole au-dessus de votre photo (DÈS QUE J'AURAI IDÉE DE QUI VOUS ÊTES !). Je m'arrête là de peur d'être vraiment ridicule… Un procureur de la République qui parle de petite fleur de printemps ne doit pas sembler bien sérieux à vos yeux.

Jeu du « Qui est-ce ? » : votre indice est bien maigre. Je n'ai pu éliminer que deux concurrentes. À ce rythme-là, il me faudra un an pour vous auréoler. Pourriez-vous trouver une caractéristique qui corresponde à une bonne quinzaine de jeunes filles sur la photo ? J'aime faire avancer les choses à pas de géant, comme votre manuscrit. Hé ! Hé ! Seriez-vous redevable ?

Bonne écriture et à très bientôt…

Hervé Leclerc,
votre botte de sept (non-)lieues.
(blague de procureur !)

PS 1 : Je suis ravi pour votre mâchoire. La mienne ne s'est jamais aussi bien sentie.

PS 2 : Entourez-vous de précautions concernant la transaction immobilière et les travaux qui vont suivre. Pour être passé par là, ou pour avoir des amis qui ont acheté, construit, ou rénové, ce n'est pas de tout repos… Quant à la fouine, si vous avez besoin d'informations, j'en ai une dans le bureau d'à côté. Je vous confirme que ce n'est pas non plus de tout repos.

19

Du jeu et des rires

— Tu tiens le coup ? demande Thomas à Clotilde.

Il a retrouvé la jeune femme dans la salle des parents, assise sur la dernière chaise au bout de la longue table. Elle regarde par la fenêtre du huitième étage. On voit la crête des montagnes vosgiennes loin à l'horizon. Le sien s'arrête au bout du jour, sans savoir de quoi demain sera fait.

— Pas le choix. C'est lui qui compte.

Elle est recroquevillée, les épaules rentrées, les mains coincées entre les genoux. Sa respiration est insignifiante. Elle ne s'est pas retournée pour répondre. Quand Thomas prend une chaise et s'assoit à ses côtés, elle se tord vers lui, les yeux dans le vague, comme si elle revenait d'un autre monde, et se déplie pour l'embrasser. Il la trouve fatiguée, elle confirme.

— Plus ça va, plus je le trouve joyeux, poursuit-elle. C'est fou, non ? Il a pris ses marques. C'est presque sa maison ici. Il s'est attaché aux infirmières, au personnel. Il s'est fabriqué des rituels, des jeux, des repères.

Elle non plus n'arrête pas. Elle doit se lever très tôt, se préparer, venir, endurer l'hôpital, les nouvelles, pas souvent positives, faire bonne figure auprès de son enfant en essayant de ne pas penser aux statistiques catastrophiques quand il est question du taux de mortalité pour cette leucémie-là. Un enfant sur deux survit, cela veut dire que l'autre meurt. Simon sera lequel des deux ?

— Tu sais que maintenant, c'est lui qui montre aux jeunes étudiants où poser le stéthoscope, et dans quel ordre doit se dérouler l'examen médical quotidien ? Il le connaît par cœur. Il lève le bras machinalement, parce qu'il sait qu'on va lui demander de le faire. Et dès que c'est fini, il retourne à son jeu, parce que c'est ça qui lui fait du bien. Le jeu. Le rire. Apprendre. Perdre et recommencer.

Clotilde mange trois miettes pour tenir debout, reprendre la route, faire face aux citoyens de la commune où elle œuvre, avec leurs conflits souvent dérisoires. Parfois elle a envie de hurler, en leur jetant le dossier à la figure, que leur putain de lettre recommandée pour signaler que le voisin n'a pas taillé une branche de trente centimètres et que celle-ci dépasse sur leur verger qu'ils entretiennent à peine, c'est juste indécent en comparaison d'un enfant de huit ans qui se bat pour ne pas mourir. Que s'ils étaient malades de ce genre de mal qui ronge, ils ne penseraient plus aux branches indésirables. Et à aucune autre broutille. Mais elle ne peut pas. C'est comme ça. Il y aura toujours des drames injustes, et toujours des imbéciles qui ne comprennent rien à la vie, ni à pourquoi elle vaut d'être vécue, simplement, sans se rajouter des problèmes parce qu'on n'en a pas assez, ou alors des pas assez graves.

— Je suis fière de lui. Il a souvent mal au ventre, à la tête, dans la bouche, en faisant pipi, en donnant son sang ou sa moelle pour une nouvelle analyse, et pourtant, il joue, il sourit, il rit, il blague avec moi, il me dit d'aller manger ou de dormir un peu sur le fauteuil à côté de lui. Je suis fière parce qu'il tient le coup. Alors, comment veux-tu que je ne tienne pas, moi ? Toi aussi, tu tiens. Je sais que c'est difficile de tout concilier. Et tu es là, pour nous, pour lui. Tu n'es pas obligé.

— C'est mon petit frère. Je l'aime.

— Merci, Thomas. Sans toi, ce serait encore plus insurmontable.

Elle lui sourit en silence. Un sourire fatigué, un sourire triste, un sourire qui tient le coup. Un sourire de fierté et d'espoir, malgré tout. Simon est là, vivant, joyeux, joueur, tendre, drôle. Simon souffre mais il s'accroche et mérite qu'on s'accroche avec lui à la bonne humeur.

Elle quitte la pièce dans un souffle, comme si elle flottait au-dessus du sol pour ne pas se sentir trop ancrée dans la réalité. Un fantôme.

Thomas se dirige vers le fond du couloir. L'ambiance est calme. Le dimanche est un jour sans instituteur, sans psychologue, sans prof de sport, sans clowns, sans tous ces gens qui passent du temps auprès de Simon en semaine pour lui offrir un semblant de vie normale, ou du moins quelques notions éparses disséminées. Mais c'est aussi un jour sans protocole, sans visite de médecin, sauf en cas d'urgence. Un jour plus tranquille, un jour différent, comme si la maladie faisait une pause. Ce n'est pas le cas, elle continue insidieusement ses tentatives d'envahissement. Impossible de baisser la garde. La lutte est quotidienne et sans merci. On a seulement parfois l'impression de reprendre vaguement son souffle.

Ce matin, Thomas a bouclé quelques devis, des plans pour un prochain chantier, cuisiné en quantité pour congeler des portions et gagner du temps chaque jour, et puis il a fait sa balade forestière, pour recharger ses batteries avant d'aller les vider dans la chambre austère d'un service pour enfants malades, un lieu qui pompe une énergie immense. Pas d'écureuil aujourd'hui, comme celui qu'évoquait Simon sur le pont du A, mais il se laisse jusqu'à la semaine prochaine. S'il n'en voit pas, il en inventera un. Thomas est prêt à toutes les fantaisies du monde du moment que cela dessine un sourire sur le visage de son petit frère, même s'il faut parfois mentir un peu.

Aujourd'hui, il a opté pour le hérisson. Il sait que Simon les aime et qu'ils en recueilleront certainement l'un ou l'autre au sein de leur petit refuge dans les années à venir. Il est courant d'en trouver à la fin de l'été, errant en plein jour, trop faibles pour affronter l'hiver, parce qu'ils se sont perdus ou qu'ils sont blessés.

Les deux frères ont d'abord joué, puis dessiné, avant de se préparer pour la nuit et de voir passer l'infirmière lors de sa dernière tournée, donnant le signal de l'histoire. La journée est bouclée, tout est en ordre, vérifié, analysé, scruté, annoté, le corps fatigué est prêt à dormir, reste à bercer le cœur.

— T'as pas vu d'écureuil ?

— Non, pas cette fois-ci. En me promenant, je suis tombé sur un nid de hérisson, tout près de notre refuge. Il était à l'abri, sous quelques ronces, entre des racines. Il a dû fabriquer ça au mois d'octobre dernier, en ramenant patiemment des feuilles, des herbes et en les disposant ainsi.

— C'est son lit pour dormir la nuit ?

— Non, c'est pour hiberner.

— Comme les ours ?

— Oui, mais le hérisson n'hiberne pas complètement. Il se réveille une fois par semaine. C'est pour tenir tout l'hiver qu'il grossit beaucoup en fin d'été. Mais ce n'est pas toujours le cas malheureusement. J'ai vu Annabelle hier, elle m'a dit que le week-end prochain, elle viendrait m'aider à préparer de quoi prendre soin de nos futurs petits animaux en détresse. Elle a déjà commencé à mettre toutes sortes de boîtes de côté et des chiffons.

Annabelle est la meilleure amie de Simon, et son amoureuse. En CE2 avec lui, elle a dû accepter son absence, du jour au lendemain, quand la maladie a été annoncée. Thomas ne le dit pas à son frère mais la petite est triste.

Simon lui manque. Ils sont comme les deux doigts de la main. Et elle ne peut même pas lui rendre visite. Elle lui écrit des mots doux que le jeune homme colle à la vitre à côté de ses croquis, mais quelle maigre consolation en regard de ce temps qu'ils passaient ensemble. Thomas a vu le voile de tristesse se poser sur le regard lointain de son frère à l'évocation du prénom de la fillette, alors il enchaîne :

— Tu te souviens comment on décèle un hérisson en détresse ?

— Non.

— S'il se promène en plein jour, en général, ce n'est pas bon signe. Il faut alors le mettre dans un carton sur une couverture, bien au chaud, et lui donner à manger et à boire.

— On peut lui donner quoi comme nourriture ?

— De la nourriture pour chats ou pour chiens dans une gamelle dehors.

— Mais les chats vont la manger.

— On met un couvercle. Il n'y a que le hérisson qui sache soulever le couvercle avec son museau pointu. En parlant de nourriture, ta maman m'a dit que tu ne voulais toujours pas manger.

— C'est pas bon la nourriture stérilisée. T'as déjà goûté des frites en bocaux ? et une pizza ?

— C'est sûr. Mais tu as besoin de forces pour guérir.

— La force, elle passe dans mes tuyaux, comme ça, je peux jouer plus longtemps. T'as vu, il y a même de l'huile d'olive, ajoute l'enfant en montrant la longue liste d'ingrédients imprimée sur la poche plastique reliée à son cathéter. Il mange quoi le hérisson ?

— Des insectes, des escargots, des petites limaces, des vers.

— Je préfère mes tuyaux ! Mais j'aimerais être un hérisson quand même !

— Pourquoi ? Tu serais tout piquant !

— Pour me mettre en boule dans mon nid et qu'on me laisse tranquille.

— Tu veux qu'on te fasse un petit nid pour te sentir protégé ?

— Ici ?

— Pourquoi pas ? On tend quelques draps au-dessus de ton lit, et voilà. Demain, on en parle aux infirmières, tu veux ?

— Ouiii !!!

— Maintenant, ferme les yeux, et je vais te raconter l'histoire du petit hérisson qui voulait aller sur la lune...

20

Quand s'insinue le manque

Hervé est nerveux. Un ensemble d'éléments mis bout à bout qui rendent cette fin de journée affreusement pénible. Il n'ose pas croire ce qui pourtant lui saute aux yeux. C'est le manque qui rend le reste insupportable. Tous ces désagréments qui peuplent son quotidien depuis tant d'années passent soudain au rang de catastrophes. Le manque accentue tout. Il a beau essayer de la chasser, l'idée est là, et bien là. Anaëlle envahit ses pensées et l'absence de nouvelles éclabousse cette journée d'un silence qui tache. C'est ridicule, disproportionné. Une petite fleur qui fane sur une terre morne et stérile ne la rend pas plus morne et stérile qu'elle n'était. Ou bien ?

Hervé ne savait pas qu'une goutte de couleur pouvait donner de la lumière au noir.

Jusqu'à cette jeune femme.

Il ne supporte déjà plus le noir.

Assis à son bureau, il relit la lettre qu'il s'apprête à insérer dans l'enveloppe.

*

Strasbourg, vendredi 1er avril

Chère Anaëlle,

Je calcule depuis ce matin le temps moyen que vous mettez habituellement à me répondre : votre lettre aurait dû, selon mes statistiques, arriver au plus tôt à la fin de la semaine dernière, ou au moins cette semaine. Or rien au courrier, soit plus de huit jours. Si vous ajoutez à cela le poisson d'avril que m'a fait ma greffière en m'apportant le courrier : « Monsieur le procureur, aujourd'hui pas de lettre car votre admiratrice est là en chair et en os, elle vous attend à l'accueil. » Quinze secondes plus tard, j'y étais, avec une pauvre femme qui chantait dans mon dos « Poisson d'avril ! » en pouffant pitoyablement. Croyez-vous que ce soit une faute grave que de faire un poisson d'avril à son supérieur hiérarchique, qui plus est quand il est procureur de la République, qui plus est

106

quand ça vous concerne ? J'avais bien envie de la virer sur-le-champ, après l'avoir étranglée, cela va de soi. Cette femme est triste à mourir et en deviendrait presque méchante en essayant d'être drôle. Mais elle est techniquement efficace, donc utile.

Je ne vous ferai pas de poisson d'avril, nous nous connaissons trop peu pour cela, et j'espère que votre silence n'en est pas un à mon égard, car les poissons d'avril sont censés amuser…

J'espère avoir une lettre de vous en début de semaine prochaine.

À très bientôt.

Hervé Leclerc, poissonnier impatient

21

Quand les hasards n'en sont pas

Journée maussade.

Cela n'a pas empêché Thomas d'enfiler ses chaussures de marche et de crapahuter à la recherche d'un écureuil. Il se demande si l'apparition de l'un d'eux devant lui alors qu'il est sur le retour est réellement dû au hasard ou si quelqu'un tire les ficelles du destin. Depuis quelques mois, il réfléchit beaucoup à ce foutu hasard qui a jeté son dévolu sur un enfant de huit ans qui aimait jouer dans le sable, au foot avec ses copains, se promener en forêt et aller à la piscine. Toutes ces activités le fatiguaient depuis quelques mois. Beaucoup trop pour que ce soit normal. À huit ans, on déborde d'énergie, on ne cherche pas son souffle comme un poisson échoué sur la berge. Quand le couperet de la maladie est tombé, il a guillotiné le tas de sable, le foot, l'école, la forêt, la piscine, le cinéma, les repas en famille, Annabelle, le journal à aller acheter seul et fier, le chat à caresser, les vacances à la mer. Et tout le reste.

Couic.

On change de trajectoire.

On bouleverse les programmes, comme à la télévision quand quelque chose de grave arrive. Sans connaître le moment où tout va rentrer dans l'ordre, ni même si cela arrivera. Les médecins annoncent un taux de survie dont on ne sait d'abord que faire. Elle n'est pas là d'emblée, cette force de décider au fond de soi que l'enfant sera du bon côté des statistiques, du côté de ceux qui survivent. Elle n'est pas naturelle, il faut se faire violence pour l'installer solidement, pour d'un coup de massue rageur abattre la peur de perdre.

Et puis un jour, vous comprenez que la vie est ici, dans l'instant, puisque rien ne dit qu'elle sera encore là demain, et après-demain, et les jours suivants. Alors vous la traversez un peu plus fort, un peu plus doux, un peu plus rire, un peu plus fou.

Thomas se dit que les écureuils sont envoyés pour y contribuer.

C'est la première question que pose Simon quand il s'installe dans son lit, après les autres rituels. Il a compris, maintenant, que la balade en forêt, le croquis et son frère qui lui parle de la vie des sous-bois reviennent chaque dimanche, juste avant de dormir. Souvent il en rêve les nuits qui suivent et regarde plusieurs fois par jour les dessins, les uns à côté des autres, qui lui donnent l'impression d'avoir un petit coin de paradis dans sa chambre coupée du monde.

Un petit coin entouré des mots doux d'Annabelle.

Simon, particulièrement fatigué ce soir, se souviendra que le nid d'un écureuil s'appelle une hotte, comme celle du Père Noël, et qu'il peut boulotter une amanite phalloïde sans mourir, mais il n'aura pas la force de retenir ce qu'il mange, où il cache ses noisettes et ce qu'il fait de ses journées.

Une autre fois…

22

Un poisson d'une semaine

Chère Anaëlle,

Savez-vous que les meilleures blagues sont les plus courtes ? Un poisson d'avril est censé durer le temps du 1er avril, pas la semaine qui suit. Ce n'est donc pas un poisson d'avril que vous me faites là ? Testez-vous mon orgueil ? ma capacité de résistance ?

J'ai relu au point de le connaître par cœur le dernier courrier que je vous ai fait parvenir avant votre silence (oui, je garde un double de ce que je vous envoie… sûrement une autre déformation professionnelle) pour savoir si j'avais à nouveau pu faire un faux pli à votre âme, et je ne trouve pas. Est-ce de vous avoir posé une nouvelle question concernant votre travail ? Seriez-vous si fâchée avec celui-ci ?

Pourquoi, après un si joli moment d'échange, coupez-vous net la communication, comme la guillotine le cou de Marie-Antoinette ?

Aïe !

À très bientôt ?

Hervé Leclerc,
une petite douleur dans la nuque…

23

Les pendules à l'heure

Assis sur le canapé de la salle des parents, Christian et Clotilde se tiennent la main en silence. Ils n'ont pas l'air tristes. Fatigués mais pas tristes. Pour une fois, ils ont passé un peu de temps ensemble auprès de leur fils. Cela a rendu Simon particulièrement heureux. Après les avoir embrassés, Thomas, qui vient prendre le relais, s'assoit sur une chaise en face d'eux. Il leur montre son croquis du jour. Le regard de son père est étrange. Un mélange de gratitude et de fierté d'avoir un grand fils comme lui, à ce point présent et impliqué, mais aussi la peur, terrible, l'impuissance, destructrice.

— Il est en forme aujourd'hui, dit Clotilde, on dirait à peine qu'il est malade.

— Ça lui a fait du bien que vous soyez là tous les deux.

— Il nous parle souvent de toi, tu sais ? ajoute-t-elle, émue. Tu comptes beaucoup pour lui. C'est très différent de nous. Vous partagez une complicité qu'on ne peut pas lui offrir.

— Ils ont trouvé un donneur pour la greffe, ajoute Christian. Ça va aller assez vite. Mais il faut s'attendre à des moments difficiles. C'est un gros bouleversement pour son corps. Et la chimiothérapie sera plus forte que les autres. Il y aura des réactions, des douleurs, des symptômes nouveaux.

— Et puis des risques, précise la maman à voix basse, comme pour atténuer le danger.

Thomas se lève et regarde par la fenêtre en souriant. Un jour, quelqu'un dans le monde s'est dit qu'il allait s'inscrire sur la liste des donneurs de moelle. *Sait-on jamais, des fois que ce soit utile.* Et ce quelqu'un entre aujourd'hui dans l'histoire de Simon et de sa famille, pour remettre leur destin dans le droit chemin. La greffe offre le seul véritable espoir de guérison. Il la fallait. Et elle est désormais possible. Ils composeront avec les moments difficiles, les réactions, les douleurs, les symptômes et les risques. Et si Thomas doit être encore plus présent, il le sera. Quitte à dormir moins, à ne plus rien faire d'autre. Être présent pour son petit frère, pour Clotilde et Christian. Pour lui aussi, parce que c'est un morceau de parcours qu'il ne peut pas imaginer autrement. Un bout de route qui le fait grandir également. Et réfléchir au monde. À son petit monde à lui, et au grand, tout autour. Comprendre les vrais enjeux d'une existence. Voir les choses sous un nouveau jour, tout simplement. Simon est le meilleur professeur pour remettre les pendules à l'heure.

Thomas embrasse Clotilde et Christian et part vers le fond du couloir en saluant toutes les personnes qu'il croise. Familles et personnel soignant, tout le monde se connaît à force de se côtoyer. Les enfants sont rarement là pour de courts séjours. Des liens se créent autour de la machine à café durant les semaines d'enfermement, ou parfois juste en tendant un mouchoir à un parent qui craque, parce qu'on sait qu'on y est passé ou qu'on y passera, à cette épreuve des larmes.

Il se prépare à ces quelques heures en tenue d'hôpital. Avant d'enfiler son attirail bleu, il a pris soin d'accrocher le dessin à la vitre du sas. Simon saute sur son lit en le voyant faire.

Oui, il est heureux. Malgré le contexte.

C'est un enfant.

Il a cette force-là que les adultes n'ont plus.

— Coucou ! lui lance l'enfant, alors que son frère n'a pas encore fermé la porte.

— Oh ! Ici aussi, il y a un coucou ? Ils commencent à chanter dans la forêt !

— C'est vrai ? Tu en as entendu un ?

— Plusieurs, même ! Ils devaient se battre pour un territoire, c'était agressif !

— Ou pour une femelle.

— Oh, tu sais, les coucous ne sont pas des exemples de fidélité comme les oies sauvages. Ils ont plusieurs femelles, et les femelles ont plusieurs mâles.

— Pas les oies ?

— Les oies choisissent un mari ou une femme et restent fidèles jusqu'à la mort. Et si l'un des deux meurt avant, l'autre ne refera jamais sa vie.

— Il faut bien choisir, dit l'enfant. Papa n'aurait pas pu être une oie sauvage !

— Pourtant, il migre souvent au bout du monde ! Je ne suis pas sûr qu'il aurait aimé être un oiseau de toute façon. Tu lui demanderas. Donc, je te disais que j'en ai entendu plusieurs. Des mâles, forcément. Les femelles, on ne les entend jamais.

— Ah ? Alors, maman n'aurait pas pu être un coucou !

Thomas éclate de rire, comme la jeune infirmière qui branche les médicaments du soir sur les pousse-seringues. Elle est petite, menue, les cheveux courts, d'un blond suédois. C'est son nez retroussé quand elle rit que remarque surtout Thomas. Sa voix est mélodieuse.

— Vous savez que votre petit frère nous apprend beaucoup ? Il nous raconte tout ce que vous lui expliquez de la forêt ! Nous allons être incollables dans l'équipe d'infirmières.

— Il y a tellement de choses à découvrir.

— D'où vous viennent toutes ces connaissances ?

— Je me promène beaucoup, et je lis des magazines de nature, des livres.

— Je vous ai coupé, vous parliez du coucou.

— Oui, mais d'abord le bain de bouche et les dents, répond Thomas en s'adressant à Simon.

Depuis le début de son hospitalisation, l'enfant est passé expert en négociations. Qui ne tenterait pas de repousser à plus tard tous ces moments désagréables qui rythment des journées contraignantes ? Mais Thomas ne cède pas. Il sait qu'il sera beaucoup plus difficile d'obtenir de lui ce brossage indispensable à la fin de l'histoire, d'autant qu'il s'endort parfois avant.

Fanny, l'infirmière, vérifie ensuite que le tuyau du cathéter central est bien fixé à son pyjama avec l'épingle à nourrice, pour éviter qu'il se l'arrache en se tournant dans son lit.

Elle n'aurait pas besoin de le faire, à l'usage les accompagnants gèrent ce genre de détail, mais voilà une occupation pour prolonger l'instant dans cette chambre. Elle veut en apprendre plus sur le coucou. Cela fait aussi du bien au personnel soignant de s'extraire de la maladie et de penser à autre chose. Le service est calme. Le fait est suffisamment rare pour en profiter.

— Ça vous embête si je reste un peu pour vous entendre lui raconter la suite du coucou ? tente Fanny, sur le point de rougir.

— Pas du tout. Mais vous risquez d'être déçue.

— Ah ?

— Le coucou est un cruel imposteur. La mère ne prend même pas la peine de construire un nid. Elle guette les petits oiseaux de la forêt ou des marais dans leur entreprise et, durant un moment d'absence des parents, elle ira pondre son œuf dans le nid d'un troglodyte, d'un rouge-gorge ou d'une rousserole, au milieu des deux ou trois œufs fraîchement pondus, en prenant soin d'en emporter un, pour faire comme si de rien n'était.

— Les oiseaux savent compter ? s'étonne la jeune femme.

— Disons qu'ils maîtrisent mal leurs tables de multiplication, mais au même titre que nous savons lire sur les dés en un coup d'œil si c'est un trois, un quatre, un six, quand on joue au Yams, ils savent combien d'œufs ils avaient en quittant le nid et si le nombre est le même à leur retour.

— Alors, ils peuvent aussi jouer au Yams ? demande Simon.

— Ça, c'est une autre histoire.

Petit échange de regards complices entre Thomas et l'infirmière. Un minuscule moment, une fraction de seconde, qui transmet une sorte de chaleur douce à l'homme. Du réconfort, en somme.

— En attendant, madame Coucou n'a toujours pas de nid. L'avantage, c'est qu'elle va renouveler l'opération entre quinze et vingt fois. C'est facile de faire des petits dans ces conditions ! Les autres font tout le travail à sa place. Mais ce n'est pas le pire. Le bébé coucou éclot deux jours avant les autres oisillons. Et aussi frêle soit-il, tout rose, sans plumes, aveugle et pesant trois grammes, six heures après sa naissance, il va caler chaque œuf du nid contre son dos, entre ses ailes, enfin les deux espèces de moignons dont il dispose, et les pousser hors du nid.

— Mais pourquoi il fait ça ? s'interroge l'enfant.

— Parce qu'il a besoin de beaucoup de nourriture. Sa taille adulte est trois fois plus importante que celle des parents d'adoption qui vont le nourrir. Partager avec d'autres petits, c'est la mort assurée.

— Mais comment il sait qu'il doit faire ça ? s'étonne Fanny.

— Sa peau est tellement sensible qu'il ne supporte pas le moindre contact. Tout ce qui traîne dans le nid est immédiatement éjecté. Et si les autres petits oisillons sont nés avant lui, il en fait de même. Pas d'états d'âme, le coucou.

Thomas s'amuse de la situation. C'est la première fois qu'une infirmière assiste à la scène. D'autres n'en auraient peut-être rien eu à faire, trop préoccupés par leur travail ou pas assez connectés à la nature. Mais la jeune femme s'est maintenant assise sur le tabouret qui jouxte l'arbre à perfusions. Machinalement, elle a pris la main de Simon et lui fait un petit massage doux avec son pouce, à l'intérieur du poignet, avec beaucoup de tendresse. Un point précis, suppose Thomas, intrigué et heureux de cette proximité entre elle et son petit frère. Il poursuit cependant l'histoire puisque ses deux spectateurs attendent la suite.

— Mais les parents ne disent rien ? reprend Simon, totalement étranger à l'idée qu'un papa et une maman puissent abandonner leur enfant.

— Rien du tout, ils regardent faire. Et le comble, c'est qu'ils vont ensuite nourrir l'intrus comme si c'était leur petit ! Jusqu'à ce qu'il devienne énorme et qu'il s'en aille en Afrique du Sud, le temps de l'hiver.

— Les coucous de nos bois vont jusqu'en Afrique du Sud ? s'étonne l'infirmière.

— Peu de gens le savent…

— Quelle arnaque ! C'est comme si un autre enfant venait chez nous, me fichait dehors, et que maman et papa ne disaient rien et lui donnaient à manger.

— Exactement ! Rassure-toi, ils ne feraient jamais ça. Ils t'aiment trop pour te laisser tomber.

— Je sais. Et toi aussi.

La jeune femme s'éclipse alors en le remerciant pour ce petit cours d'ornithologie improvisé, et pour sa présence régulière auprès de l'enfant. Elle sait à quel point les accompagnants jouent un rôle dans l'état de santé des enfants malades. D'autres familles font preuve de défection et ça lui fend le cœur. À chaque fois.

Non, Simon, je ne te laisserai jamais tomber, pense Thomas en refermant la porte derrière lui une demi-heure plus tard.

24

L'eau du moulin

Strasbourg, lundi 11 avril

Chère Anaëlle,

Mon existence est redevenue une terre morne et stérile depuis qu'elle ne voit plus de petite fleur.

Je viens de comprendre : vous me testez pour savoir si je tiens effectivement à notre échange ou si cela m'est égal.

Eh bien, ça ne m'est pas égal. Le travail est encore plus déprimant, ma greffière plus triste à mourir et l'ennui de mon mariage est monté d'un cran.

Je ne m'accroche plus qu'à une chose : le dimanche 24 et sa fête religieuse. J'attends désormais le lapin de Pâques, j'ai envie d'y croire à nouveau, avec mon petit panier en osier, car, avec un peu de chance, il cachera une lettre de vous dans un bosquet et je serai plus heureux encore que mes enfants quand ils trouvaient les lapins en chocolat, qu'ils ne cherchent plus dans le jardin depuis longtemps. Si votre silence est destiné à faire monter l'excitation de la recherche, je vous avoue qu'elle est à son comble et qu'elle va très bientôt devenir douloureuse…

Hervé Leclerc, chercheur de lapins

PS 1 : Au moins, ma greffière me fiche la paix.

PS 2 : Je préférais quand elle me faisait de lourdes allusions à propos de vos lettres.

PS 3 : S'il vous plaît, redonnez de l'eau à son moulin !

25

Des bouquets entiers de petites fleurs

En terminant de rédiger sa lettre, Anaëlle se demande si Hervé espère encore en recevoir d'elle, s'il est fâché, déçu, en colère. Elle ne s'est pas rendu compte du temps qui passait, trop occupée à ses soins. Elle était surtout à mille lieues d'imaginer qu'il puisse attendre à ce point. C'est en découvrant les trois missives du procureur à son retour qu'elle en a pris conscience.

*

Sélestat, mardi 20 avril

Cher monsieur Leclerc,

Vos lettres m'ont touchée, et je culpabilise d'être partie sans vous prévenir de mon impossibilité de vous écrire pendant ces quelques semaines.

D'un autre côté, nous ne nous sommes redevables de rien, en particulier concernant nos emplois du temps. Avons-nous, en quelques lettres, instauré un certain rituel qui souffrirait du silence inexpliqué de l'autre ?

Croyez-moi, je suis désolée si vous avez pu croire que je ne voulais plus échanger avec vous, ou si vous avez été peiné par cette coupure subite de contact. Je n'étais pas chez moi pendant tout ce temps, et j'ai profité de mon séjour pour avancer énormément dans mon roman. D'ailleurs, vous trouverez quelques questions sur une feuille jointe.

Ne croyez pas que je revienne vers vous uniquement par intérêt. L'échange postal était plutôt compliqué ces derniers temps, et j'avais un peu la tête ailleurs.

Votre quotidien doit effectivement être terne et morose, si, parce que vous êtes procureur de la République, vous ne vous autorisez pas à parler de petites fleurs de printemps. Déjà que vous n'avez pas droit aux plis de chemise !!! Ne vous inquiétez pas, dans l'intimité de nos courriers, vous pouvez me dire tout ce que vous voulez. Des bouquets entiers !

Mon travail est-il euphorisant ? Bonne question. Non. Écrire est euphorisant, écouter de la bonne musique est euphorisant, passer une soirée entre amis, tout autant. Mais mon travail est alimentaire. Il faut bien manger. Comme je vous le disais, il n'est pas désespérant non plus. Pas passionnant, certes – sauf si je décide un jour de faire une étude sociologique de la gent féminine –, mais agréable. Les trois gynécologues du cabinet n'ont jamais tenté aucune approche déplacée à mon égard (j'ai un secret pour cela !), et ils sont plutôt aimables avec leur secrétaire. Les patientes sont globalement gentilles, sauf quelques acrimonieuses bourgeoises mal baisées qui se croient tout permis avec moi et qui supposent que le prix de la consultation comprend le défoulement sur la secrétaire de l'accueil faute de se faire remarquer par le beau gynécologue en blouse blanche. D'autres sont touchantes dans leur souffrance et c'est souvent à moi qu'elles se confient, au moment de payer, quand le médecin a déjà pris la patiente suivante et qu'elles en ont gros sur la patate de garder pour elles leurs problèmes intimes. Je suis donc secrétaire psycho-socio-punshing-ballo-médicale. Finalement, à y réfléchir, c'est assez intéressant. Polyvalent surtout. Je ne m'ennuie jamais.

Oui, oui, ne trépignez plus, je vous le donne, le nouvel indice. Vous m'en avez demandé un qui permette d'éliminer une bonne quinzaine de visages à la fois. Vous n'avez pas l'impression d'abuser un peu ? C'est comme si tous les chocolats de Pâques étaient cachés au même endroit. Souvenez-vous : la fébrilité de la recherche…

Alors, notez que je n'ai pas les cheveux attachés (chignon, queue-de-cheval, barrette, etc.). Vous devriez pouvoir en éliminer sept de plus. Comme je suis généreuse ! Cela vous convient ?

Petite précision avant de finir cette longue lettre : ne m'enfermez pas dans des statistiques (délai moyen de réponse), je suis du genre à vouloir immédiatement en sortir. Si je dois vous répondre officiellement en quatre jours, je risque d'avoir très envie d'en prendre dix de plus.

À très très bientôt, je vous le promets…

Anaëlle, votre « admiratrice » euphorisante

PS 1 : Combien avez-vous d'enfants ?

PS 2 : Votre nuque vous fait-elle moins souffrir ?

PS 3 : La fouine qui occupe le bureau à côté du vôtre est-elle greffière à ses heures perdues ?

26

Ne mériter personne

L'être humain est probablement le seul animal à être capable de se faire du mal par la simple pensée. Jocelyne en est la preuve vivante.

Elle se tient debout dans sa chambre à coucher. Seule la petite lampe de chevet est allumée. De style ancien, l'abat-jour sombre diffuse une lumière blafarde. Elle n'a rien avalé ce soir. Parce qu'elle n'a toujours pas digéré la lettre de ce matin. Elle qui pensait que cette jeune étudiante avait cessé toute correspondance, et se croyait débarrassée de cette rage sourde qui lui saisit le ventre à chaque nouveau courrier. Le retour d'une enveloppe après trois semaines de silence n'en est que plus désagréable et la joie affichée du procureur insoutenable.

Jocelyne fait face à sa psyché. Celle qu'elle a héritée de sa grand-mère, peut-être la seule personne qui portait sur elle un regard bienveillant. Un beau miroir sur un pied en bois, un peu piqué par endroits. Petite, elle rejouait la scène de Blanche-Neige : « Miroir, mon beau miroir, dis-moi qui est la plus belle. » Ce n'était jamais elle.

Elle s'oblige à se regarder dans les yeux. Elle observe ses cheveux, attachés en chignon bien serré. Ce matin encore, elle a enfoncé les pinces avec une telle vigueur dans sa chevelure que la douleur a persisté une bonne heure. Mais elle ne supporte pas l'idée qu'une mèche puisse tomber, qu'on puisse avoir d'elle l'image d'une femme négligée. Ses mains explorent l'arrière de sa tête et retirent un à un chaque petit morceau de métal coudé. Avec le temps, ils ont perdu leur embout en plastique qui les faisait glisser facilement. La douleur n'en est que plus vive chaque jour, au moment de les attacher.

Vingt-sept.

Vingt-sept pinces à cheveux qu'elle rêverait de voir retirer par un homme, doucement, pour prolonger longtemps la promesse du désir.

Ses cheveux tombent maintenant sur ses épaules. Ni lisses ni bouclés. Un mi-chemin difficile à coiffer. Elle a toujours été à mi-chemin dans tout, Jocelyne. Dans son physique et dans son caractère. Un mi-chemin qui vous condamne à l'errance, d'avoir pris un départ sans idée de l'arrivée.

Elle commence à déboutonner son cardigan gris. Celui qui s'écarte un peu entre chaque bouton, au niveau de sa poitrine trop géné-reuse, et qui, dans le dos, marque la présence du soutien-gorge et fait ressortir les bourrelets.

Elle le laisse glisser au sol. Sa finette en coton blanc, relevée de dentelle à l'encolure et aux manches, laisse apparaître le soutien-gorge couleur chair. Elle n'a jamais aimé afficher de la fantaisie dans ses sous-vêtements. Qui lui aurait transmis ce plaisir-là ? Celui de savoir que ses parties intimes, objets théoriques de plaisir, reposent dans un écrin affriolant, qui donnera envie, à l'homme qui le découvre, de s'y attarder un instant pour mieux savourer ce qu'il cache. Elle n'a jamais appris l'idée d'être affriolante. Peut-être même lui a-t-on enseigné le contraire.

Ni négligée ni affriolante.

Sa finette rejoint le cardigan qui gît à ses pieds, sans un bruit. À peine celui d'un chat qui frôlerait le parquet. Puis elle dégrafe l'at-tache dans son dos. Les parties métalliques du large soutien-gorge claquent en heurtant le sol. Elle sursaute presque. À moins que ce ne soit la vision de ses seins. Ils seraient beaux d'être généreux s'ils n'étaient tombants. Et puis ces mamelons plats, d'une couleur rosâtre, qui ne donnent pas envie de les saisir, ni d'une main ni d'une bouche, tant ils semblent éteints. Elle approche ses mains et commence à frôler ses tétons, de sorte de les faire pointer et ressortir. Il y faut le temps, mais ils finissent par donner un peu de contenance à cette poitrine épaisse, qui s'excuserait presque d'être aussi inutile. Elle sait que dès qu'elle abandonnera leur stimulation, ils redeviendront plats, et tristes, et sans motivation. Quelle est leur légitimité si personne ne les aime ?

Sa main droite descend vers son ventre charnu et le saisit, pour s'infliger d'en affronter la mollesse. Un ventre qui ressort, quelle que soit la tenue. Sa mère mettait des gaines. Peut-être serait-ce la solution. La tricherie a parfois du bon.

Elle ouvre la fermeture éclair de sa jupe et la laisse glisser le long de ses bas, qu'elle enlève ensuite rapidement, les abandonnant au milieu d'un chaos de vêtements, gisant là comme s'ils avaient fui un corps qu'ils ne supportent pas.

Reste sa culotte en coton. Celle que personne n'arrache, ou n'ôte, même délicatement. Une culotte trop petite qu'elle n'a pas pris la peine d'adapter aux quelques kilos qu'elle a accumulés ces derniers mois. Ainsi ressortent les hanches, et les cuisses, et le ventre. Elle se sent comme un arbre dont l'écorce déborde autour d'un écriteau, et le mange, le digère, le recouvre de sa chair.

Petite culotte au sol. Sa toison longue la nargue, qui envahit le haut des cuisses. Un sexe enfoui, caché, comme une entrée de grotte derrière un rideau de verdure. Peut-être un entrelacs de ronces. Une seule fois un homme a osé y pénétrer pour y faire sa petite affaire sans vraiment prendre soin de l'endroit. Ils avaient dix-sept ans, ils étaient gauches, et pas vraiment amoureux. C'était plus par principe. L'avoir fait.

Depuis, la verdure a prospéré comme pour en protéger l'accès. La même main qui malaxait le ventre est descendue plus bas, s'arrêtant à l'endroit où le bassin se fend en deux cuisses épaisses. Elle n'a jamais osé ni explorer ni même regarder, encore moins caresser. La peur de se connaître, peut-être. Ou celle de se sentir obligée ensuite d'en faire quelque chose.

Il n'y a guère qu'un médecin qui a pu observer, cliniquement, froidement, son anatomie féminine, sans beaucoup de douceur, il y a déjà longtemps. Trop longtemps peut-être. Mais Jocelyne se dit qu'elle n'a rien à surveiller. On n'entretient pas les friches.

Elle reste ainsi quelques instants à regarder ce corps que lui crache le miroir sans autre précaution qu'une lumière jaunâtre.

Regarde-toi. Tu ne mérites personne.

Mais elle se ressaisit, enfile une chemise de nuit et s'allonge dans son lit en coupant la lumière. Les yeux grands ouverts sur le plafond noir, elle cherche ce qu'elle doit faire pour arrêter tout ça. Pour bien se faire entendre, sur ce qu'une femme a le droit de faire, et ce qu'elle ne doit pas. Distraire un procureur avec des lettres enflammées en l'occurrence.

Elle devra agir seule, une fois de plus, mais elle y arrivera.

Jocelyne sait à ce moment précis qu'il faudra frapper fort pour être efficace.

27

Énigmes

« Je ne demande pas la lune, j'accepte ma condition sur terre, même si l'équilibre est encore instable. »

Anaëlle repense à cette discussion avec le professeur. Cela fait à peine deux mois qu'elle a prononcé ces mots et elle sent pourtant comme des envies de lune, du moins de sa lumière. L'équilibre aussi commence à s'installer. Elle suppose qu'il y a désormais une petite musique nouvelle et dynamique qui la tire vers l'avant, et vers la boîte aux lettres. Elle qui ne veut pas être enfermée dans des statistiques en élabore elle-même. Avec un peu de chance, il aura répondu le jeudi soir, aura posté la lettre en quittant son bureau, elle sera partie vendredi matin de Strasbourg, et si tout le monde fait bien son travail, sera dans sa boîte aujourd'hui.

Elle a calculé tout cela en comptant discrètement sur ses doigts pendant que le banquier tapotait sur sa calculatrice pour en sortir la mensualité finale. Une chance qu'il soit gentil et compréhensif pour donner un coup de pouce à son dossier. Après tout, ce n'est qu'un handicap, certes important, mais dont elle se remet doucement. Elle a un travail, une rente, un bon apport personnel lié à l'indemnité qu'elle a reçue suite à l'accident, la caution de ses parents. Le montant du prêt n'était pas très élevé pour finaliser son projet, et elle n'a pas eu trop de peine à l'obtenir.

C'est son premier achat, son premier chez-soi, Anaëlle sort de l'agence le cœur léger avec l'envie de sauter de joie. Elle renonce au saut mais garde la joie et se contente de sourire. Exercice supplémentaire pour sa mâchoire. Elle sera bien là-haut, dans un village calme, entouré de montagnes apaisantes, dans un cocon qu'elle va bientôt pouvoir aménager, même si le devis du menuisier tarde à arriver.

Peut-être l'a-t-il enfin envoyé. Penser à cette petite maison l'aurait presque détournée de l'envie de recevoir un courrier du procureur. Quand elle ouvre la boîte, point de lettre de l'artisan, mais un colis…

Anaëlle sourit, même si le doute persiste. Elle ne veut pas lâcher trop vite les rênes de sa confiance. Et si le procureur n'était pas aussi gentil qu'il n'y paraît ?

*

Strasbourg, 22 avril

Ma chère Anaëlle,

Vous êtes vivante ! Maintenant que vous êtes revenue, je peux vous l'avouer, J'AI EU PEUR POUR VOUS. J'ai tout imaginé. Un accident, un enlèvement, un assassinat. Non, je ne regarde pas trop la télé, je baigne dans la délinquance au quotidien. Mais vous êtes là, plus en forme que jamais, du moins dans vos écrits. Ce n'est plus une fleur, mais toute une plate-bande que vous m'avez offerte. Ma greffière doit beaucoup vous en vouloir, car j'ai été d'un caractère exécrable durant ces trois semaines sans nouvelles de vous. NE LUI REFAITES JAMAIS ÇA !

En quelques lettres, comme vous dites, je me suis suffisamment attaché à vous pour m'inquiéter de votre sort. J'ai regretté de ne pas avoir de numéro de téléphone où vous joindre. Je vous ai mis dans la présente enveloppe ma carte de visite avec tous les numéros néces-saires, ainsi que mon portable personnel. N'hé-sitez pas à m'appeler si besoin. Je ne connais rien de vous, même pas votre voix. Savez-vous ce que je commence à ressentir ? L'appréhen-sion qu'il vous arrive vraiment un malheur et que personne ne pense à me prévenir. Je res-terais sans nouvelles, ignorant si c'est de votre fait ou de celui d'un drame, sans savoir si c'est mon orgueil qui doit en prendre un coup ou le destin qui me fait une crasse. Vous qui ana-lysez bien les situations, qu'en est-il de cette réaction ? Normale ? Excessive ? Incurable ?

Vous ne me facilitez pas la tâche, car vous êtes toujours aussi énigmatique. Je n'ai aucune idée de la raison de votre silence pendant trois semaines. Je peux tout imaginer. Racontez-moi si vous le souhaitez, sinon, je me morfondrai dans mon coin de ne rien savoir de votre vie. Il faut prendre les fleurs comme elles poussent.

Voyez-vous, je crois bien que c'est cela qui me fait du bien, quand je vous écris. Je peux vous dire des choses que je ne dirais nulle part ailleurs, et à personne d'autre, cela sans juge-ment. Je passe ma vie à endosser des rôles et des costumes. À faire sérieux et droit, pro-cureur compétent, mari parfait, alors que je rêve de futilités et de couleurs. J'ai plutôt le sentiment d'être un vieux loup solitaire abîmé, qui lèche ses blessures seul dans son coin. Je me sens un peu moins seul depuis que vos courriers arrivent sur mon bureau. Peut-être est-ce simplement cela que vous me permettez. C'est un tel luxe !

Votre travail semble passionnant. Je ne connais pas bien la psycho-sociologie des femmes, même si cela s'avère utile dans mon métier aussi, entre autres avec ma greffière. Je ne manquerai pas de vous poser les questions adéquates si besoin. J'en ai une d'emblée. Qu'entendez-vous par « acrimonieuses bourgeoises mal baisées » ? J'ai un sévère besoin d'écarter cette étiquette de mon épouse. Comprenez-moi ! L'homme est un animal fier et orgueilleux.

Je suis étonné qu'aucun gynécologue du cabinet n'ait jamais tenté une quelconque approche à votre égard. Je n'ai pas encore votre visage définitif, mais dans ce que vous écrivez, on sent une personne attachante. Je me demande quel est votre secret pour garder ce périmètre de sécurité. Mine de rien, je m'approche doucement du moment où je pourrai poser l'auréole sur la tête d'une des dix-sept jeunes femmes restantes. Chaque jour, je parcours cette photo en essayant de sentir qui

vous êtes, en fonction de ce que vous m'écrivez. Mais j'aurais trop peur de me tromper...
Alors j'attends vos indices comme les enfants le Père Noël.

J'espère que vous aimez le chocolat. Mais n'abusez pas des bonnes choses...

S'il vous plaît, appelez-moi Hervé.

Hervé, votre lapin de Pâques

PS 1 : Je vous promets de ne plus vous enfermer dans de quelconques statistiques.

PS 2 : Votre histoire de mâchoire était donc bien réelle ? Je m'excuse si je vous ai encore froissée. Cela dit, si vous étiez moins énigmatique !

PS 3 : Je crois que nos lettres s'allongent...

28

La ruse du lièvre indien

Pâques apporte son lot de chocolat à l'hôpital comme partout ailleurs, et les enfants malades sont plus que quiconque tentés d'abuser des bonnes choses. Simon, confiné dans sa chambre stérile, n'a pas eu le droit de participer à la chasse aux œufs cachés un peu partout dans le service. Mais il a reçu un petit cadeau, et du chocolat en bocal, stérile mais sucré quand même. Il a le sourire accroché aux oreilles quand Thomas entre dans la chambre.

Évidemment, c'est un lièvre que le grand frère a dessiné aujourd'hui, et qu'il accroche à côté des autres croquis.

— Tu as reçu du chocolat ?

— Oui ! Il passe même à l'hôpital, le lièvre de Pâques. Mais ici non plus on ne le voit pas.

— Tu penses bien qu'avec tout son chargement de sucreries, il vaut mieux qu'il se fasse discret ! Avec tous les gourmands qui peuplent cette terre, il aurait tôt fait de se faire dévaliser ! Mais il a une ruse pour y échapper !

— Une ruse d'Indien ?

— Presque. S'il sent qu'on le suit, il s'arrête brusquement, revient sur ses pas pendant quelques dizaines de mètres, puis il fait un énorme bond de côté qui peut l'emmener à plus de trois mètres de là pour prendre une autre piste. De quoi perdre ses poursuivants !

— Comme ça ? demande Simon en se positionnant au bout de son lit et en faisant un énorme pas de côté, manquant de tomber au sol dans son élan.

— À peu près, oui.

Thomas se met face à lui et lui saisit les mains. Il ne va pas laisser passer cette occasion pour inciter Simon à bouger.

— Montre-moi encore ta façon de sauter comme un lièvre ? Je te tiens, tu peux prendre plus d'élan.

Ainsi passent-ils une dizaine de minutes à rire en faisant de l'exercice. Mais les sauts sont de plus en plus courts, l'enfant bientôt fatigué. La paresse des muscles trop souvent au repos se fait sentir.

— Bravo, mon grand ! Tu es très fort.

Simon lui lance le petit regard soulagé de celui qui a fait un effort immense et qui comprend avoir atteint ses limites. Elles sont si proches de lui, ces barrières corporelles que la maladie a resserrées. Peut-être est-ce ce carcan de faiblesse dans lequel il se sent enfermé qui dessine de la tristesse sur son visage.

Il ne faut pas croire, Simon se rend compte de tout.

29

Abuser des bonnes choses

— C'est étonnant, Monsieur le procureur, cette enveloppe ne ressemble pas aux autres. Elle est plus petite. Est-ce une lettre de rupture ? ou d'adieu ? Quelques mots pour clore cette belle aventure qui n'aura finalement duré qu'un temps ? dit-elle, sarcastique et sûre d'elle.

— Ça vous ferait plaisir, n'est-ce pas ? Vous en êtes au point d'analyser le format et le poids de mes courriers, et d'en tirer de douteuses conclusions ? Jocelyne, je connais un bon psychothérapeute, il vous aiderait sûrement.

— Je n'ai besoin de personne.

— Et moi, je n'ai pas besoin de vos commentaires acrimonieux de bourgeoise ma…

— Ma quoi ?

— Rien, je me comprends, dit-il en souriant, avant d'emprunter le couloir vers son bureau.

*

Sélestat, 24 avril – jour de Pâques

Cher monsieur Leclerc,

Oui, nos courriers s'allongent, mais nous pouvons aussi faire court. Regardez !

Merci pour votre colis. Il m'a vraiment fait plaisir.

Vous m'avez gâtée ! Les chocolats que je préfère. Comment avez-vous su ?

J'espère que cela ne prive pas vos enfants. Vous avez tapé dans le stock caché sur l'armoire de la chambre à coucher parentale qui attendait ce matin de Pâques ?

Merci encore. Vraiment !

Anaëlle

*

Strasbourg, 26 avril

Chère Anaëlle,

Je préfère quand c'est long...

Hervé

144

PS 1 : Ne laissez pas ma dernière lettre sans réponse. Elle contenait des choses importantes…

PS 2 : Vous ne voulez vraiment pas m'appeler Hervé ?

*

Sélestat, 28 avril

Cher Hervé,

(Personne ne me punira d'appeler un procureur de la République par son prénom ???)

Je vous promets de vous prévenir si je dois m'absenter quelque temps.

Votre crainte qu'il m'arrive quelque chose est touchante. J'ai laissé votre numéro de téléphone à mes parents. À moins que nous ne trépassions ensemble ou simultanément, vous serez prévenu.

Je ne crois pas un instant à votre statut d'animal fier et orgueilleux. Auriez-vous rebranché l'option « baratin » ? Par contre, léchant ses blessures, ça y ressemble plus. J'espère pour vous que vous n'êtes pas trop poilu autour des blessures.

Concernant les ABMB (acrimonieuses bourgeoises mal baisées), je ne vous souhaite pas d'en avoir une à la maison. Mais vous n'êtes pas le genre d'homme à avoir épousé ce genre de femme, rassurez-moi !

Nouvel indice : je porte un jean. (Joyeux Noël un peu en avance !)

Mon histoire de mâchoire est bien réelle. Je vous expliquerai peut-être un jour.

Vous avez gagné, je vous laisse une petite carte avec mon numéro de téléphone. Me voilà démasquée ! Oui, on peut me corrompre en m'offrant des bons chocolats ! Je suis une faible femme.

MAIS, quelques règles accompagnent cette ouverture vers un pan de mon intimité :

✓ Nous ne l'utiliserons qu'en cas d'urgence.

✓ L'appel vocal ne sera possible que précédé d'une autorisation envoyée préalablement par SMS et la possibilité de le refuser sans avoir à fournir aucune explication (logique ou illogique, rationnelle ou irrationnelle).

Vous qui semblez aimer les statistiques, je me suis lancée dans un petit calcul : j'ai décidé de manger l'un de vos chocolats à chacune de vos lettres (pour ajouter au plaisir). Étant donné que nous nous écrivons en moyenne une fois par semaine et qu'il y a une quarantaine de

146

chocolats dans la boîte, je devrais tenir jusqu'à Noël, en me réservant en plus la possibilité de quelques extras pour les jours où ça ne va pas et où la douceur d'une gourmandise, ajoutée au plaisir d'en connaître l'expéditeur, aura le même effet que le meilleur des antidépresseurs.

Vous aussi, vous vous êtes démasqué dans vos quelques lignes. Vous êtes sujet aux diktats de la tradition judéo-chrétienne, consciemment ou inconsciemment, puisque vous me suggérez de ne pas abuser des bonnes choses. Pourquoi ne pas abuser des bonnes choses ? Justement, il faut abuser des bonnes choses ! Ne croyez-vous pas ? La vie est bien trop courte pour procrastiner.

À très bientôt.

Anaëlle, votre petite fleur inoffensive

PS : Vous aussi, il y a des questions qui vous fâchent ? Celle à propos des enfants ?

30

De l'ordre de la petite joie simple

Strasbourg, lundi 2 mai

Ma chère Anaëlle,

(Personne ne saura que vous m'appelez par mon prénom… Et quand bien même !)

Je suis enchanté que le colis de chocolat vous ait fait plaisir. Je suis allé chez ma chocolatière préférée, et j'ai un peu décrit la personne à qui je destinais le paquet, elle m'a proposé ceux-ci. À croire que les goûts culinaires sont à l'image de la personnalité des gens, et que ma chocolatière est très douée.

Par contre, je ne sais pas s'ils seront encore bons à la veille de Noël. Je crois que nous devrions nous écrire plus souvent. Cela écarterait de vous le risque d'intoxication alimentaire dont je pourrais me sentir responsable…

À ce propos, avez-vous remarqué que j'avais une adresse mail sur ma carte de visite ? Peut-être serait-ce un mode d'échange plus simple, plus rapide, plus écologique, et plus confidentiel. En effet, personne d'autre que moi ne peut ouvrir ma messagerie, en raison d'un mot de passe bien gardé. À l'heure actuelle, dans votre génération, plus personne ne vit sans adresse e-mail, vous devez bien en avoir une.

Vos parents connaissent-ils la teneur de nos échanges ? N'ont-ils pas été surpris de devoir prévenir un procureur de la République en cas de malheur ?

Pour ma part, je serais réellement embêté d'être marié à une acrimonieuse bourgeoise mal baisée. Mais comme vous ne m'avez toujours pas expliqué dans le détail ce que vous mettez derrière ces termes, je serais bien incapable de dire si cela est le cas ou non.

Je ne sais pas si je suis soumis consciemment ou inconsciemment aux règles de la tradition judéo-chrétienne. N'est-ce pas plutôt dans l'éducation et dans les valeurs sociales que tout cela s'imprime ? Mais vous avez raison, il faut abuser des bonnes choses. Je n'ai donc plus aucun scrupule à lire et relire vos courriers.

Je constate dans l'un de ces derniers que vous êtes toujours aussi énigmatique et toujours aussi avare d'indices efficaces pour qu'une auréole vienne se poser sur votre tête. Une raison à cela ?

Quant à votre mâchoire, pourquoi a-t-elle besoin de rééducation ?

Aucune question ne me fâche, ainsi, j'ai une grande fille de bientôt seize ans et un garçon qui la suit de près (un peu plus de quatorze ans). Une des explications à l'état de mon lopin de terre (dont vous êtes la petite fleur) : l'âge bête dans lequel ils sont plongés tous les deux est un puissant désherbant !

Cela fait donc belle lurette qu'ils ne croient plus ni au Père Noël, ni au lapin de Pâques, ni à la petite souris, ni à l'importance humaine des repas en famille et à la joie de partager des vacances avec leurs parents. Ils croient encore moins à l'autorité parentale, à l'intérêt de l'hygiène pour le plus jeune et à la décence vestimentaire pour la plus âgée. En d'autres termes, les moments tendres et joyeux de jeux et de complicité avec eux ne sont plus que de vagues souvenirs, et je vous avoue faire parfois quelques heures supplémentaires le soir pour être sûr qu'en rentrant, tout le monde aura déjà mangé et rejoint ses quartiers, épouse comprise. Je saisis alors un plateau, je prends une bière fraîche au frigo, quelques restes à grignoter, et je m'installe devant un bon reportage sur une chaîne quelconque. Petite joie simple.

Et vous ? Avez-vous des enfants ?

Je vous remercie pour votre numéro de portable. Au risque de vous paraître idiot, je me sens rassuré, un peu plus proche de vous, même si je ne l'utilise pas parce qu'il n'y a rien d'urgent entre nous.

Je vous embrasse.

Hervé

PS 1 : Jocelyne, ma greffière, a retrouvé goût à la vie, elle peut de nouveau me lancer une petite remarque acerbe par semaine…

PS 2 : Coquine ! Il n'y a qu'une étudiante sur les dix-sept qui ne porte pas de jean. Faites-moi avancer, je vous en supplie. Je n'y tiens plus. Dois-je vous rappeler que le déséquilibre est de taille entre nous ? Vous connaissez tout de moi et moi si peu de vous. Je travaille dans la justice, vous savez, la balance Roberval, les deux plateaux équilibrés ? S'il vous plaît, mettez quelques indices supplémentaires de mon côté, que l'équité revienne !

31

Un cri au milieu du fracas

Simon s'est endormi rapidement ce soir. Peut-être à cause de ce nouveau traitement qu'il supporte moins. Ou de l'usure de son corps frêle, témoin passif mais néanmoins embarqué dans cette guerre contre le cancer. À moins que ce ne soit le moral qui lâche parfois un peu. Ce n'est pas comme s'il n'avait jamais connu sa maison, l'école, la nature, le ciel bleu. Il semble heureux, mais il n'est pas chez lui, ni avec ses parents, ni avec ses copains de classe, même s'ils lui font un courrier de temps en temps et Annabelle des mots doux, ni avec la boulangère et le chien des voisins, ni avec le chat de Thomas. Et ni avec ses Playmobil.

Il a bien le droit de temps en temps de préférer dormir que d'affronter le manque.

Thomas l'a bien senti, ce soir, que cette joie s'était fait la malle dans la voix de son petit frère. Il se débarrasse de sa tenue stérile et rejoint le vestiaire en saluant au passage les membres de l'équipe soignante qui font les transmissions autour d'un gâteau. L'ambiance est détendue, presque joyeuse. Il y a des bougies. Un anniversaire à fêter. C'est aussi la vie normale des autres qui fait tenir et oublier un temps la gravité des maladies qui opèrent derrière chaque porte des vingt chambres du service. Fanny, la jeune infirmière qui s'était arrêtée pour écouter l'histoire du coucou il y a quelques jours, est assise juste en face de la pâtisserie. Peut-être est-ce le sien qu'on célèbre. Quel âge a-t-elle ?

Il lui proposerait volontiers de boire un verre, ce soir, après son service. Elle était d'après-midi, elle s'en va bientôt. Il suffirait de l'attendre. Car la jeune femme est gentille, dynamique, intéressante, et seule depuis peu semble-t-il, d'après ce qu'il a cru comprendre. Mais où caser une relation amoureuse au milieu de cette organisation quotidienne dans laquelle il peine déjà à trouver du temps pour les premières nécessités : manger, boire, dormir, se laver, travailler ? L'amour est-il un besoin primaire ?

C'est la question qu'il se pose encore en refermant la porte de son appartement derrière lui après la demi-heure de route. Il n'a pas faim. Même ce besoin-là est parfois entamé quand il est question d'encaisser la peine.

Alors batifoler…

Trois ans qu'il n'a pas fait l'amour à une fille. Une rupture un peu douloureuse et puis la leucémie. Il ne sait pas trop si cela lui manque ou non. Le corps seul, s'il prenait la parole, crierait sûrement famine, mais la maladie qui hurle au chevet de son frère étouffe les autres sons, comme on enfilerait un casque de chantier sur des oreilles sensibles. Tout est devenu lointain, insignifiant, presque inutile. En sourdine. Sauf d'être là, avec Simon. L'amour d'une femme serait un cri comme les autres au milieu du fracas, un cri étouffé par le casque.

Et puis, il sait aussi que les prétendantes se feront moins nombreuses le jour où il pourra à nouveau laisser chanter les sirènes de la séduction. Bien des femmes frissonnent de dégoût à l'idée d'être caressées par des morceaux de doigts. Alors que les phalanges restantes, pour compenser la surface moindre de ses mains, ont redoublé de sensibilité et de douceur, afin de mieux percevoir un grain de peau, la fermeté d'un téton, le galbe d'une joue.

154

Debout devant le grand miroir de la salle de bains, une simple serviette nouée autour de la taille après la douche qui l'a débarrassé, comme chaque soir, des odeurs du service, Thomas, les cheveux humides en bataille, détaille son visage carré, ses yeux clairs. S'il pouvait sourire, là, il verrait des dents blanches et bien alignées, sauf une, l'incisive gauche, qui n'a jamais voulu se ranger, mais qui lui donne une petite particularité. Et puis le torse, une pilosité claire entre les pectoraux, que son métier ne cesse de développer. Des bras tout aussi forts qu'il sait extrêmement doux quand il est question d'y accueillir une féminité fragile. Il sait son armature solide et ferme, musclée. Qui trimbale un cœur discret et une tendresse qu'il ne demande qu'à partager. Il n'est pas haut placé, un simple menuisier, mais il sait respecter, et divertir, intéresser, construire. Aimer, et l'être en retour. Et le dire, à qui veut bien partager son univers de rien du tout, la forêt, le travail, sa famille, des lectures policières et la musique de groupes qui existaient avant lui. Le dessin aussi. Juste la beauté des choses. Traverser les jours ensemble. Quand même batifoler, aussi. Il ne sait même plus si cette partie de son anatomie que la serviette recouvre est encore opérationnelle. D'accord, convier une femme à prendre un verre, prolonger si affinités, mais si le corps n'assure pas la suite ?

Thomas pense à Fanny devant les bougies du gâteau, à son nez retroussé quand elle sourit. Et s'il l'avait invitée ? S'ils s'étaient plu ? S'ils s'étaient retrouvés dans les bras l'un de l'autre, sa jolie bouche sucrée contre celle de Thomas et leurs corps réunis ? Le frémissement qu'il ressent à cet instant contre le lavabo le rassure.

Du désir, il en a.

Mais d'abord une greffe, puis une guérison, puis le retour de Simon à la maison. L'apaisement pour toute la famille.

Et il verra ensuite, s'il peut ouvrir son cœur à d'autres expériences.

À la beauté des choses à deux.

32

Les petites pièces d'un puzzle

Hervé Leclerc était à deux doigts d'envoyer un message à Anaëlle. Presque dix jours sans nouvelles. Mais il s'est raisonné : non, elle ne lui est pas redevable d'un courrier par semaine, non, il ne doit plus l'enfermer dans des statistiques, évidemment elle ne l'a pas oublié, du moins l'espère-t-il, mais alors pourquoi ce silence ? Après tout, ce ne sont que quelques jours de plus. Et elle ne représente qu'une occasion d'échanger des petites phrases légères et des idées profondes.

Pas plus ?

Évidemment plus, sinon il n'attendrait pas le facteur aussi avidement, son cœur ne s'emballerait pas en apercevant la petite lettre au milieu des autres, il ne relirait pas trois fois par jour ses derniers courriers et ne penserait pas à elle à chaque instant libre de sa journée, quand le travail n'occupe pas son esprit.

Plus donc.

Mais quoi ?

Aujourd'hui, c'est un colis qui porte son écriture.

Du chocolat ?

*

Sélestat, lundi 9 mai

Cher Hervé,

Vous ne perdez pas le nord. Me servir l'argument de l'intoxication alimentaire avec vos chocolats pour que je vous écrive plus souvent est quand même audacieux. C'est vrai, le mail est plus simple, plus rapide, plus réactif, plus écologique et plus confidentiel, mais nettement moins charmant qu'une lettre avec un joli timbre dans une boîte (mon côté fleur bleue ?). Certes, vous n'auriez plus de problème d'archivage mais ne croyez-vous pas que nous risquerions de tomber dans le piège de l'instantanéité et de perdre cette excitation, vous savez, celle de l'attente… L'avantage du courrier postal réside dans le fait qu'il rend le temps incompressible. Celui du transport et de la distribution. Et déjà là, vous êtes impatient. Moi aussi, je vous l'avoue. Je vais voir trois fois ma boîte aux lettres aux heures habituelles de la tournée postale pour être sûre que le facteur n'est pas passé sans que je l'aie entendu, et je réprime une grimace de dépit quand il n'y a que des publicités et des factures. Alors, oui, je crains que la rapidité d'internet ne nous pousse à consulter notre messagerie à tout bout de champ et ne perturbe notre travail et nos obligations respectives. Et puis, il n'y aurait pas cette réflexion qui précède l'écriture. Et le soin apporté au courrier. Ne croyez-vous pas ?

J'ai expliqué à mes parents que je m'étais permis de vous poser quelques questions en tant qu'ancien formateur et que, de fil en aiguille, nous étions restés en contact, au point que vous vous étiez pris d'affection pour moi, et montré inquiet que personne ne vous prévienne au cas où. Était-ce du baratin ? Et moi, puis-je compter sur quelqu'un pour être prévenue, au cas où ? Jocelyne ???

Je vois que vous avez vraiment besoin de vous rassurer à propos de votre épouse. Voici donc ma définition de l'ABMB : femme d'origine très aisée qui, de par sa situation financière plus que confortable, pense que tout s'achète et que tout lui est dû. Pas d'amies sincères puisque cela ne se monnaye pas, un mari qui, face aux geignements permanents de son épouse (ces derniers étant d'excellents destructeurs de libido), préfère prendre une petite maîtresse joyeuse et fauchée, qui aura tôt fait de lui prodiguer quelques soins aux allures de gâteries, tellement heureuse qu'il la sorte de temps en temps dans les grands hôtels-restaurants de la région, en évitant soigneusement ceux que sa femme fréquente. Bref, aucune frustration matérielle, mais un désert humain qui la rend incommode et revêche. Une femme dont plus personne n'a envie, malgré le bronzage, le lifting, la manucure et le régime, parce qu'elle n'est pas intéressante, à force de désert. Et si elle arrive encore à se faire grimper dessus, ce n'est jamais avec la tendresse d'un amour sincère qui chérit l'être dans sa globalité et pas que pour son derrière. Malheureuse, donc odieuse. Mais peut-on lui en vouloir… ?

Je n'en croise pas souvent, rassurez-vous, mais quelques patientes du cabinet sont gratinées. J'apprends à ne pas me laisser faire, voilà tout. Vous avez vraiment un doute par rapport à votre femme ?

Pour ma part, je n'ai pas d'enfants. J'imagine vaguement ce que peut être l'ambiance à la maison avec deux adolescents à table. Nous l'avons tous été.

Je n'ai pas d'enfants et je ne sais pas si j'en aurai un jour. Voilà, Hervé. Je vous dois peut-être quelques explications concernant mon silence et ma mâchoire. Je prends le risque que vous sortiez de mon périmètre de sécurité, dans lequel je me suis réfugiée depuis quelques mois, dans lequel vous êtes entré par une autre porte, celle de l'esprit et non celle de l'appa-rence. Avec un peu de chance, cela jouera en ma faveur.

Oui, ma mâchoire a été abîmée, et j'ai subi trois opérations successives depuis bientôt un an pour laisser à mon chirurgien maxillo-facial le soin de reconstruire mon morceau de visage enfoncé et lacéré par la tôle et les éclats de verre. Vous comprenez donc que je ne sois pas pressée que vous auréoliez ma personne, car je crois bien que je ne suis plus la même que sur la photo de promotion que je vous ai four-nie. Du moins, plus tout entière. Cela dit, mon chirurgien est un magicien et le résultat est vraiment très proche de la réalité, en dehors de vilaines cicatrices qui ne partiront proba-blement jamais vraiment, mais qui vont blan-chir avec le temps. Un bête accident de voiture comme il en arrive chaque jour. La seconde d'avant, tout allait bien. La seconde d'après, ma vie entière basculait. C'est mon amoureux de l'époque qui conduisait. Il était fautif, en grillant un feu rouge. Il s'en est sorti indemne. Pas moi. La voiture qui venait à droite est rentrée dans ma portière de plein fouet.

Ces trois semaines de silence en avril étaient liées à mon séjour à l'hôpital pour une énième opération de la hanche. Là aussi, le chirurgien fait des miracles, mais ça ne fait pas tout. Le bassin a également été enfoncé et lacéré par la tôle.

Voilà pourquoi j'ai arrêté mes études, et que je ne les ai pas reprises, car il me fallait trouver ensuite un poste assis. Je ne récupérerai jamais vraiment ma mobilité. J'ai donc un corps en vrac, moins bien rangé que vos petits chocolats dans leur ballotin. Des pièces détachées que les gentils médecins essaient de remettre au bon endroit, quand ils le peuvent encore. S'ils aiment les puzzles, avec moi ils sont servis ! Une chance que ma tête n'ait rien eu. L'intérieur, je veux dire. Je raconte des bêtises, elle en a quand même pris un coup, ma tête, car je ne suis plus tout à fait la même.

Je vais m'arrêter là, il m'est encore douloureux d'en parler. Mais bizarrement, avec vous, j'y arrive. Parce que j'ai envie d'avoir confiance, de croire que vous n'allez pas partir en courant, effrayé par la vision que votre imagination vous propose désormais concernant mon aspect physique.

Je vous embrasse.

Anaëlle, l'auto-tamponneuse

PS 1 : Surtout, ne me jouez pas le numéro de la pitié, j'en serais blessée. Déjà que…

PS 2 : Ah oui, au fait, le colis ! Ce n'est pas du chocolat. Je n'ai pas les moyens de vous offrir un tel coffret, et je m'en voudrais de vous acheter des produits bas de gamme. Non, vous trouverez un argument supplémentaire à la poursuite des courriers postaux…

*

Hervé replie la lettre et réfléchit. Il se demande si l'image qu'il se fait désormais d'Anaëlle l'effraie comme elle le craint. Il en a vu, de graves accidentés, durant certains procès. Il sait ce que provoque la tôle, et le traumatisme, et la lente reconstruction parfois bancale à jamais. Mais il se remémore chacun des échanges, chaque ligne de ses lettres. Il saisit son téléphone et tape un message pour Anaëlle :

Il m'a semblé d'une extrême urgence, donc par téléphone, de vous rassurer en vous disant que je n'ai pas envie de partir en courant. Bien au contraire. Pas de pitié à votre égard, brrr ! Juste de l'affection. Une tendre affection. Le reste par lettre… Hervé.

33

Joli fouillis

Anaëlle quitte le bureau vers midi. Son après-midi de RTT lui permettra de passer voir l'agent immobilier pour les derniers papiers, de relancer le menuisier dont elle n'a aucune nouvelle, ce qui commence vraiment à l'inquiéter, puis de monter chez ses parents pour y passer le week-end. Elle pourrait partir directement, son sac est dans la voiture, elle procède toujours ainsi, afin d'éviter de traverser toute la ville dans un sens pour passer chez elle, puis dans l'autre en direction des montagnes. Mais elle espère une lettre. Elle n'a pas envie de la laisser attendre dans la boîte jusqu'au dimanche soir. Elle perdra du temps en voiture, mais gagnera le plaisir d'une réponse éventuelle. Elle est prête à prendre le risque de revenir bredouille.

En se garant devant l'immeuble, Anaëlle hésite à se rendre à son appartement. Elle pourrait prendre le courrier dans le hall et repartir. Elle décide cependant d'en profiter pour emmener son chat qui apprécie chaque séjour sur les hauteurs et en profite pour chasser les mulots et les lézards. Elle vérifie que tout est en ordre et s'accorde quelques instants pour téléphoner au menuisier.

L'heure du déjeuner s'avère être un bon moment pour le joindre.

— Oui, pardon, répond-il, confus, je ne vous oublie pas. J'ai beaucoup de travail. Mais je vous fais ça la semaine prochaine et je vous l'envoie, ou je vous le dépose.

— Je pars trois semaines de fin juin à mi-juillet, je devrais récupérer les clés avant. Pensez-vous qu'il soit possible de réaliser les travaux durant mon absence pour que je puisse déménager fin juillet ?

— Oui, ça devrait aller. Je vais déjà vous faire le devis.

— Je compte sur vous.

Elle raccroche en constatant qu'il était sincèrement désolé. En espérant surtout qu'il tiendra les délais. Elle n'a pas envie de faire appel à un autre artisan. On lui a recommandé celui-ci, autant se baser sur les avis favorables.

Elle relève son courrier en redescendant, ouvre sa boîte, en prend le contenu, s'interdit d'y jeter un œil, monte dans sa voiture et passe chez l'agent immobilier. Il ne lui donne que de bonnes nouvelles. Elle devrait pouvoir signer et avoir les clés de son nouveau chez-elle tout début juin.

Puis elle se rend chez ses parents, s'empresse de leur annoncer le planning pour la maison, juste avant de filer dans sa chambre, restée en l'état depuis la fin de l'adolescence. La jeune femme prend alors le temps d'éplucher la pile d'enveloppes. Elle aime jouer avec son impatience. Un peu avec ses nerfs. Petit défi. Elle en a connu de plus gros, c'est là qu'elle a appris. Ce plaisir d'y arriver…

La lettre d'Hervé est là.

Elle s'allonge sur le lit, se défait de sa prothèse pour être plus à l'aise, et l'ouvre.

Que personne ne la dérange…

Anaëlle est avec lui, attentive et concentrée sur chaque mot, chaque phrase, soulagée, parfois surprise, amusée. À chaque paragraphe achevé, elle sait déjà ce qu'elle lui répondra. La lettre est longue, sincère, intense. Il la supplie désormais de lever le voile sur son identité. Finit par un « Vous me faites rire ! Continuez ».

Doit-elle encore jouer ? Elle en doute sérieusement. L'affection grandissante et surtout réciproque ne souffre pas certaines attitudes.

Les yeux dans le vague, le courrier replié, elle n'entend pas son père frapper à la porte. Il insiste délicatement.

— Nous allons nous promener, pas loin, tu veux venir avec nous ?

Mais Anaëlle préfère profiter de cette sérénité qui flotte en elle pour avancer sur son roman. C'est quand même cette activité qui lui a permis de le rencontrer, elle se doit de l'honorer. D'autant qu'elle en a envie. Une furieuse envie de créer, de construire, de laisser une trace du joli fouillis qu'elle ressent là, dans un petit coin de son for intérieur baigné d'une nouvelle chaleur.

À son bureau, encore crayonné de ses certitudes adolescentes, face à la fenêtre qui ouvre sur un large paysage, la jeune femme laisse libre cours à l'imaginaire. Captiver le lecteur, l'émouvoir, le faire se questionner, comme ce qu'elle vient de vivre à travers un courrier.

34

La belle vie des autres

Jocelyne avait-elle une chance de réagir autrement dans cette affaire qui lui tord le ventre ?

Elle jette un œil à la pièce avant de la quitter. La chaise à roulettes soigneusement poussée contre son bureau, chaque dossier, chaque stylo à sa place. Rien ne dépasse, rien ne traîne. L'ordre et la rigueur sont les seuls garants du bon fonctionnement des choses. Le procureur est incroyablement bordélique. C'est une greffière comme elle dont il avait besoin. Il ne s'en serait jamais sorti autrement, Jocelyne en est certaine. Pourtant, elle constate qu'il range bien soigneusement les courriers qu'il reçoit de cette jeune femme depuis des semaines. Preuve à ses yeux qu'elle est plus importante que tout le reste. Et qu'il est capable de ranger quand il est motivé.

Elle arpente le boulevard sous son parapluie en évitant les aspérités et les crottes sur le trottoir. Elle déteste ces gens qui ne respectent rien, qui laissent traîner leur chien. Elle va encore devoir nettoyer ses talons en rentrant. Ce soir, il lui faut faire quelques courses. Elle savait que ce serait une mauvaise idée de prendre cet appartement dans le même immeuble. Mais la maladie invalidante d'une mère oblige à quelques sacrifices et le désir de donner l'image d'une bonne fille serviable ne lui permettait pas de faire comme sa sœur aînée : partir à l'autre bout de la France, pour fuir la mauvaiseté. Car la mère n'est pas méchante, elle est mauvaise. Et Jocelyne trouve parfois la frontière assez ténue.

— Tu arrives tard !

— Je t'ai fait quelques courses.

— Et tu as encore traîné dans les rayons pour dépenser mon argent !

— Non, je n'ai pris que le nécessaire. Je te range tout dans le frigo.

Quelques instants plus tard, Jocelyne se tient debout face à sa mère pour une inspection en règle à laquelle elle a toujours été soumise, depuis sa plus tendre enfance, si tant est qu'elle puisse évoquer la tendresse en parlant de cette période. Observée de haut en bas, de bas en haut, comme par un scanner, à la recherche de cheveux qui dépassent, d'une chemise mal repassée, d'un bas filé, de chaussures mal cirées. Que vont penser les gens… ?

— Tu as taché ta blouse.

— Oui. À la cantine, à midi, la personne juste devant moi dans la file a lâché son assiette sur le plateau. Je vais la laver en arrivant.

— L'infirmière de ce matin était mal coiffée. Ses cheveux lui tombaient dans les yeux pendant qu'elle me mettait mes bas de contention. Il faut que j'en parle à la responsable. Tu l'appelleras pour moi.

— Ce n'est pas bien gênant pour mettre des bas de conten…

— ÇA FAIT NÉGLIGÉ ! crie la vieille avec un regard qui ne souffre aucune contestation.

— Je l'appellerai.

— Avant de partir, sors ma soupe du frigo, pose-la sur le bord du fourneau et mets un couvercle.

Jocelyne s'exécute. Elle s'accroche à l'idée des quelques marches qu'elle s'apprête à gravir pour s'enfermer chez elle. Au moins a-t-elle la chance d'avoir un petit appartement deux étages au-dessus. Elle n'imagine pas ce que serait la vie si elle était commune. Son père a su bien vite qu'il fallait fuir, mais Jocelyne est prisonnière. Comment dire aujourd'hui « je m'en vais, débrouille-toi toute seule pour la vie courante » ? Elle brûlerait en enfer d'avoir abandonné sa mère.

En claquant enfin la porte de son modeste studio, elle s'appuie un instant contre le mur, ferme les yeux et imagine l'existence heureuse de la femme du procureur, qui doit avoir son âge. Une belle maison, une belle situation, un mari respecté, sûrement des enfants bien élevés, un corps conforme – elle l'a croisée une fois. Elle sent monter en elle ce mélange de colère et de tristesse. Puisqu'elle ne peut pas être cette femme, elle prendra au moins sa défense. Il ne s'en tirera pas comme ça. C'est honteux de ne pas voir le mal qu'il fait ou qu'il est sur le point de faire.

Honteux, mais il n'en reste pas moins bel homme, avec ce regard ténébreux et ce corps bien bâti.

Tout le problème est là.

35

La bienveillance d'un vieil homme sage

— Mais s'il trébuche et tombe, s'il se blesse ?

— Je lui tiendrai la main.

— Il sera vite fatigué !

— Je le porterai. J'ai l'étoffe pour l'attacher dans mon dos. Tu sais qu'il aime ça.

Clotilde est heureuse mais angoissée. Et s'il arrive quelque chose pendant qu'il est à la maison ? Elle se sentira coupable. Cependant, c'est tellement bon de lui dire bonne nuit dans son lit, de le voir arriver le matin dans les draps encore chauds de ses parents, de l'observer de loin retrouver ses jouets, ses puzzles, ses doudous.

Simon a pu rentrer entre deux chimiothérapies. Il avait franchi le seuil fatidique minimum de globules blancs qui l'autorise à sortir de sa chambre stérile et à retrouver sa famille,

entouré évidemment de précautions dras-
tiques.

— Mais si toi, tu tombes ?

— Il peut aussi tomber ici.

— Oui, mais ici c'est propre.

Elle a rangé, nettoyé, préparé, astiqué pour
que la maison soit la plus saine possible. Alors
Thomas qui lui propose d'emmener le petit en
balade dans la forêt... Elle s'effondre sur la
chaise de la cuisine, les bras ballants.

— Je ferai très attention. Ça lui fera du bien
de respirer les arbres.

— Tu ne le laisses rien ramasser, d'accord ?

— Je ferai aussi attention que dans sa
chambre stérile.

L'enfant saute de joie en voyant son frère
préparer le sac à dos bricolé dans du tissu. Il
sait qu'ils vont partir.

Thomas l'emmène sur leurs sentiers habi-
tuels, dans leur forêt, celle qu'ils arpentent
depuis sa naissance. Simon marche une trentaine de mètres, mais ses muscles presque
morts, ses tendons raccourcis d'avoir si peu
bougé pendant plusieurs semaines le font rapidement souffrir et il rejoint avec soulagement
le dos de l'homme suffisamment fort pour
accueillir la brindille qu'il est devenu en ces-
sant de manger.

— Il faut quand même que je t'emmène voir à quel point le refuge a évolué. Annabelle y a déjà aménagé beaucoup d'installations.

— On pourra en soigner tout plein !

— On ne va pas espérer que toutes sortes d'animaux se blessent sous prétexte qu'on a un abri pour les soigner !

— Non, mais si j'en parle à l'école, je suis sûr que mes copains en trouveront aussi.

Thomas avance d'un bon pas. Il veut optimiser chaque seconde, n'en perdre aucune. Simon lui chuchote à l'oreille en désignant du doigt tout ce qui l'émerveille, encore plus maintenant. Les feuilles vertes dans le vent, la fourmilière tout au bord du chemin, les bouts de bois tordus à collectionner. Le soleil à travers les feuillages qui vient déposer des étoiles dans le ruisseau tortueux chargé des eaux printanières. Ils s'y arrêtent un instant. Simon y jette des petits morceaux de bois mort et léger et les contemple descendre le courant puis disparaître quand le cours d'eau bifurque derrière un sapin. Il sourit à son grand frère. Il est heureux, plus heureux que jamais, car il savoure d'autant plus ces plaisirs-là qu'il en a été privé.

Thomas le regarde avec bienveillance. Sait-il ce qui l'attend ? Peut-être n'y pense-t-il pas. Il profite de l'instant. La force des enfants.

Thomas aimerait en être un, pour ne pas réfléchir, pour ne pas avoir peur, pour ne pas se soucier de tous les à-côtés professionnels qui empiètent sur son temps de présence auprès de lui. Il n'est pas le père, juste le frère, il n'a pas à passer ses journées à l'hôpital. Pourtant, il aimerait le faire, pour gagner du temps sur celui qu'il risque de perdre. On leur parle toujours de taux de survie, on les prépare au pire. C'est à la fois humain et cruel. Est-ce qu'être préparé rend l'issue moins douloureuse ? Cela permet tout au moins de vivre chaque moment avec l'intensité qu'il mérite. De toute façon, en le voyant ainsi, accroupi au bord du ruisseau, plus aucune statistique n'a de sens. Comment imaginer qu'il puisse ne plus être là dans un mois, dans un an ?

Les petits morceaux de bois flottent, se rattrapent, se frôlent, se dépassent, tourbillonnent, plongent puis resurgissent. Ils sont morts et pourtant bien vivants.

En est-il de même de l'espèce humaine ?

Thomas s'astreint à cesser de penser à tout cela. Il s'est assis en amont du ruisseau, dans un parterre de muguet. Simon lui demande s'ils peuvent en cueillir pour sa maman. Après lui avoir expliqué qu'il ne vaut mieux pas, en raison de ses faibles défenses immunitaires face à la toxicité de la plante, dont quelques

176

grammes peuvent tuer un chat, il reprend son frère sur son dos et décide de faire un détour par la chênaie. Une parcelle de forêt privée où ils aiment depuis toujours s'arrêter. Le feuillage épars des chênes laisse passer suffisamment de lumière au sol pour que poussent de l'herbe, des fleurs, des petits arbustes. Et ces arbres d'âges différents, comme ils sont majestueux ! Certains sont petits, encore protégés par un grillage contre l'attaque des animaux sauvages qui viendraient volontiers en grignoter l'écorce fraîche. D'autres sont à leur adolescence de chênes. Les plus vieux sont prêts, pour certains, à être coupés, afin d'être transformés en meubles, en escaliers, en parquet de qualité. La parcelle, située sur les hauteurs de Neubois, dans la forêt domaniale du château du Frankenbourg, transmise dans une même famille bourgeoise de génération en génération depuis des siècles, bénéficie d'une exploitation forestière intelligente et pérenne. Souvent, ils ont eu l'occasion de croiser le vieux propriétaire des lieux, à l'allure aristocratique, mais d'une grande simplicité de cœur et d'âme. Il peine désormais à arpenter certains talus abrupts et s'appuie plus fortement sur sa canne, mais il s'y promène quasi quotidiennement. Toujours un mot gentil, du temps à accorder, pour

177

parler de la météo, ou de ses chênes. Il n'a pas eu d'enfants, mais il n'abandonne pas la gestion du lieu, comme s'il allait transmettre son bien pour que d'autres poursuivent son œuvre des centaines d'années encore.

C'est lui qu'ils aperçoivent sur le chemin en amont, sa casquette de laine sur la tête et la démarche lente. Il se promène avec son chien, un vieux beagle un peu gras, qui frôle le sol quand le terrain est irrégulier. Il a l'avantage d'aller au même rythme que son maître.

— Bonjour ! dit Thomas, essoufflé d'avoir porté Simon durant toute la côte pour rejoindre le marcheur.

— Oh, les garçons ! Le petit est là ?

— Il a une permission !

— J'espère que c'est bientôt la quille !

— Quelle quille ? demande Simon, intrigué, avant que Thomas lui réponde qu'il lui expliquera plus tard.

— Votre chien renifle des choses ?

— Plus rien, tu penses ! Voilà longtemps que son flair s'est émoussé, mais il me tient compagnie, et c'est la seule mission que je lui confie encore.

— Vous faites le tour de vos arbres ?

— J'ai une commande importante. Certains ont plus de cent cinquante ans. Je vais bientôt en couper quelques-uns. Ceux qui poussent à leur pied ont besoin de place.

— Comment on sait qu'ils ont cent cinquante ans ? interroge Simon.

— Normalement, on compte l'âge des arbres une fois qu'ils sont coupés, avec les stries, mais j'ai un vieux registre où tout est écrit. Depuis plus de deux cents ans.

— Ça risque de vous faire bizarre de les voir à terre.

— L'homme aussi meurt un jour, et les enfants poussent et deviennent vieux. C'est le cycle de la vie. Je me dis que ça fera de beaux ouvrages, qui dureront peut-être des siècles. Et j'en laisse quelques-uns sur pied, les plus beaux. Tenez, celui-là, un peu plus haut, dit l'homme en le désignant du doigt, il a trois cent cinquante ans.

— Ça peut vivre combien d'années, un chêne ? demande l'enfant.

— Le plus vieux est danois et il a mille six cents ans, mais c'est rare. On dit « Cent ans pour pousser, cent ans pour vivre, cent ans pour mourir ». En général, ils vivent donc trois à quatre cents ans, et puis un jour, fatigués et trop âgés, ils périssent sous l'attaque pernicieuse d'un champignon qui passe par là. Certains ont connu le château à la grande époque, mais tous gardent leurs secrets bien cachés sous l'écorce. Et vous, vous allez où comme ça ?

— Un peu en contrebas de votre parcelle, sur les hauteurs du village, nous construisons un refuge pour les animaux malades ou blessés.

— Voilà un joli projet !

Puis le vieil homme leur souhaite une belle fin de promenade et du courage pour la suite des traitements. Il est un des rares à qui Thomas a confié l'histoire de la maladie de Simon : l'octogénaire était si étonné de voir le jeune menuisier marcher seul dans la forêt, les mois précédents, alors que jusque-là il emmenait toujours son petit frère sur les sentiers vers le Frankenbourg. Ils avaient donc évoqué la situation. Il dégage tant de bienveillance. Ça fait du bien de pouvoir en parler. De se dire qu'on est moins seul. Même si l'homme n'y peut rien, même si ça ne changera pas le cours des choses. Les mots, quittant la bouche de Thomas, avaient emporté alors un peu du sombre désarroi dans lequel il baignait.

En saluant M. Kuhn, Thomas ne se doute pas de la requête qu'il va lui faire quelques semaines plus tard.

36

Être vivant, c'est ça qui compte

— Vous souvenez-vous, Monsieur le procureur, que je serai en congé dès vendredi soir ?

— Comment pourrais-je oublier ?

— Une semaine. Vous serez tranquille, insiste Jocelyne.

— En effet. Profitez bien. Vous partez ?

— Non, je n'ai pas les moyens. Et puis, je dois m'occuper de ma mère.

— Ce n'est pas comme ça que vous allez rencontrer l'amour.

— Je n'ai pas besoin d'un homme dans ma vie, je suis satisfaite de ma situation.

— Ça vous ferait pourtant du bien.

Probablement est-ce la première fois qu'Hervé fait à ce point montre de bienveillance et de sincérité envers sa greffière. Il est intimement persuadé que de connaître le grand amour la rendrait moins acariâtre. Il ignore par quel miracle une rencontre heureuse pourrait se produire, mais si des spécimens comme elle existent dans la gent féminine, il doit bien s'en trouver parmi les hommes. Toute chaussure finit par trouver un pied. Même s'il faut endurer quelques ampoules au commencement.

À ce stade de la réflexion, le procureur se demande s'il a chaussé la bonne paire lui-même. Ça n'existe pas, des ampoules qui apparaissent après des années de marche. Ou alors, est-ce le pied qui s'est modifié et qui n'entre plus ?

*

Sélestat, dimanche 15 mai

Cher Hervé,

J'ai lu votre courrier ce week-end, durant mon séjour chez mes parents. J'aime ce village, qui sera bientôt le mien, les montagnes alentour, l'espace qui fait du bien, la vue, la nature, les choses simples. Leur bienveillance.

Pardon de vous avoir secoué. Vous êtes pourtant grand et solide, d'après mes souvenirs. Ai-je eu cet effet-là, moi, toute frêle petite

182

femme abîmée ?... Je crois que votre option « baratin » se réactive toute seule, vous devriez vérifier les réglages !!!

Allez, j'ai pitié de vous. Je vais donner la réponse à votre lancinante question : où suis-je sur la photo ?

Je pense que vous allez m'en vouloir, voire ne plus me parler, du moins m'écrire, quand je vous aurai dit qu'en fait je n'y suis pas. J'étais absente ce jour-là, au fond de mon lit avec 40 °C de fièvre.

Hervé ? Hervé ? Revenez ! Je plaisantais !...

Je suis dans la troisième rangée, cinquième en partant de la gauche. Petite chemise blanche et coupe courte.

Voilà. Alors ? Ça change quoi ? Tout ? Rien ? Dites-moi vite ! L'attente du verdict risque de m'être insupportable !

L'une de vos questions dans le précédent courrier est importante : « Est-ce la vie que je voulais mener ? »

Pour ma part, ce n'est pas la vie dont je rêvais, elle s'est abattue sur moi comme un violent orage sans parapluie. J'avais pourtant ma ceinture de sécurité. À partir de là :

Choix 1 : pleurer toutes les larmes de mon corps et ne jamais m'en remettre, faire trois

tentatives de suicide et finir ma vie sous antidépresseurs.

Choix 2 : faire avec et combler les manques
et les souffrances par les plaisirs de la vie,
ceux, justement, que la tradition chrétienne
suggère de limiter. Je dois travailler pour manger, mais j'essaie d'y trouver du plaisir. Pour le
reste, je savoure toutes les petites joies simples
que m'offre le quotidien, car ce sont elles qui
m'aident à poursuivre. Écrire en est une. Vous
écrire ajoute une cerise sur le gâteau.

Ma situation est presque plus simple que
la vôtre (ça vous en bouche un coin, non ?).
Me concernant, les deux choix sont tellement
extrêmes qu'on trouve facilement la réponse.
De votre côté, cela semble plus flou. Vous
avez une existence agréable, mais vous vous
ennuyez. Tout quitter pour moins vous ennuyer
est un choix difficile, car le résultat mis en
balance devant les contraintes ne pèse pas assez
lourd pour rendre la décision évidente.

En gros, en changeant de vie pour moins
vous ennuyer, vous perdez beaucoup. En restant dans celle-ci pour ne rien perdre, vous
vous ennuyez.

Je crois que je ne supporterais pas l'ennui. Mais cet avis n'engage que moi. Je n'aurais pas eu le même discours la veille du feu

rouge grillé. Je crois bien d'ailleurs qu'à cette époque, je m'ennuyais.

De mon côté, j'ai quasiment tout perdu en une fraction de seconde. Le destin m'a déposée à une intersection où, n'étant pas du genre à me complaire dans la morosité, j'ai su instantanément quelle direction prendre.

Cet échange que je peux avoir avec vous est un joli petit sentier sauvage qui longe ce nouveau chemin sur lequel il me plaît de me promener. C'est pour cela que je poursuis les lettres, j'aime vous écrire et vous lire. Un bon antidote à l'ennui. Surtout quand vous me sortez des horreurs !

Avez-vous fait exprès de me comparer à une petite bombe venue mettre le fouillis dans vos certitudes, alors que je venais de vous dire que les chirurgiens jouaient avec moi comme avec un puzzle en vrac ? Allez, je ne vous en veux pas. J'aime l'idée de bousculer vos certitudes. J'aime surtout l'idée que cela vous soit agréable. Vous apprendrez le tact une autre fois, et remercierez Dieu ou toute autre force vive invisible et surnaturelle que je ne sois pas plus susceptible.

Ne cherchez pas à formuler d'éventuelles excuses, les femmes n'en ont pas besoin quand les hommes sont charmants dans leur maladresse. C'est votre cas.

Est-ce que je viendrais de vous avouer que je vous trouve charmant ? Ah non, pardon, j'ai dit que vous étiez maladroit !

Je suis dure avec vous, n'est-ce pas ? Je vous balance une terrible nouvelle dans la figure, et je me moque de vous ensuite ! Mais vous semblez doté de l'option « humour », c'est tellement rare ! Surtout pour un procureur de la République. Cela dit, je n'en connais pas d'autre. Peut-être sont-ils tous extrêmement drôles sans que personne le sache.

Je vous embrasse.

Anaëlle, votre puzzle à deux choix

PS 1 : Mince, j'ai oublié de vous parler de mon amoureux ! Acte manqué ?

PS 2 : Quelles étaient donc ces certitudes ?

PS 3 : Si, si, osez le dire ! « Je suis vivante, c'est ça qui compte ! »

*

Strasbourg, mercredi 18 mai

Ma chère Anaëlle,

Je suis rouge de honte (dans les toilettes et où que j'aille !). Comment ai-je pu vous comparer à une bombe dans mon jardin ? C'était d'une maladresse impardonnable. Évidemment aucun lien avec ce que vous m'aviez dit, évidemment ce n'était pas voulu. Évidemment je suis un idiot. J'espère que je retrouverai grâce à vos yeux. Vous aussi, vous savez activer l'option « baratin ». Comment pourrais-je être charmant sur un coup pareil ?…

Bien sûr, avant même de finir votre lettre, j'avais le nez sur la photo. Vous ne me croirez pas si je vous dis que je m'en doutais. C'est un peu vous que j'espérais. Est-ce cette force vive invisible et surnaturelle que vous évoquez qui m'a susurré la réponse à l'oreille ? La morale me suggère de jeter cette photo et de ne penser qu'à ma femme, celle de ma vie (*sic !*). (Oui, j'ai une photo d'elle et de mes enfants sur mon bureau, comme tout bon père de famille qui se respecte…) Mais j'ai aussi votre photo, désormais découpée et auréolée dans la petite boîte métallique que vous m'avez offerte à la place du chocolat, bien à l'abri des acrimonieuses fouineuses.

J'avais envie que ce soit vous, et c'est vous.

Cela change quoi ?

TOUT :

✓ Je peux enfin vous imaginer quand je pense à vous.

✓ J'ai la confirmation que vous n'êtes pas un grand barbu pervers échappé de prison qui s'est fait passer pour une jeune étudiante dans le but de piéger un procureur de la République.

✓ Vous souriez, c'est ainsi que je vous imaginais... C'était avant l'accident, mais je sens que vous souriez encore (sur le conseil de votre chirurgien).

✓ J'ai pu découper la photo pour qu'elle rentre dans la petite boîte métallique.

✓ J'aimerais beaucoup vous rencontrer.

RIEN :

✓ J'ai toujours envie de vous lire et de vous répondre.

✓ Je savais déjà que c'était vous mais vous ne me croyez toujours pas.

✓ Je vais attendre de vos nouvelles avec la même impatience.

✓ Ma greffière va continuer à me faire des allusions désagréables concernant vos lettres.

✓ Vous êtes vivante, c'est ça qui compte !!!

✓ J'aimerais beaucoup vous rencontrer.

N'oubliez pas deux fois de suite le sujet de votre amoureux, ça deviendrait suspect !...

Je vous embrasse.

Hervé, votre petit sentier sauvage...

PS : Les quelques procureurs que j'ai pu croiser sont des gens profondément ennuyeux, si vous saviez !!! Vous êtes tombée sur le bon !…

*

Sélestat, vendredi 20 mai

Cher Hervé,

Mon amoureux de l'époque ? Nous aurons vite fait le tour de la question. C'était un mufle. Il est parti en courant juste après l'accident. Je ne m'en suis pas rendu compte immédiatement puisque je suis restée trois semaines dans le coma, mais à mon réveil, c'est lui que j'ai réclamé en premier, et les infirmières ne savaient même pas qui il était. Il n'était donc jamais venu me voir. Mes parents ont essayé de l'appeler, sans réponse. Aussi, un jour, alors que j'étais toujours à l'hôpital, mon père est allé chez lui. Savez-vous ce que le mufle lui a dit ? Qu'il n'arriverait pas à supporter l'idée de vivre avec une femme toute cabossée en se sentant responsable de cet état. Et vous savez ce qu'a fait mon père ? Il lui a mis son poing dans la figure.

J'aime beaucoup mon père…

Le type est donc sorti de l'accident avec un nez cassé, et de ma vie avec lâcheté.

Je m'en suis relativement bien remise. De son départ, pas de l'accident. Je comprends vite. Je suis comme ça. Ce n'était pas de l'amour. S'il avait eu des sentiments véritables à mon égard, il aurait fait fi de mon état physique. Alors peut-être était-ce mieux ainsi. J'appelle cela la sélection naturelle par l'épreuve. Parfois on vit, ou devrais-je dire on vivote, en se disant que tout va bien, qu'on a une vie normale, que les gens qui nous entourent sont sincères, et puis, quand vient l'orage, on se rend compte de leur vraie nature. La guerre en est un bon exemple, elle range les populations par catégories : les résistants, les lâches, les neutres.

Cet accident était une déclaration de guerre du destin. Le type qui partageait ma vie est parti lâchement, et moi, je résiste depuis.

Croyez-vous vraiment qu'il soit utile que l'on se rencontre ?

J'aime ce rythme lent de nos échanges, cette sorte de distance intime qui nous permet de ne lever le voile que sur ce que l'on souhaite, au fur et à mesure, en prenant le temps de réfléchir. J'aime pouvoir vous écrire au saut du lit encore ébouriffée ou à des heures tardives quand la vie s'endort autour.

Aurions-nous vraiment des choses à nous dire en tête à tête ?

Je vous embrasse.

Anaëlle, votre petite bombe à fleurs

PS 1 : Évidemment, je ne crois pas en vos dons de voyance à propos de la photo. Habituellement, les hommes sont pragmatiques et cartésiens, ils ne sentent pas ce genre de chose…

PS 2 : N'oubliez pas deux fois de suite le sujet de vos certitudes, cela pourrait paraître suspect.

37

Crever le bitume

Ce dimanche aurait dû ressembler au précédent. Un déjeuner en famille, tous réunis, avant une balade en forêt, pour faire le plein d'énergie verte avant la greffe de moelle prévue quelques semaines plus tard.

Mais mercredi, Simon s'est écorché le doigt avec un jouet dans sa chambre. Il s'amusait tant avec Annabelle, heureuse de le revoir enfin. Rien de grave, le genre de petite plaie déjà oubliée le soir même. Mais pas pour un enfant en aplasie. Clotilde est partie pour l'hôpital le lendemain matin avec son fils fiévreux, une rougeur sur le trajet de la veine au départ de la blessure et qui remontait déjà le long du bras. Elle avait préparé toutes les affaires de l'enfant, elle savait qu'ils le garderaient. Il ne faudrait pas qu'il soit malade pour la greffe.

Tout est programmé longtemps à l'avance dans ce genre de protocole. Ce qu'elle craignait dans la forêt est arrivé à la maison, alors qu'elle avait tout nettoyé.

Quand Thomas arrive dans la chambre de Simon, il trouve un enfant en pleine forme. En quelques jours, la triple antibiothérapie est venue à bout de l'infection, et il a retrouvé ses repères, le service, les infirmières, les médecins, les profs de sport, les clowns. Comme s'il savait qu'il n'a pas le choix et qu'il ne sert à rien de s'apitoyer.

Il le sait.

Thomas se doute que la période autour de la greffe sera difficile. Physiquement pour Simon, émotionnellement pour eux. Sa moelle sera totalement détruite par la chimiothérapie. Il faut faire place nette pour accueillir la nouvelle substance saine. Mais c'est un acte risqué.

Et si le donneur a un accident en se rendant à l'hôpital, ou si le greffon est endommagé durant le transport, ou si la moelle ne se réactive pas une fois dans les os de Simon ? Que reste-t-il pour que le corps fonctionne et se défende, à part les transfusions et l'enfermement dans une chambre stérile ?

Clotilde fait semblant de ne pas y penser, mais Thomas voit bien le voile de peur derrière son sourire, la zone d'ombre dans ses yeux turquoise, ses regards dans le vide, parfois. Il y pense aussi. Tout le monde y pense. Sauf peut-être Simon. Lui s'applique à jouer, à rire, à chanter, à dessiner, à bricoler, à écouter des histoires et à en raconter. Et c'est lui qui a raison.

Ce soir, il a voulu l'album de *Mini-Loup pompier*, parce qu'il avait entendu leur sirène en vrai un peu plus tôt dans l'après-midi. Le service d'onco-hématologie surplombe l'arrivée des urgences pédiatriques.

Une façon pour Thomas de mettre du joli et du drôle sur les angoisses muettes de son petit frère.

Il repart de l'hôpital deux heures plus tard, épuisé par le temps sans cesse compté. Mais il ressort de cette chambre stérile chaque fois plus vivant. Vivant de sentir la force qui jaillit de son petit frère et qui irradie joyeusement. Il en a parlé aux infirmières. Certaines ne supportent pas de rester. Trop d'enfants meurent dans cette unité où les maladies sont toutes graves. Mais la plupart ne veulent plus repartir, parce qu'il y a cette énergie qui circule dans les couloirs, une autre vie, pas celle de tous les jours qu'on oublie de fêter. Dans ce service, il y a la vie plus forte que tout. Celle qui permet à la plante de crever le bitume, au soleil de faire fondre la glace, à l'hirondelle de parcourir des milliers de kilomètres. Une vie pour laquelle on se bat.

Thomas repart gonflé de ça.

Il rentre, se douche, grignote un fruit et un morceau de pain et se penche sur le devis de Breitenbach, en pensant à cette jeune femme amputée qui a choisi la vie après son accident.

La vie plus forte que tout.

Celle qui crève le bitume.

38

En recherche de transcendance

Par commodité pour l'un et l'autre, ce deuxième rendez-vous avec le menuisier a été fixé chez Anaëlle à Sélestat. Retardée par une dernière patiente, elle arrive au-delà de l'horaire prévu et se gare à la hâte juste devant l'homme adossé à sa voiture, les yeux fermés, le visage tourné vers le soleil. Minuscule bulle de répit bien trop rare.

— Pardon, aujourd'hui, c'est moi qui suis en retard, s'excuse Anaëlle.

— Je ne suis pas là depuis longtemps.

Puis elle voit le menuisier laisser son regard s'attarder sur un véhicule qui vient de se garer un peu plus loin dans la rue.

— C'est bizarre, je crois que j'ai déjà vu cette voiture, avec la même femme au volant.

Anaëlle se retourne pour comprendre de quoi il parle. La conductrice, qui porte un foulard sur les cheveux et des lunettes de soleil, baisse la tête un instant pour chercher quelque chose dans son sac à main.

— Ça y est, ça me revient. C'était à Breitenbach, quand vous m'avez fait visiter la maison. Je n'avais pas relevé. Mais si, c'est la même personne, c'est étrange qu'elle soit encore là. C'est vous qu'elle suit, ou c'est moi ?

— Une admiratrice, peut-être ?

— Je n'ai rien d'admirable ! répond le jeune homme.

— Moi non plus.

— En tout cas, elle ferait bien d'apprendre la discrétion si elle espionne.

— Vous croyez vraiment qu'elle nous surveille ?

— Il n'y a qu'un moyen de le savoir. Tout à l'heure, en repartant, nous verrons bien si elle suit l'un de nous deux.

Anaëlle dépose le courrier sur le meuble de la cuisine et demande au menuisier s'il veut boire quelque chose. Elle est inquiète. Au téléphone, il lui a annoncé qu'il fallait qu'ils parlent du projet de vive voix. Elle espère que les travaux sont possibles, maintenant que les démarches sont engagées. Il la rassure

197

rapidement. Il voulait juste revoir avec elle les deux options possibles. Chien-assis ou pas. Il a calculé un angle d'escalier qui permet d'éviter de toucher à la charpente. C'est plus simple, moins cher, mais il faut que la jeune femme ait la mobilité et les capacités physiques pour réussir à monter.

Anaëlle a développé une musculature hors du commun pour compenser le handicap. Elle est svelte, légère, et surtout puissante. Elle en a bavé durant son séjour au centre de rééducation avec ce kiné qui l'a poussée dans ses derniers retranchements, mais aujourd'hui elle en est fière. Cette puissance lui est utile au quotidien. Indispensable. Et elle l'entretient très régulièrement pour ne surtout pas la perdre. Ainsi opte-t-elle pour les travaux les plus faciles et les moins coûteux.

— Vous voulez un acompte ?

— Vous acceptez le devis en l'état ?

— Oui, pourquoi ? Je devrais négocier ?

— Non, je vous ai fait le prix normal. Mais vous vouliez peut-être comparer ?

— Non. Ça ira. J'ai confiance. Donc, pour l'acompte ?

— Attendez d'avoir les clés de la maison. On verra pour l'argent quand je commencerai les travaux.

Thomas n'ose pas lui dire qu'il aurait bien besoin de cette avance. Mais son père lui a appris l'honnêteté. Ce n'est pas à ses clients de l'entretenir. Ni de payer pour les conséquences d'une maladie dont ils ne sont pas responsables. Thomas n'est pas plus responsable mais c'est tombé sur lui, il faut qu'il assume. Il lui demandera 30 % quand elle lui donnera les clés. En attendant, il se débrouillera. Et son père sera là si besoin. Il les aide beaucoup en passant du temps auprès de son frère. Mais sa fierté lui interdit de dire qu'il puise dans ses réserves pour rester à flot. Et qu'elles fondent doucement, comme les muscles dans les jambes de Simon.

— Je vous ai apporté deux numéros de *La Hulotte* qui parlent de la fouine, comme ça vous saurez tout.

— *La Hulotte* ?

— C'est un petit magazine sur la nature. J'ai toute la collection. C'est une mine d'informations quand on s'intéresse à son milieu environnant.

— Ça dit comment s'en débarrasser ?

— Pourquoi voulez-vous vous en débarrasser ?

— C'est un animal nuisible, non ?

— Pas forcément, il a surtout mauvaise réputation.

— La fouine est capable de décimer tout un poulailler, me semble-t-il, juste pour le plaisir de tuer.

— C'est une idée qui circule mais elle est fausse. La fouine… fouine, et quand elle entre dans un poulailler, c'est la réaction excessive des poules qui l'effraie. Quand elle a peur, elle se débarrasse du danger. Et comme ça énerve encore plus les poules de voir leurs collègues se faire zigouiller une à une, elles caquettent de plus belle.

— Ça peut se comprendre !

— Oui, mais ça fait encore plus peur à la fouine, qui les fait taire jusqu'à la dernière.

— Ça me semble être une bonne définition d'un nuisible, non ?

— Le fait est exceptionnel. Si elle décime un poulailler par village et par an, c'est beaucoup. Et quand ceux-ci sont bien colmatés, ça n'arrive pas. En revanche, avec une fouine à la maison, vous êtes sûre de n'avoir ni souris ni rats. Bon, parfois, elle bouffe l'isolation et ça ne sent pas toujours très bon. Et puis ça peut faire du bruit pendant les amours, ou quand la descendance joue, mais…

— La descendance ? Vous m'inquiétez !

— Les petits se dispersent à la fin de l'été. Rassurez-vous, il n'existe aucune colonie de fouines. De toute façon, je pense que les travaux la feront fuir, au moins dans la grange à côté. Ça fait partie du lot, non ?

— Oui, la grange appartient à la maison.

Thomas regarde sa montre. Il doit partir s'il ne veut pas faire attendre Simon. À cette heure, les bouchons sont denses aux abords de la ville et pour aller au CHU il doit la traverser de part en part.

— Il faudra peut-être éviter d'y mettre la voiture, ajoute-t-il. Ça leur arrive de mordiller les durites sous le capot. Mais laissez passer le chantier, et nous verrons si elle est encore là. Vous n'allez pas renoncer à ce projet à cause d'une fouine, conclut l'homme en lui tendant la main pour le saluer.

— Merci en tout cas pour les magazines. Je vous les rends rapidement.

— Gardez-les le temps nécessaire. Vous reprenez votre voiture ? demande-t-il en soulevant le rideau de la fenêtre qui donne sur la rue et en y jetant un œil.

— J'avais prévu de rester chez moi. Elle est toujours là ?

— Oui. Je vous propose que nous repartions chacun de notre côté, pour vérifier si elle suit l'un de nous.

— Comment savoir ?

— Faites le tour du pâté de maisons. Première à gauche, puis à gauche, puis à gauche, et revenez dans votre rue, vous verrez bien. Si c'est moi qu'elle suit, je me débrouille.

Anaëlle monte dans sa voiture et s'engage sur la chaussée. Thomas, pour ne pas éveiller les soupçons, démarre également et la suit. Le rétroviseur l'informe que la femme au fichu a fait de même. Les trois véhicules tournent une première fois à gauche. Puis l'homme poursuit tout droit, laissant Anaëlle bifurquer une deuxième fois. Il voit alors la troisième voiture suivre Anaëlle. Il accélère pour tenter, par la rue suivante, de rejoindre l'avenue qu'elles vont bientôt emprunter, selon le plan qu'il lui a proposé. Malheureusement, deux conducteurs trop lents devant lui l'en empêchent.

Quand il rejoint l'adresse d'Anaëlle, celle-ci est déjà sur le trottoir, prête à rentrer chez elle. Nulle trace de la suspecte.

Thomas s'arrête à sa hauteur, baisse la vitre du côté passager et se penche dans l'habitacle.

— Alors ?

— Elle a bifurqué trois fois, mais elle a continué tout droit au lieu de s'engager dans ma rue.

— Bon, elle a dû sentir le coup. En tout cas, si elle suit quelqu'un, ce n'est pas moi, c'est vous.

202

— Mais pourquoi ?

— Je n'en sais rien, mais méfiez-vous.

Anaëlle remonte dans son appartement, range le devis dans son classeur « Travaux », et s'installe dans son canapé pour ouvrir son courrier.

Méfiez-vous !

Qui peut bien vouloir la suivre ? Est-ce lié à son travail, à l'achat de la maison ? Elle n'aime pas ça du tout. Nougat est venu se frotter à elle. Il sent instantanément les émotions de sa maîtresse et ronronne bruyamment en soulevant la main de la jeune femme avec sa tête pour lui enjoindre de le caresser.

*

Strasbourg, lundi 23 mai

Chère Anaëlle,

Mes certitudes ? Croire depuis toujours qu'il suffit d'un travail, d'une épouse, d'enfants, d'une jolie maison, de vacances au soleil et de soirées entre amis pour se sentir heureux.

J'ai tout cela.

Mais aucun de ces éléments n'est transcendant.

Et vous, vous arrivez avec vos jolies tournures de phrases et votre petit humour simple et coloré, vous me faites rire, vous me touchez, vous m'émouvez (j'ai dû vérifier la conjugaison dans le Bescherelle ! – à croire que je n'ai jamais dit à personne qu'il m'émouvait !!!), vous pensez à moi et vous m'écrivez, vous vous souvenez de ma gentillesse et m'appelez monsieur Leclerc, puis Hervé, sans états d'âme, sans faire comme tous les gens coincés ou excessivement flatteurs qui disent « Monsieur le procureur » tous les trois mots, vous écoutez mes maladresses sans même m'en vouloir, vous me confiez vos souffrances, que je vous échange contre de la simple morosité, et vous ne trouvez même pas cela déplacé.

D'emblée, entre vous et moi s'est installé un jeu, une complicité, cette « excitation pascale » de chasse au trésor, même si ce n'est qu'un visage sur une photo, parce que le trésor est derrière le visage, dans l'esprit et dans la légèreté, dans la profondeur et dans la sincérité.

Cet échange avec vous diffère de tout le reste car il est transcendant.

Cela répond-il à votre question ?

Votre amoureux de l'époque n'est pas qu'un mufle, c'est un salaud. Mais, comme vous le dites, les épreuves de la vie sont les meilleurs tests humains. J'ai un ami, fou de montagne, qui emmenait chaque nouvelle conquête dans un trek un peu extrême. Juste pour vérifier s'ils étaient compatibles, y compris dans leurs derniers retranchements.

Je me demande bien dans quelle case on aurait pu me ranger en temps de guerre : résistant, lâche ou neutre ? La seule chose que je sais, c'est que je ne lâche pas vos courriers, et que je résiste aux assauts de ma greffière, car je ne suis pas neutre à votre égard... (rire) !

C'est pour cette raison que je souhaiterais vous rencontrer. Vous découvrir un peu plus, faire mieux connaissance, voir votre sourire en 3D, avoir un vrai dialogue réactif, tant pour vos questions techniques que pour des sujets plus profonds. Pour le simple plaisir de partager un agréable moment, puisque nous semblons déjà partager d'autres choses.

Déjeunons ensemble mardi 31. Je peux vous retrouver à Sélestat, dans le petit restaurant en face de la poste. 12 h 15 ?

Je vous embrasse.

Hervé,
l'homme en recherche de transcendance

PS 1 : Je dois vous prévenir que je pars quinze jours en vacances à partir du vendredi

3 juin. Je ne serai pas joignable par courrier postal mais j'aurai accès à internet. J'ai un peu de mal à imaginer n'avoir aucune nouvelle de vous pendant tout ce temps.

PS 2 : Habituellement les hommes aiment les grosses voitures, habituellement les hommes aiment les grosses poitrines, habituellement les hommes aiment passer leur samedi soir devant un match de foot. Je roule en Twingo, je déteste le foot, et je trouve les petites poitrines terriblement excitantes. Méfiez-vous des idées reçues…

PS 3 : Anaëlle, j'ai peur de vivoter…

*

Sélestat, le mercredi 25 mai

Cher Hervé,

Je suis vraiment très touchée de transcender votre quotidien. Et je suis désolée (ou ravie ?) que vos certitudes en prennent un coup. Désolée si cette prise de conscience vous rend la vie moins simple. Ravie si elle la rend plus intéressante.

C'est vrai, quoi, tout peut basculer en une seconde. Il suffit d'un feu, d'un fou, d'un accident, d'un AVC. Il y a des centaines de sortes de feux rouges dans notre toute petite existence. Le problème, c'est que vous ne savez pas à quel moment vous risquez de griller le vôtre. Ensuite, si par chance ce n'est pas trop tard, il est de toute façon difficile de se réveiller entier. Je sais de quoi je parle.

Je suis vraiment très hésitante quant à l'idée de vous voir mardi. Je ne suis pas sûre d'être prête, de le vouloir, d'en attendre quelque chose, d'accepter le risque de la déception, pour vous, pour moi.

Et après ? Nous nous serons vus, certes, nous aurons peut-être passé un bon moment, mais qu'en sera-t-il ensuite ? Nous reprendrons nos échanges comme avant ? Nous nous reverrons ? Pour quoi faire ?

Laissez-moi réfléchir, ne me brusquez pas, souvenez-vous de mon côté contrariant, on me met dans des statistiques, j'ai envie d'en sortir, on me presse pour quelque chose, je fonce vers la lenteur…

Je n'en suis pas moins attachée à vous, à vos courriers, à votre présence.

Mais prenons le temps.

Je vous embrasse.

Anaëlle, l'hésitation incarnée

PS : Je me demande si je ne suis pas suivie. Le menuisier m'a fait remarquer la présence d'une femme au volant d'une voiture pas loin de mon immeuble. Elle était déjà à Breiten-bach quand je lui ai fait voir la maison. Ça m'inquiète beaucoup.

39

Ce petit air de Jackie Kennedy

Jocelyne n'est pas heureuse en vacances. Cela fait bien longtemps qu'elle n'y trouve aucun plaisir. Surtout quand elle ne part pas en voyage, ce qu'elle faisait avant que l'état de santé de sa mère ne se dégrade.

Elle espère que personne ne l'a reconnue en milieu de semaine. Elle portait des lunettes de soleil et un foulard sur les cheveux. Qui pourrait bien se douter de son identité ? Elle se demande quand même si elle n'a pas été repérée. Que la petite garce fasse le tour du pâté de maisons lui a semblé saugrenu. Elle a essayé de garder une distance, mais les rues sont courtes, elle craignait de perdre sa trace si elle restait trop en retrait. Quand la jeune femme s'est engagée dans la rue d'où elle était partie, Jocelyne a compris son erreur. Peut-être trop tard.

Elle n'est pas coutumière du fait, mais c'est la seule solution qu'elle ait trouvée pour glaner des informations utiles dans l'entreprise qui l'occupe depuis des semaines. La cause est noble. Elle ne fait rien de mal. Bien au contraire.

Elle brûle de tout dire au procureur à propos du lourd handicap de la jeune femme, pour qu'il déchante, pour qu'il lâche l'affaire, qu'il se rende compte de son erreur et revienne à la raison. Cette jeune femme le manipule, Jocelyne en est certaine. Elle n'a pas pu tout lui dire, sinon il ne se montrerait pas aussi enthousiaste.

Il la remerciera un jour de lui avoir ouvert les yeux et d'avoir sauvé son mariage. Et sa morale. C'est s'en persuader qui lui donne le courage de prendre des risques.

Elle ne sait pas encore que cela prendra des semaines, des mois, qu'il lui faudra d'autres recours pour y parvenir. Et qu'elle fera des choses dont elle n'aurait jamais imaginé être capable.

40

Ne pas cesser de croire

Fanny, de garde ce dimanche après-midi, a vu Thomas entrer dans le sas. Elle place son index enfermé dans un gant stérile devant son masque, à hauteur des lèvres, pour qu'il comprenne de loin que l'enfant dort.

Ces derniers jours ont été difficiles en raison d'une batterie d'examens poussés, mais c'est surtout cet isolement à nouveau total, duquel Simon était sorti par intermittence entre les chimiothérapies, qui lui a tiré des larmes toute la semaine. Il voulait retourner dans le service, jouer avec ses copains chauves, voir du monde, la lumière, de l'espace. L'infirmière a bien compris que l'enfant a grandi dans la nature, elle sait qu'il va être privé de l'air du dehors pour longtemps. Et ce ne sont pas les balades de Thomas et ses croquis qui lui apporteront cet oxygène-là. Des molécules fraîches et légères qui entrent dans les poumons et vous gonflent d'une énergie nouvelle à chaque inspiration. Rien ne remplace les sensations physiques du grand air. Rien. Même les plus beaux dessins. Mais la présence de l'entourage est une autre forme d'oxygène, et Fanny admire le courage du grand frère d'assurer ainsi une présence quotidienne. Elle n'a aucun doute, si Thomas pouvait donner la prunelle de ses yeux pour assurer à l'enfant un avenir serein, il signerait sans aucune hésitation. Mais, trop éloigné génétiquement, il ne peut même pas lui donner sa moelle.

Il l'a confiée à Fanny il y a deux jours, cette inquiétude qui lui tord le ventre après les mots du professeur : « s'attendre au pire ». Elle lui a répondu que quand on revient de l'enfer, le paradis habille tous les jolis moments de la vie… *Vous verrez !*

Aujourd'hui, c'est une photo que le jeune homme fixe à l'extérieur de la vitre. Fanny lui fait un petit clin d'œil quand elle accroche son regard alors qu'il pose un scotch sur le coin du bas. Elle règle le pousse-seringue et vérifie plusieurs fois le débit. Outre l'enfermement, la préparation à la greffe se révèle particulièrement violente pour un corps fluet d'enfant.

La chimiothérapie chargée de détruire sa moelle n'épargne ni ses intestins, ni sa peau, ni ses yeux. Il souffre dedans, dehors, partout, et il n'a pas le choix. Les infirmières font en sorte de le soulager, de le soutenir, mais elles ne peuvent pas faire de miracles. Frapper fort entraîne des conséquences inévitables et le devoir qu'ont les soignants de lutter contre la douleur n'implique pas d'y réussir à tous les coups.

Pourtant, quelques étincelles réapparaissent dans les yeux de Simon depuis hier. L'adaptation des enfants, toujours, qui force à l'humilité face à eux.

Thomas pénètre dans la chambre, équipé comme il se doit. L'infirmière s'approche de lui et parle en chuchotant pour ne pas brusquer le petit garçon :

— Il ne devrait pas tarder à se réveiller, ça fait au moins une heure qu'il dort.

— Ça va mieux ? lui demande Thomas, absorbé par les yeux clairs de Fanny qui ressortent d'autant plus qu'on ne voit qu'eux, entre la charlotte et le masque.

— Oui, je trouve. Son moral remonte, je crois. Vous lui parlez de la taupe aujourd'hui ? C'est dommage, je ne vais pas pouvoir rester, le service est plein.

— Il vous racontera !

— Pourquoi cette photo ?

— C'est la première pensionnaire de notre refuge.

— Tu l'as trouvée où ? demande Simon, qui émerge doucement de son sommeil.

— Le voisin d'Annabelle ne les aime pas beaucoup, surtout dans son jardin. Elle l'a retrouvée errant dans l'herbe devant chez eux, blessée à la patte. Tout le monde pense qu'une taupe mange les légumes du potager, mais il n'y a que les mulots pour faire ça ! Les taupes ne déposent que des monticules de terre parce qu'elles creusent des galeries pour chercher leur nourriture et qu'il faut bien qu'elles mettent cette terre quelque part, mais elles ne mangent que des petits insectes et des vers de terre. D'ailleurs, aussitôt l'école finie, Annabelle part à la chasse aux vers de terre et autres petits insectes. Si tu voyais les bocaux qu'elle me ramène. Notre taupe va devenir énorme si nous lui donnons tout.

Fanny lui fait un signe discret juste avant de sortir de la chambre. Le sourire de ses lèvres cachées se lit dans le regard. Elle se débarrasse de sa tenue et rejoint ses collègues en salle de soins.

— J'ai loupé l'exposé sur la taupe, c'est bête.

— C'est aux petits animaux que tu t'intéresses ou au conteur d'histoires ? se fait-elle taquiner.

— J'aime bien apprendre des choses nouvelles, et il n'est pas désagréable, se défend Fanny, un peu gênée.

Plus tard, elle croise Thomas dans le couloir. Simon s'est endormi et le jeune homme repart seul, la mort dans l'âme. Elle s'arrête un instant, lui demande pourquoi ces yeux tristes.

— Simon vient de me dire que s'il mourait, il serait enterré comme la petite taupe, mais que lui ne bougerait plus sous la terre. C'est dur.

— Je comprends. Ils utilisent parfois des mots que nous n'osons pas prononcer. Et ils ont une conscience des choses supérieure à ce que nous croyons. Mais nous faisons tout pour que ça n'arrive pas.

— Vous y croyez, vous ?

— À quoi ?

— À sa guérison.

— Si j'arrêtais d'y croire, il faudrait que je change de service.

Thomas la regarde un instant en silence. Pas le cœur à l'inviter, ce soir.

Tu ne mourras pas. Tu es plus fort que tout !
Comme un vieux chêne.

Voilà ce qu'il a répondu à son frère avant de lui raconter l'histoire de la petite taupe qui voulait savoir qui lui avait fait sur la tête.

Le bout du couloir, l'ascenseur, un autre couloir, les portes coulissantes, le parking, connaître le parcours par cœur. Et le refaire demain.

Thomas espère ne jamais avoir à l'enterrer.

Ne pas penser aux risques.

Ne pas penser aux chiffres.

Ne pas penser.

41

C'est oui

— Alors, Monsieur le procureur, ai-je man-qué beaucoup de courriers pendant mes congés, en dehors de celui qui vient d'arriver ?

— Vous êtes à peine revenue et vous me fatiguez déjà, Jocelyne.

Puis il part s'isoler dans son bureau, au calme, pour ouvrir la lettre.

Peut-être une des plus savoureuses depuis le début de leur échange. Il la relit une deuxième fois, pour être sûr. N'est-ce pas son cerveau qui lui joue des tours ?

Non, non. Elle a bien dit oui.

Hervé oublie la greffière, les affaires du jour, les trois messages réprobateurs de sa femme à propos d'une broutille.

Elle a dit oui.

Mardi 31 à 12 h 15 au restaurant en face de la poste. Il faudra qu'il soit particulièrement attentif à son attitude envers elle, car la jeune femme reste partagée à l'idée de se rencontrer. Elle espère qu'il sera bienveillant, indulgent, gentil. Est-il autre chose ? Peut-être, parfois, il l'avoue, mais il sera vigilant. Il ne voudrait pas la décevoir dès la première fois. Ce serait gâcher les chances de la revoir.

42

Le lapin de Tchernobyl

Le restaurant n'affiche pas complet et Hervé a pu choisir une table qui lui permet d'apercevoir l'entrée. Il est arrivé à midi, après son rendez-vous à Colmar, et a commandé une bière, qu'il boit à petites gorgées, en jetant régulièrement un œil vers la porte.

À midi et demi, il commence à s'inquiéter. Elle lui a pourtant répondu par l'affirmative dans la dernière lettre. Il lui accorde un quart d'heure encore. Elle a pu avoir du retard dans son travail, un encombrement en ville, à moins qu'elle ne vienne à pied. Il essaie d'imaginer comment elle sera habillée, si elle sera maquillée, si elle le verra tout de suite et si elle lui sourira, s'ils engageront facilement la conversation ou si des anges passeront régulièrement leur tenir compagnie.

À 12 h 45, Hervé saisit son téléphone et tape un message rapide :

Un souci ?

Quelques secondes plus tard, celui-ci vibre sur la table :

Pardon.

Elle avait pourtant dit oui. À quoi joue-t-elle ? Hervé est en colère, il est déçu, il se lève un instant, prêt à partir, puis se rassoit. Toutes ces questions qui s'enchaînent à un rythme effréné depuis quelques minutes le clouent sur sa chaise. À propos d'elle, à propos de lui, à propos d'eux. Lui a-t-il forcé la main ? A-t-elle craint de ne plus pouvoir compter sur lui si elle ne répondait pas à son invitation ? Est-ce ce genre de relation qui s'est instauré entre eux ?

Pour une fois qu'il croisait une fleur.

La voilà fanée.

Elle avait pourtant dit oui.

Ce n'est pas elle, pas Anaëlle. Pas comme ça. Pas là.

Il fait signe au serveur pour commander un plat, même si la faim n'est pas sa sensation dominante à cet instant précis, et sort son bloc de correspondance. Il déposera la lettre à la poste en face, elle partira aujourd'hui et arrivera demain, elle doit habiter tout près.

Si près.

*

Chère Anaëlle,

Quand nous parlions de lapin, c'était celui de Pâques, me semble-t-il. Je ne sais pas si c'était lui, mais je viens d'en croiser un gros, un énorme, Tchernobyl a dû passer par là. Ou alors, il a vraiment mangé beaucoup de chocolat. Tous les restes que les gamins trop distraits n'ont pas trouvés dans les buissons. Un gros lapin. De ceux qui installent une enclume de malaise dans le ventre, bien calée entre les côtes, au point de gêner la respiration. Une enclume de malaise à l'idée d'être en train d'attendre quelqu'un qui ne viendra jamais, et qui avait pourtant promis.

Vous n'êtes pas venue, Anaëlle. Je me réjouissais de vous voir et je suis dépité que vous ne m'ayez envoyé qu'un « Pardon » en guise d'explication. Ne méritais-je pas mieux ? Je croyais. La petite fleur a disparu, le gros lapin l'a piétinée.

Je suis déçu, Anaëlle. Déçu et triste. Je ne comprends pas. Ce n'est pas vous. Pas possible.

Je vous embrasse, quand même, et si vous sentez un petit goût salé, il provient de la petite preuve de faiblesse qui coule dans une source souterraine derrière la joue, puisque je suis procureur de la République et que je me dois de garder une certaine contenance, en particulier dans les lieux publics. J'ai beau avoir cette fonction, je ne suis pas infaillible.

Hervé, le malheureux

PS 1 : Je quitte mon travail vendredi soir et nous partons en vacances samedi matin. Il me reste un espoir : que vous m'écriviez avant mon départ. Et un autre espoir : que vous ayez internet et l'envie de me faire signe durant mon absence.

PS 2 : Aviez-vous une bonne raison de m'envoyer Bugs Bunny à votre place ?

PS 3 : Êtes-vous rouge de honte dans les toilettes ?

43

Hmm

Après avoir constaté l'absence de lettre le matin, dernière tournée du facteur avant son départ, Hervé Leclerc ne sait pas exactement s'il ressent de la déception ou de la colère. Probablement les deux. Ce n'est pas comme si elle n'avait rien répondu par téléphone. Dans ce cas, oui, il aurait pu s'inquiéter, se dire qu'il lui était arrivé quelque chose. Mais ce petit mot, ce si petit mot lourd de sens. Le rendez-vous volontairement manqué. Il souhaite vraiment savoir avant de partir. Au moins s'assurer que l'échange ne s'arrête pas. Qu'il ne part pas en vacances en laissant derrière lui le trou béant d'une relation morte et enterrée.

Sa greffière l'a remarqué. Tout en posant devant lui un café pour le réconforter, elle s'engouffre, sans même s'en rendre compte, dans cette odieuse faille pour appuyer là où ça fait mal :

— Vous semblez contrarié. Sûrement l'absence de lettre. Peut-être vous faites-vous des idées sur cette jeune femme. Qui dit qu'elle ne vous mène pas en bateau, qu'elle ne joue pas avec vous en vous cachant des choses ?

— Pourquoi dites-vous cela ?

— Parce que je le sais.

— Comment le savez-vous ?

— Je le sais. C'est tout.

— Et qu'est-ce qu'elle me cacherait ?

— Elle n'est peut-être pas aussi parfaite que vous l'imaginez.

— Je n'imagine rien. Et je ne vous crois pas.

— Vous verrez bien…

Elle a fait suivre ces trois derniers mots d'un petit son venu du creux de la gorge, mélange de vengeance et d'ironie : « Hmm. »

Le son de trop. Celui, effronté, qui rebondit dans les oreilles jusqu'à venir taper au tympan, bref et déterminé : « Tu m'as bien entendu ? Tu as bien compris ce qu'elle voulait te dire ? Tu as intégré ce mélange de satisfaction, de certitude et de sarcasme ? »

Non, il ne la croit pas, mais dans ce contexte désagréable et face à la certitude de sa greffière, le doute s'installe. Pourquoi ce rendez-vous manqué ? Pourquoi ce silence ? Jocelyne a peut-être raison.

Alors, en milieu d'après-midi, il prétexte une visite urgente et prend sa voiture pour se rendre à Sélestat. Des cabinets de gynécologie, il n'y en a pas trente-six dans la ville.

Il veut la voir.

Lui parler.

Comprendre.

Une demi-heure plus tard, il est garé en bas de l'immeuble. Il peut encore changer d'avis. Peut-être lui en voudra-t-elle de débarquer ainsi sans prévenir. Après tout, si elle n'est pas venue mardi, elle avait sans doute ses raisons.

Tant pis, il prend le risque. C'est le cœur qui parle, tout plein de sentiments divers qui s'entrechoquent. Le cerveau n'y est pour rien. Hors jeu. Hervé se laisse porter par ses jambes, elles-mêmes guidées par ce besoin irrépressible de vérité.

En sortant de l'ascenseur, il aperçoit la porte du cabinet au fond du couloir. Une femme en sort en disant au revoir.

Anaëlle est assise derrière le comptoir d'accueil. Seul son visage dépasse de la structure anthracite. Elle est en train d'écrire. Hervé s'approche. Sa peau est lumineuse, malgré les cicatrices sur le côté et de petites boursouflures sur le menton, vestiges des nombreuses opérations. Ses grands yeux clairs se lèvent vers lui. Un nez discret, la bouche fine, l'homme la détaille discrètement. Surtout ses grands yeux clairs, pour le moment fuyants.

Il lui dit bonjour de sa voix grave qu'il essaie de poser. Il se sent calme mais ému. Anaëlle est surprise. Surprise et surtout gênée. Personne ne sourit, trop d'émotion. Le plaisir n'est pas là. Pas celui d'une rencontre attendue, celui qui aurait pu avoir lieu au restaurant. Elle regarde ailleurs, puis revient à lui, cherche à s'échapper à nouveau en baissant les yeux. Hervé ne faiblit pas, il essaie d'attraper son regard qui lui échappe, sauf quand elle s'adresse enfin à lui :

— Vous êtes venu ?

— J'avais besoin de vous voir avant de partir. Je rumine depuis mardi.

— Pardon. Je n'ai pas pu.

— Vous n'avez pas pu ou vous n'avez pas voulu ?

— Je n'ai pas pu. Je voulais vous écrire. Je vais le faire.

Le téléphone sonne, Anaëlle répond en enfilant instantanément son costume de secrétaire souriante, fixe un rendez-vous, raccroche. Un des gynécologues sort alors de sa salle de consultation et s'approche du bureau en lui tendant un dossier et en lui donnant quelques consignes. Il regarde Hervé avec étonnement, puis salue la patiente qui l'avait suivi et qui attend maintenant derrière le comptoir.

— Je vais vous laisser, Anaëlle. J'avais juste besoin de vous voir.

Hervé quitte les lieux avec une impression désagréable. Elle était occupée, certes, mais elle était embarrassée, il l'a senti immédiatement. Et s'il s'était trompé ? Et si elle jouait avec lui, comme l'affirme Jocelyne ? À quel jeu, il l'ignore. Il voulait la voir.

Il repart avec ses grands yeux clairs.

Il est 22 heures. Les valises sont bouclées. Sa femme s'est occupée de tout. Elle prend une douche. Hervé consulte ses mails sur son téléphone. Il y en a déjà, pour le travail. Il fera le tri, mettra en attente. Et puis, un petit dernier, arrivé vingt minutes plus tôt.

Hervé, pourquoi êtes-vous venu ? Et si je n'étais pas prête pour vous voir ? Cela ne vous a-t-il pas traversé l'esprit ? Vous avez fait irruption dans mon travail sans m'en laisser le choix, et j'en suis fâchée. Laissez-moi un peu de temps. J'ai besoin de réfléchir.

Bonnes vacances. Anaëlle.

Il tape une réponse rapide :

Pardon.

Puis ferme la messagerie. Son épouse va se coucher, ils partent tôt le lendemain. Il prétexte un dernier dossier à traiter et s'isole au salon, un verre de whisky dans la main.

Il ne veut pas rester sur cet impair. Il a surtout besoin de comprendre pourquoi il s'est ainsi attaché à elle, pourquoi il avait tant besoin de la rencontrer avant de partir, pourquoi il était si déçu mardi, pourquoi il était si amer tout à l'heure, en reprenant l'ascenseur. Pourquoi il sent qu'il ne profitera pas pleinement de ses vacances.

Nouveau message :

Ma chère Anaëlle,
Je ne sais pas ce qui vous passe par la tête, je ne sais pas quelle est ma part de responsabilité dans cet échange moins agréable depuis quelques jours. Est-ce si grave de se rencontrer ? Nous avions rendez-vous, vous aviez dit oui, vous n'êtes pas venue, je viens vous voir, vous êtes fâchée. Qu'y a-t-il, Anaëlle ? Avez-vous peur de moi ? Peur de ma réaction face

aux stigmates de vos opérations ? Anaëlle, je suis marié, père de famille, nous échangeons de belles choses, mais nous ne sommes pas censés nous plaire, physiquement.

Je vous trouve pourtant charmante. Ce n'est pas la perfection et la beauté qui font la séduction, c'est l'intensité qu'on met dans un regard, le fait qu'il pétille, la douceur d'un sourire, et tout ce que complète notre âme, au travers du discours et des actes. Habituellement, après un, que dis-je, deux revers comme ceux que vous m'avez fait vivre, les hommes passeraient leur chemin, en vous disant éventuellement d'aller vous faire voir pour les plus mufles d'entre eux.

Je ne suis pas un homme habituel. Moi, je m'accroche comme une huître à un rocher dans une mer déchaînée. Non, je ne lâcherai pas. Non, je ne veux pas vous perdre. Alors, sachez que je suis là, pour vos réponses, vos non-réponses, pour recueillir les lapins obèses que vous abandonnez sous mon nez ou pour vous laisser le temps de réfléchir (même si vous me manquez déjà).

Anaëlle, j'aimerais poursuivre avec vous.
À très bientôt.
Je vous embrasse.

Hervé, l'huître dans la tempête

Il ne cesse de revoir la scène matinale avec sa greffière, et ses affirmations en forme de couteau tranchant. Cette certitude insolente qui sème le doute instantanément.

« Hmm. »

44

De la place dans le sauna

Le jour tant attendu, programmé depuis leur dernière soirée chez Anaëlle, est enfin arrivé. Elle retrouve ses amies pour un après-midi spa dans un bel hôtel de la région. Le samedi sera un jour d'affluence, mais les professions respectives de chacune ne permettaient pas d'autre créneau. C'est la première fois qu'elles organisent une telle sortie ensemble.

Elles enfilent leur bracelet en plastique et se changent en cabine avant de se retrouver dans les douches. Anaëlle a laissé sa prothèse à la maison. Inutile de l'emmener, elle sait qu'après un après-midi dans une atmosphère chaude et humide, elle ne pourra même pas l'enfiler. Ses béquilles l'accompagnent tant bien que mal et elle sautille pour se dégager de la cabine étroite. Elle évite au maximum de disposer des espaces réservés aux personnes handicapées. Un petit défi pour elle, et l'envie d'être comme tout le monde. Du moins le ressentir.

Ce n'est pas la première fois qu'elle vient dans un spa depuis l'accident. Les soins lui font du bien, en particulier pour les douleurs fantômes, et elle essaie de s'y rendre régulièrement. La première fois a été difficile ; le regard gêné des gens. Mais elle s'est habituée, au point presque d'en faire un jeu vis-à-vis des regards inquisiteurs qui voudraient qu'on se cache quand il manque un morceau de corps.

Ses amies étaient soucieuses, quand elles ont émis l'idée, elle les a rassurées. Elles ont toujours été là depuis l'accident. Un petit mot, une présence, rire quand même, sortir à nouveau dès qu'elle en a été capable. Et même essayer de lui trouver l'amour par des sites de rencontre ou des amis d'amis qui n'ont pas d'amie. Mais c'est beaucoup trop tôt pour elle. D'abord retrouver l'équilibre sur sa jambe avant d'imaginer une stabilité émotionnelle, si tant est qu'elle puisse encore exister. Anaëlle est seule responsable du premier, mais n'a pas l'impression de maîtriser grand-chose de la deuxième.

La dernière fois qu'elles ont passé la soirée ensemble, elle venait d'entrer en contact avec le procureur. Rien n'était engagé, du moins pas l'attachement qu'elle ressent aujourd'hui. Elle reste perturbée par cette semaine agitée et se demande si elle n'aurait pas dû aller au rendez-vous. Elle lui en veut d'être venu ensuite, sans prévenir, juste pour la voir.

Le groupe de filles s'est installé dans un espace de la piscine extérieure. Des jets massent leurs fesses, leur dos, leur ventre sous un soleil de fin de printemps des plus agréables. Anaëlle leur raconte les lettres, tout ce qu'ils se sont dit, les questions qu'elle se pose, le chemin à suivre, cet énorme lapin qu'elle lui a posé, puis la venue d'Hervé au cabinet de gynécologie. Chacune y va de son commentaire : « Attention danger, homme marié », « Profite ! Il sait ce qu'il fait », « Protège-toi, tu vas passer ta vie à l'attendre »…

— Pourquoi tu n'es pas allée au rendez-vous ? demande Tatiana.

— Je lui ai parlé d'un accident, de cicatrices au visage, mais pas de mon amputation.

— Mais ici tu te promènes comme si de rien n'était, tu te fiches du regard des autres, et pas avec lui ?

— Lui, c'est différent. J'ai eu peur de le décevoir, de l'avoir trompé sur qui j'étais. Ou qu'il ne veuille plus de moi.

— C'est un bon test, affirme Coline. S'il ne veut plus de toi à cause de ça, il ne te mérite pas !

— Je n'ai peut-être pas envie de le perdre.

— S'il semble aussi bienveillant que ce que tu nous décris, ça ne lui posera pas de problème.

— En tout cas, j'ai eu peur.

— Pourquoi tu ne lui expliques pas par courrier pour ta jambe ? Comme ça, tu verras bien ce qu'il en dit, et il sera préparé.

— Oui, je vais faire ça, décide Anaëlle. On va au sauna ?

— C'est sûrement bondé, intervient Johanne.

— Ça, c'est pas un problème, je devrais vous trouver de la place ! J'ai l'habitude que le sauna se vide quand j'arrive.

— Tu plaisantes ?

— Non, vous allez voir, répond Anaëlle en souriant, alors qu'elle sort de la piscine en s'agrippant à la rambarde qui longe l'escalier immergé.

Les six filles descendent au sous-sol, dans cet espace mixte où hommes et femmes se promènent nus, entre le sauna, le hammam et les douches. Certains se fichent complètement de leur environnement, mais globalement chacun se toise, surtout les hommes envers les femmes. Hommes qui, pour certains, s'étalent sur les bancs en bois du sauna brûlant, les jambes écartées pour laisser respirer leur anatomie ou prendre plaisir à la montrer.

Effectivement, le sauna est quasi plein.

— Ne bougez pas, j'y vais en premier. Je vous fais de la place et vous me rejoignez !

Anaëlle entre avec ses béquilles et son moignon dans l'espace suffocant et s'installe sur un morceau de banc. Échange de regards gênés entre les personnes présentes, quelqu'un tousse, une jeune femme lui sourit gentiment. Il se passe moins d'une minute avant que plusieurs personnes se lèvent et quittent les lieux. Elles semblaient là depuis un moment. Mais trois autres protagonistes leur emboîtent le pas, à peine transpirants d'être restés trop peu de temps. Les amies d'Anaëlle rappliquent tout sourire, avec leur bonne humeur, et leur stupéfaction.

— Ça alors, c'est l'arme absolue ! Ce que les gens peuvent être cons ! s'exclame Marie.

La jeune fille qui lui a souri à son arrivée compatit :

— Ça ne doit pas être facile à vivre…

— Je m'en fiche, lui répond Anaëlle. J'en fais un jeu. J'ai appris à m'en détacher. Et comme ça, ça fait de la place pour les copines.

La fin de la séance est joyeuse, même si Johanne et Marie commencent à s'inquiéter à l'idée d'aller prendre leur douche, nues comme des chenilles devant ces inconnus qui jugent.

Un peu plus tard, pendant le dîner, elles riront de se souvenir comment Johanne, déjà toute gênée de se trémousser nue sous la douche collective, a ressenti un vent de panique en ne retrouvant pas sa serviette là où elle l'avait accrochée. Elle est retournée sous le jet comme si l'eau l'habillait de quelque chose en les appelant au secours : « Ma serviette a disparu ! Où est ma serviette ? »

Elle n'était que tombée au sol, mais c'était déjà trop pour la pudeur de la jeune femme. Elle aurait aimé avoir l'aplomb d'Anne-Catherine qui, drapée de ses kilos en trop et de sa capacité à les assumer, se promenait dans le plus simple appareil sans se soucier des regards.

Anaëlle rentre chez elle épuisée mais sereine. Ces soirées lui font toujours du bien. Toujours. Et puis elle dispose désormais de quelques pistes supplémentaires, de quelques conseils d'amies pour avancer un peu mieux dans cette relation. Plus la promesse de leurs bras quand il s'agira de déménager dans sa nouvelle maison. Car la date de signature chez le notaire a été programmée pour la semaine suivante. La jeune femme est heureuse de se fabriquer un vrai nid qu'elle espère douillet. Un habitat en forme de carapace, pour remplacer celle perdue en même temps que sa jambe.

En avait-elle une auparavant ?

45

La révérence du flamant rose

19 h 30. e-mail :

De Hervé Leclerc à Anaëlle Desmoulins :

Mon séjour en Espagne est agréable. Mais ici, tout est dépeuplé, car un seul être me manque.
Vous me manquez, Anaëlle.
Je vous embrasse.
Hervé le voyageur.

Deux heures plus tard :

De Anaëlle Desmoulins à Hervé Leclerc :

Je vous écris une longue, longue lettre. Patience. Elle vous attendra à votre retour.

Profitez bien de vos vacances, elles ne durent qu'un temps.

Je vous embrasse.

Anaëlle

J'essaie de ne pas me demander si vous me manquez également.

Cinq minutes plus tard :

De Hervé Leclerc à Anaëlle Desmoulins :

Ce sera la première fois que je serai content de rentrer de vacances.

Anaëlle éteint son ordinateur, procède à quelques étirements pour dissiper les tensions accumulées, puis s'allonge sur son lit en regardant le plafond. Elle ferme les yeux et pousse un long soupir. Ses pensées divaguent entre les récents événements qu'elle se remémore. Le spa il y a une semaine, où elle a évidemment fait bonne figure, l'air de rien. Faire semblant d'être à l'aise pour ne pas courir se cacher dans une cabine. Elle rit de cette façon qu'elle a eue de faire de la place dans le sauna à cause du moignon de sa cuisse, mais au fond, le phénomène est symptomatique de la société dans laquelle elle est condamnée à évoluer. Le jugement, le dégoût, le refus de la différence. Chacun dans sa case et les handicapés dans celle du fond, pour ne pas trop les voir.

Anaëlle s'est redressée et a saisi le tube de crème apaisante sur sa table de nuit. Elle en prélève une noisette et commence à masser la zone coupée. *En prendre soin, c'est l'accepter.* Le nombre de fois où son kiné au centre de rééducation lui a répété ce mantra ! La chérir, c'est peut-être l'aimer ? Peut-on aimer un tel spectacle quand c'est son propre corps ? La jeune femme repense au menuisier, à ses doigts absents qu'il a parfaitement acceptés, du moins en apparence. Quelle différence entre quelques doigts et une cuisse ? Aucune, quand on n'a pas le choix. Alors se morfondre, dissimuler la chose en espérant que personne ne la voie, même pas elle ? Foutaise. Le moignon est là, il le sera toujours. Anaëlle sait que c'est en l'acceptant elle-même que quelqu'un d'autre pourra l'accepter aussi. La paume de sa main glisse facilement grâce à l'onguent, elle ressent un certain apaisement à regarder l'endroit caressé par ses doigts. Elle n'ose pas encore imaginer ceux d'un homme s'attarder là, mais le reste de son corps offre de belles invitations à la promenade. Elle aime ses seins, elle aime son ventre. Son visage, et même l'autre jambe.

La tendresse dispose d'une belle étendue pour s'épanouir. Alors, pourquoi se l'interdire ?

Elle pense aussi à cet échange de lettres qui lui donne envie de renouer avec l'espèce humaine. Tout le monde n'est pas idiot comme certains clients d'un sauna. Il y a aussi des gens bien qui peuplent cette terre, et il n'y a pas de raison qu'elle se prive d'en croiser.

Du fond de son être monte une petite chaleur douce, toute pleine de confiance et d'optimisme, presque de la joie de vivre à l'état pur. Une minuscule chaleur fragile, mais ô combien rassurante. Elle l'accueille en espérant qu'elle ne s'éteindra pas, qu'elle prospérera, qu'elle grandira, qu'elle ne sera pas étouffée par une bête histoire de flamant rose...

46

Et peut-être faire des pommes

Le dessin du jour, que Thomas accroche alors que son père sort de la chambre stérile, représente un joli pommier au milieu d'un verger entouré de forêt, une clairière abandonnée dans laquelle la nature reprend doucement ses droits. Christian se débarrasse de sa tenue stérile avant de la jeter dans la poubelle. Il embrasse son grand fils en posant sa main sur son épaule et dans ses yeux un regard qui en dit long. En fait, il se tient à lui, discrètement, pour ne pas en donner l'impression. Il est le chef de famille, l'homme fort, le maître de la situation. Mais il ne maîtrise rien du tout, et dans son fils majeur, solide, calme, posé, il espère trouver un socle, un pilier pour ne pas vaciller. Il a pris quelques jours de congé cette semaine, pour être présent au moment de la greffe. Même si cela ressemblait à une transfusion banale, comme celles que Simon a reçues depuis le début du traitement. Une simple poche de sang en apparence, mais un élixir puissant, prélevé au cœur des os d'un donneur, qui a pris du temps, a été endormi, ponctionné, et doit être en train de sentir la douleur de l'acte, malgré les antalgiques. Un homme qui donne sans rien attendre en retour. Si ce n'est la fierté d'avoir peut-être sauvé une vie, la satisfaction de se dire qu'un peu de lui permet à un enfant de continuer à embrasser ses parents chaque soir. L'anonymat interdit à l'homme de connaître le nom du bénéficiaire, mais il sait que c'est un enfant. Simon a été greffé dans la semaine et ses parents étaient à ses côtés, puis Thomas en soirée. Rien de particulier ne se lisait sur le visage du petit, ni sur celui de l'infirmière, mais la présence d'un médecin tout le long de la transfusion et quelque temps ensuite révélait la solennité de l'événement. Et son risque.

Les jours suivants, la fièvre était au rendez-vous. Normale, attendue, combattue, et finalement éradiquée.

— Y a des pommiers dans la forêt ?

— Pas souvent ! On trouve parfois des vergers abandonnés dont la clairière est gagnée par les arbres et les arbustes, mais c'est rare.

— Alors, pourquoi tu m'as dessiné un pommier ?

— Parce qu'on n'est pas obligé de parler que de forêt, et que ce pommier est greffé.

— Greffé ? Il a reçu de la moelle comme moi ?

— Presque. Tu sais, parfois, on mélange des variétés. On garde le tronc d'un type de pommier parce qu'on sait qu'il se développe bien dans cette terre-là, ou qu'il résistera à telle maladie, et on lui greffe la branche d'une autre variété parce que cette dernière fait des pommes juteuses et colorées. On prend du bon des deux. Et ça donne des arbres différents, plus forts et plus résistants.

— Comme moi ! Maintenant, je vais être plus fort et plus résistant ! Tu crois que je vais faire des pommes ? ajoute Simon en rigolant.

L'enfant n'en finit pas d'étonner les adultes. Sa famille, les infirmières, les médecins, les éducateurs. Il est joyeux, rit aux éclats, fait de l'humour, fabrique des petits cadeaux pour tout le monde. Il a fait de sa situation la norme et œuvre pour y trouver du plaisir, malgré les effets secondaires parfois douloureux d'une lourde chimiothérapie qui attaque ses organes comme le napalm une forêt du Vietnam. Peut-être est-il joyeux pour qu'en face personne n'ait d'autre choix que d'en faire de même. Retour sur investissement. Sûrement inconscient, mais cependant logique.

— Moque-toi ! Je voulais te raconter quelque chose de symbolique par rapport à ce que tu as vécu cette semaine. Tu sais, dans le verger de papa sur la colline au-dessus de la maison, je suis sûr qu'il y a plein d'arbres fruitiers greffés. Son grand-père était un spécialiste.

— Mais ils ont aussi reçu une transfusion dans un tuyau ?

— Non. Il y a plusieurs techniques. La seule chose à retenir, c'est qu'il faut que les sèves se mélangent. Comme ton sang et celui du donneur. La nature est bien faite, elle s'adapte, et elle fabrique un nouvel arbre, avec un peu de chacun.

— Et ça marche toujours ?

— Non, pas toujours, mais pour toi, ça marchera.

— Et toi, pourquoi t'as pas reçu de greffes de doigts ?

— Ils ont essayé. Mon prof les avait mis dans la glace, juste après l'accident, mais ils étaient trop abîmés. Ça n'a pas fonctionné. Mais on s'en fiche, j'ai appris à faire sans. C'est juste un peu compliqué pour enfiler les gants stériles, précise Thomas, amusé, en agitant ses mains dont quelques bouts en latex pen-douillent bizarrement, vides d'une chair qui aurait dû les tendre.

Comme il est bon de tourner le dérisoire en dérision.

Quelques bouts de doigts face à la maladie grave d'un frère.

On rit de rien quand il s'agit de rire pour ne pas pleurer.

Et Simon ne demande que ça.

Rire pour ne pas pleurer.

47

Une carte sans cliché

Barcelone, 12 juin

Ma chère Anaëlle,

Je ne vais pas vous faire l'affront d'un « Bons baisers de Barcelone où nous passons nos vacances », ou « Je joins à cette carte postale un petit rayon de soleil tant nous en avons ici »… De même que je n'ai pas choisi une carte postale de plage avec de jeunes femmes aux énormes seins nus, ou l'éternel coucher de soleil sur la mer. Non, je ne tomberai pas dans les clichés. Quoique. Vous dire, vous redire que vous me manquez est probablement du même acabit. La taille de cette carte ne permet pas de longues envolées lyriques, de celles qu'il me manque de lire et d'écrire. Il reste une semaine. Pourquoi le temps est-il si long quand vous êtes si loin ?

Je vous embrasse.

Hervé.

48

Le vieux banc de bois

La petite maison lui appartient. La signature chez le notaire était émouvante. Les vendeurs agréables, l'agent immobilier satisfait de les avoir réunis. Peut-être aussi d'avoir compris à quel point cette acquisition sonnait comme un nouveau départ pour Anaëlle. Il lui a offert une bouteille de champagne pour la crémaillère. Elle en est loin, les travaux sont importants, mais elle se réjouit.

Elle a donné rendez-vous en milieu d'après-midi au menuisier pour lui remettre un double des clés afin qu'il effectue les travaux pendant qu'elle est en cure. Son père et l'un de ses amis se chargeront du reste. Mais l'accès à l'étage est indispensable avant d'entamer les finitions de la rénovation.

Elle est assise au soleil, paupières fermées, sur le vieux banc de bois posé devant la maison comme s'il avait toujours été là. Habitant à part entière de la vieille maison de pierre. Elle entend la voiture se garer, la portière claquer. Il est déjà là quand elle ouvre les yeux.

— Je vous aide pour la porte ? demande-t-il d'emblée.

— Oui, je veux bien.

— Je vais m'en occuper en premier, comme ça, vous n'aurez pas de mal à l'ouvrir seule. Il faut qu'on voie encore quelques détails concernant l'aménagement.

Ils ressortent quelques instants plus tard. Tout est prêt pour démarrer le chantier. Anaëlle rayonne. Elle ouvre son sac en bandoulière et lui tend les *Hulotte*.

— Je vous les rends, c'était très intéressant. J'ai appris beaucoup de choses.

— Vous voulez que je vous en prête d'autres ?

— Je ne voudrais pas abuser.

— Vous partez en cure trois semaines, n'est-ce pas ?

— Oui.

— Alors, je peux bien vous en prêter quelques-uns, vous aurez sûrement du temps pour lire. Je vous les dépose dans votre boîte cette semaine.

— C'est gentil. Nous n'avons pas reparlé de l'acompte. Voulez-vous un chèque maintenant ?

Thomas hésite. Il sait que son travail peut être aléatoire. Il s'en voudrait de toucher l'argent et de devoir reporter les travaux. Mais chez cette cliente, il est sûr de pouvoir respecter le calendrier. Il a cette contrainte de profiter de son absence pour avancer et il lui a promis qu'elle pourrait emménager fin juillet. Elle a déjà donné son préavis pour le bail de l'appartement. Il n'a pas trop le choix. Et sa situation financière est tendue. Il devait encaisser une grosse somme pour la fin d'un chantier important, mais le client, procédurier et fâché qu'il ait pris du retard, a reporté le paiement. Inutile de chercher à engager une quelconque action, il aurait tort devant la justice, au regard de ce qu'il avait inscrit comme délai sur le devis. Ces clients-là sont coriaces et déterminés, et n'intègrent de toute façon pas la dimension humaine, se fichant bien de savoir pourquoi Thomas a pris du retard.

Il accepte le chèque d'acompte.

— Dites, je rêve ou c'est encore cette voiture au bout de la rue ? Celle qui était garée devant chez vous l'autre jour.

— Oui, je crois bien. Elle a beau avoir baissé son pare-soleil, on reconnaît le fichu.

— Il ne manque plus qu'un journal avec des trous devant les yeux ! Mais vous la voyez d'autres fois, ou c'est uniquement quand nous avons rendez-vous ?

— Je n'ai rien remarqué par ailleurs, mais je ne vois jamais les radars sur les bas-côtés des routes non plus.

— Ne bougez pas, cette fois-ci, elle m'ouvrira sa vitre !

Thomas s'engage sur la route goudronnée, le pas déterminé, le regard aussi dur que possible, mais il n'a pas le temps d'atteindre le véhicule que déjà la conductrice a démarré en trombe vers la rue principale. Le même foulard, les mêmes lunettes de soleil, mais cette fois-ci la panique dans ses gestes. Il revient vers la maison en soulevant les bras dans un geste de dépit.

Le regard dur n'a pas tenu.

S'était-il seulement installé ?

— Perdu ! Elle a eu peur de moi.

— La même personne ?

— Oui, la même femme. Méfiez-vous quand même, ça devient insistant, là.

— Qu'est-ce que je peux faire, de toute façon ? Croyez-vous que ce soit un détective privé ?

— Ha, ha ! Sûr que non ! s'esclaffe Thomas. Si cette femme est détective privée, je suis gynécologue !

— Pourquoi vous dites gynécologue ?

— Parce que, avec mes morceaux de doigts, avouez que…, lui répond Thomas en agitant ses phalanges, le sourire aux lèvres.

— Je suis secrétaire de trois gynécologues à Sélestat.

— Ah, c'est drôle, je ne savais pas.

— C'est vrai qu'ils ont tous leurs dix doigts !

— Vous avez des choses à vous reprocher pour qu'on vous espionne ainsi ?

— Mais non ! s'écrie Anaëlle.

— Ça peut être lié à la maison ?

— Je ne sais pas. Je vais téléphoner à l'agent immobilier et aux anciens propriétaires. Vous pouvez m'appeler pendant ma cure si vous avez des soucis avec le chantier. Je vous dirai si elle m'a suivie jusque dans le Cantal.

Le menuisier referme soigneusement la porte et salue Anaëlle avant de sauter dans sa voiture, pour filer prendre une douche, enfiler des vêtements propres et se rendre à l'hôpital. Les couloirs, la propreté extrême, la ville, la chaleur, la pollution. Il a l'impression qu'à chaque fois qu'il s'éloigne de sa vallée et des montagnes alentour, c'est un peu de sa capacité respiratoire qui se réduit.

Alors celle de son petit frère…

Il n'aperçoit pas, dans un chemin dérobé en contrebas du village, la fameuse voiture arrêtée et sa conductrice, tremblante, qui a du mal à se remettre de la frayeur qu'elle a eue de le voir prêt à en découdre avec elle.

Qui, à ce moment-là, pourrait mesurer la lutte qui se joue au fond d'elle, entre sa peur immense et son insolente détermination ? Manifestement, la filature n'est pas une bonne solution. Elle en sait assez sur la jeune femme. C'est en tombant sur un des gros titres du journal de la veille, froissé au sol côté passager, qu'elle décide de changer de stratégie.

49

Une définition de nous

Un procureur, quelque part en France, n'a que faire de ses dossiers le matin de son retour de vacances. Pourtant, la pile est imposante. Mais il y a une lettre. Une lettre épaisse, dont l'écriture familière lui caresse les yeux, comme on chuchoterait un poème à l'oreille. Le timbre à l'effigie d'un flamant rose ne l'étonne même pas. Il le met sur le compte de la fantaisie d'Anaëlle sans deviner qu'il est un symbole particulier. Pour l'instant, il ouvre l'enveloppe en promenant délicatement son coupe-papier sous la pliure avec une lenteur extrême, pour savourer l'instant. *Le plaisir est autant dans l'attente du chocolat que dans le chocolat.* Plus de quinze jours à espérer ce moment, à imaginer ce courrier, à le sentir presque entre ses mains quand il y songeait. Avec la crainte parfois qu'Anaëlle puisse ne pas faire ce qu'elle dit, comme ne pas se rendre à un rendez-vous, et disparaître sans explication.

Mais la lettre est là, épaisse. Elle n'a jamais été aussi épaisse. Le plaisir d'Hervé non plus.

*

Cher Hervé,

Vous venez de partir en vacances, je commence aujourd'hui un journal de bord pour poursuivre l'échange en votre absence.

Samedi 4 juin

Je me suis immédiatement couchée après mon mail d'hier soir. Pour aller pleurer. Pas dans les toilettes, mais dans mon oreiller. J'étais rouge de honte et lui trempé de larmes. C'est vrai, mon attitude n'était pas correcte.

Mais oui, c'est grave de se rencontrer, parce que j'ai peur de vos réactions face aux stigmates de mon accident. J'ai peur de ne pas vous plaire, même si nous ne sommes pas censés prendre ce chemin. Cependant, je suis une femme, une femme qui a besoin que les autres lui renvoient une image positive d'elle-même, mais une femme abîmée, qui se cache comme elle le peut, quand elle le peut. Le jour de notre rendez-vous au restaurant, j'ai choisi de me cacher, au dernier moment, parce que les peurs sont plus fortes que la raison. Quand vous êtes venu me voir, je ne pouvais pas fuir. J'étais comme un animal blessé, acculé dans un coin de la pièce, et qui cherche désespérément une échappatoire. Je vous en ai voulu de me prendre ainsi au piège.

Après mon accident, j'ai eu le courage de me relever, mais j'ai la lâcheté de ne pas toujours affronter les conséquences de celui-ci. Je les contourne plutôt que de les apprivoiser. Je ne les admets pas au point de ne pas en parler. Les courriers sont bien pratiques pour cela.

Car, Hervé, je ne vous ai pas tout dit. Vous auriez été le mufle habituel, qui m'aurait dit d'aller me faire voir après l'abandon de mon gros lapin obèse sous votre nez, j'aurais accepté le verdict, mais face à l'huître, le rocher veut bien s'ouvrir...

(Si votre greffière lit nos échanges par-ci par-là, elle ne comprendra rien à nos métaphores...)

L'accident ne m'a pas abîmé que la mâchoire. La portière s'est aussi violemment encastrée dans ma jambe droite, qu'elle a quasiment sectionnée. Ils n'ont rien pu faire pour la sauver. Au réveil, après plusieurs semaines de coma artificiel, quand je n'ai vu sous le drap que l'épaisseur d'une jambe, j'aurais préféré qu'ils n'aient rien pu faire pour me sauver tout court.

Je suis donc comme un flamant rose qui se repose…

Voyez-vous, aujourd'hui, j'étais avec mes amies au spa. Vous ne pouvez même pas imaginer le regard des gens sur mon moignon. Au moins, je fais fuir les utilisateurs du sauna et ça fait de la place pour mes copines. Dans ce contexte-là, nous en rions, mais j'ai toujours peur de voir tout le monde autour de moi partir en courant.

J'avais donc cette crainte que vous partiez vous aussi. Après tout, nous ne nous connaissons pas assez pour savoir comment l'un et l'autre nous pouvons réagir à telle ou telle situation.

Ledit sauna m'a fait du bien mais je me sens épuisée, je poursuivrai l'écriture demain. Je n'ai pas envie de vous envoyer des mails, j'aurais l'impression d'être en vacances avec vous, ET AVEC VOTRE FEMME !

Et puis, la distance est parfois nécessaire.

Cher Hervé, il est 9 heures du matin. Je me suis réveillée il y a peu. Je suis installée sur la terrasse, il fait un temps magnifique. Je viens de faire le tour du jardin, pied nu dans l'herbe. La sensation est belle, même sur un seul.

Je prends mon petit déjeuner face au paysage, chez mes parents. Si vous voyiez comme les montagnes vosgiennes sont splendides. Il y a très longtemps, ils ont racheté une maison forestière en hauteur, nous y avons grandi. C'est le paradis, ici. Je savoure le pain frais et l'horizon, et je pense à vous. Vous devez être arrivé à bon port, sauf si vous êtes parti au bout du monde. Je ne sais même pas où vous séjournez. J'essaie d'imaginer votre destination. La plage, pour le bronzage de votre épouse, mais des plages, il y en a à chaque coin du globe. Corse ? Maroc ? Tunisie ? Thaïlande ? Martinique ? États-Unis ?

C'est une activité que je ne pratique plus. D'une part, parce que les béquilles dans le sable fin sont d'une remarquable complexité à manier. D'autre part, parce que les gens sur la plage n'ont rien d'autre à faire que de regarder les autres gens sur la plage, et de juger. Comme dans un sauna.

258

J'essaie d'éviter le jugement, autant que possible.

Même le dernier ! On ne va quand même pas me coller en enfer après mon chemin de croix, ou alors, Dieu est injuste.

Il est injuste, il n'y a qu'à regarder autour de nous.

Alors j'essaie de me fabriquer mon petit paradis sur terre, ce sera déjà ça de pris. Un acompte non remboursable !

Je vous laisse, je dois aller faire mes exercices de musculation, avant notre visite de midi.

Pensez-vous à moi comme je pense à vous ? J'en aime l'idée.

M'avez-vous pardonnée de ne pas être venue au rendez-vous ?

Lundi 6 juin

Reprise du travail ce matin. Je suis contente que ma journée s'achève, elle était difficile. J'ai pensé à vous en fin de matinée, quand une de mes ABMB m'a inondée de ses revendications et vociférations ineptes. Comme si c'était ma faute si le gynécologue avait quarante-cinq minutes de retard. Si seulement j'avais pu lui expliquer, à cette odieuse femme, que la deuxième patiente de la journée s'était fait violer durant le week-end et que la consultation avait duré plus longtemps. Je ne suis même pas sûre que l'argument aurait eu suffisamment de poids. Certaines personnes manquent totalement d'empathie. J'en suis toujours très étonnée.

Il m'est bizarre de vous écrire en sens unique, mais c'est une façon de remplir le temps, dont la vacuité me pèse.

Jeudi 9 juin

Il est tard. Mais aujourd'hui était un grand jour. J'ai signé l'acte de vente définitif chez le notaire et je suis désormais propriétaire de ma petite maison à Breitenbach. C'est un grand pas pour moi ! Surtout sur une seule jambe.

Peut-être aurai-je l'occasion de vous la faire visiter un jour.

Je réfléchis beaucoup, Hervé. À ce que nous avons commencé, à comment cela finira. Au fouillis que vous avez mis vous aussi dans mes certitudes. Œil pour œil !

Mes certitudes ? Croire qu'un accident de voiture qui mutile une femme dont l'amoureux a pris ses jambes (les deux !) à son cou ne peut aboutir qu'à une vie de solitude et à l'impossibilité définitive de rencontrer des

260

gens, d'échanger avec eux, d'avoir des émotions et des moments de joie. Cela dit, je n'ai pas encore eu votre commentaire quant à mon histoire de flamant rose. Peut-être allez-vous aussi prendre vos jambes à votre cou.

Voyez-vous, il suffit d'une trahison bien placée, au bon moment, dans un contexte particulièrement douloureux, pour qu'elle s'inscrive au fer rouge dans les profondeurs de votre être. J'aimerais croire que vous n'êtes pas comme ça, que cela ne changera rien, que je pourrai continuer à vous écrire et à vous lire, et je n'y arrive pas. Le salaud, comme vous dites, a détruit ma jambe en grillant le feu, et ma confiance en moi en déguerpissant ensuite. Il a pulvérisé le bel avenir qu'il me restait à découvrir.

D'un autre côté, vous m'avez répondu, avec l'humour que j'aime, avec votre gentillesse et votre bienveillance. Je vous annonce que j'ai le visage en piteux état et vous n'en tenez pas compte, vous voulez quand même me voir (je n'ose même pas imaginer l'idée que ce soit par curiosité malsaine, pas vous, PAS VOUS !), je vous laisse en plan au milieu d'un restaurant et vous vous accrochez au rocher. Comment pourrais-je encore douter de votre présence sans faille ?

Parce que je ne vous connais pas. Je ne sais rien de vous, de votre passé, de votre vie actuelle, de vos projets d'avenir. Je ne sais rien ou si peu de votre travail, de votre famille, de vos amis, de votre quotidien et de ce que vous faites de vos vacances. Je ne sais rien de vos opinions politiques et de vos valeurs. Je ne sais pas si vous fumez, si vous buvez, si vous aimez le cinéma d'auteur ou les magazines de voitures, les musées ou les promenades en forêt, les films d'action ou les comédies sentimentales, si l'été vous portez un pull autour du cou ou une veste accrochée sur l'épaule, si vous aimez la mer ou la montagne, les pays froids ou les pays chauds, si vous parlez plusieurs langues, si vous êtes sportif ou pantouflard, Arte ou TF1, slip ou caleçon, Mozart ou Lady Gaga.

Vous m'avez dévoilé quelques petits aspects de vous. Mais si petits, si insignifiants.

Nous ne nous connaissons pas, Hervé.

C'est à la fois effrayant et excitant. Arriverons-nous à nous renouveler pour garder dans ces courriers la même intensité, la même légèreté, le même plaisir ? La routine nous guette-t-elle aussi, comme dans un vieux couple ?

Et puis, deux personnes de sexes opposés (ou de même sexe d'ailleurs !) peuvent-elles vivre un tel échange sans aucune arrière-pensée ? Vous y croyez vraiment, vous ?

Vous voyez, je me pose une montagne de questions. Avez-vous les réponses ?

Je crois que je vais arrêter de vous écrire. Je sens que mon moral prend la direction d'une descente abrupte. Il m'est douloureux de penser à vous dans le vide, de ne pas connaître votre état d'esprit après mes dernières révélations.

Parfois je vous en veux de m'avoir bousculée. J'aurais été capable de poursuivre des années entières un échange qui m'évitait de me dévoiler. C'était confortable, et vous m'avez poussée hors du nid. S'écraser ou battre des ailes. Cruel dilemme pour un oisillon, surtout quand la douleur est vive d'avoir à les déployer.

Je suis comme un petit oiseau au bord de la vie. Un oisillon à qui il manque une aile.

Parfois, je vous envie d'avoir une famille normale et rangée, une femme qui vous attend le soir, des enfants à embrasser.

Parfois, je vous l'avoue, il m'arrive d'oublier, en vous écrivant ces lettres, dans quelle enveloppe je vis, dans quelle carcasse meurtrie j'évolue, car j'écris avec le cœur, l'esprit, les tripes.

Je vais donc vous oublier jusqu'à votre retour et me consacrer à mon livre. Vous avez dû m'oublier pendant votre séjour, et vous consacrer à votre épouse. Chacun son œuvre. La mienne est presque terminée et je profiterai de la période de mon déménagement pour la laisser mûrir un peu. Les œuvres sont comme les bonnes brioches, il faut laisser reposer la pâte après l'avoir pétrie, pour lui laisser le temps de lever.

Et puis, j'ai ma petite maison à imaginer, à explorer (il reste encore de vieux meubles et peut-être quelques souvenirs laissés là par une famille fort gentille, certes, mais qui ne semble pas très attachée au passé).

Samedi 13 juin

Vous le saviez déjà, je suis une faible femme. À peine ai-je dit que j'allais vous oublier un temps et voilà que vous réapparaissez dans ma boîte mail et me donnez envie de reprendre ma plume. Non, non, le progrès technologique n'a pas que du bon. Ne serait-ce que parce qu'il permet à un procureur de la République en vacances en Espagne d'entretenir un fouillis de certitudes, alors qu'il ne devrait songer qu'à se reposer, se détendre, passer du

264

bon temps avec son épouse et se couper du monde.

Vérifiez votre option « baratin », elle s'est de nouveau réactivée toute seule. Vous pensez pouvoir me faire croire que l'Espagne est dépeuplée ? À moins que vous n'ayez loué un gîte en haute montagne dans cette zone des Pyrénées à laquelle seuls quelques ours ont encore accès.

Vous avez cité Lamartine, je reste dans son répertoire pour vous reposer cette question lancinante, et qui me hante :

Temps jaloux, se peut-il que ces moments
[d'ivresse,
Où l'amour à longs flots nous verse le bonheur,
S'envolent loin de nous de la même vitesse
Que les jours de malheur ?

Car c'est une certaine ivresse que je ressens depuis nos premiers courriers. Quand celle-ci rend léger, à demi inconscient, surtout de ces malheurs qui nous suivent, oppressants (ça rime, comme Lamartine !). J'ai peur que ces moments heureux ne s'envolent plus vite que le souvenir des malheurs passés.

Je vais tenter de vous prouver à nouveau ma force de caractère en retournant à mon mutisme, dont vous ne pouvez vous rendre compte, de l'autre côté des Pyrénées. Et pour me donner du courage, je vais manger un de vos chocolats. Ils sont vraiment exquis.

Jeudi 16 juin

Cher Hervé,

Je viens de recevoir votre carte postale. Je vous suis très reconnaissante de m'avoir épargné les énormes seins nus. Pourquoi n'y a-t-il jamais de cartes postales avec des petits seins ? C'est joli les petits seins.

J'ai apprécié aussi que vous ne m'écriviez pas de ces phrases toutes faites, qui n'ont d'intérêt que celui de montrer que l'on a pensé à la personne destinataire, sans avoir grand-chose à lui dire.

Dites, une question. Votre femme sait-elle que vous m'avez écrit cette carte postale ? Avez-vous seulement évoqué ma présence, même d'ordre technique ?

Une petite semaine vient de s'écouler et mon mutisme a fonctionné. En revanche, le niveau de la boîte de chocolats en a pris un coup.

Nous sommes jeudi. Vous revenez à votre bureau lundi prochain. Je dois poster cette longue lettre, pour qu'elle vous attende à votre retour. Je vais piéger l'enveloppe, y coller un scotch ultra-résistant, qui ne laissera aucune chance à votre acrimonieuse greffière de l'ouvrir sans que cela se voie. J'ai déniché des timbres de flamant rose en début de semaine au guichet de la poste. Cela m'a fait rire. Heureux hasard. J'en ai acheté tout un stock. Ça apportera de l'eau au moulin de votre fouineuse de courrier.

J'ai plaisir à vous savoir de retour la semaine prochaine et à imaginer que vous serez toujours là.

Si ce n'est pas le cas, eh bien, ma foi, je me relèverai encore.

J'ai déjà réussi une fois.

Enfin je crois.

Je vous embrasse.

Anaëlle, votre Pénélope,
qui tricote ses certitudes chaque jour
et les défait chaque nuit

PS 1 : Êtes-vous bronzé comme un surfeur australien ?

PS 2 : Je dois vous dire que je pars le 25 juin en cure thermale, pour trois semaines, dans le Cantal. Nous pourrons cependant nous écrire.

*

Hervé reste un long moment le regard lointain, posé sur la façade de la bâtisse de l'autre côté de la rue. Il lui semble que sa greffière est venue déposer un document, puis elle est repartie sans un mot. Sûrement a-t-elle senti qu'il ne fallait surtout pas le déranger.

Il saisit son bloc de courrier pour répondre immédiatement à Anaëlle. Il restera plus tard ce soir au bureau. Après tout, il vient de passer quinze jours complets avec son épouse, il peut bien décaler l'heure du dîner.

50

Un procureur dans la valise

Déjà mercredi et Anaëlle n'a toujours pas commencé ses bagages. Elle ne sait pas d'où lui vient cette difficulté à se préparer à partir, mais elle repousse toujours au dernier moment cette corvée de penser à tout ce dont elle aura besoin pour son séjour. La peur d'oublier. Celle de manquer.

Elle doit rassembler un maximum d'affaires ce soir car la journée de demain s'annonce chargée au cabinet, et elle part vendredi matin. Mais elle s'attend à éprouver quelques difficultés à se concentrer sur sa tâche. Depuis qu'elle a lu la réponse d'Hervé, arrivée aujourd'hui, elle se repasse la lettre en boucle.

Les révélations d'Anaëlle ne changent rien pour lui.

Elle aurait envie d'appeler ses amies, là, tout de suite, pour partager avec elles ce soulagement, mais il est tard alors elle savoure toute seule.

Cela ne change rien pour lui.

Rien.

Pour lui, cela ne change rien.

Il se moque des apparences et s'attache à la globalité d'Anaëlle, à son âme et aux « petits détails importants » : ses yeux. La jeune femme a toujours aimé qu'on soit sensible à ses yeux. Toujours. Et Hervé de le lui avouer, sans savoir qu'elle a ce petit faible joliment narcissique.

Elle a étalé toutes les affaires sur son lit, réfléchissant au nombre de jours, à la météo du Cantal, à ses activités sur place. Elle part en voiture, elle n'est pas obligée de trop se limiter. Toutes ces choses devant elle comme autant de questions posées au procureur dans son précédent courrier et qui l'ont peut-être effrayé, eu égard à la masse de dossiers qui l'attendait sur son bureau. Qu'à cela ne tienne, il a répondu à toutes, sans transition et dans le désordre. Ce qu'elle va éviter de faire pour ses bagages.

Elle plie ses pulls et ses pantalons, puis les dispose en trois piles au fond de la grande valise. Les petites pièces viendront combler les interstices. Elle n'a prévu que de beaux dessous, cela va de soi. Outre les séances de kinésithérapie, elle se sent mieux quand elle porte des culottes ou des soutiens-gorge qu'elle trouve jolis. À pois, ou à petites fleurs liberty. Ce plaisir des beaux sous-vêtements lui vient de quelques images de son enfance, quand elle voyait ceux de sa maman dans le tiroir de la commode. En parallèle de la tendresse du couple, cela formait un tout harmonieux qui vous donnait envie de le reproduire. Hervé lui pardonne de ne pas être venue au rendez-vous. Il ne parle que d'avenir et lui demande de croire à sa présence sans faille. Il porte des boxer-shorts.

Puis elle réfléchit à ce qu'elle mettra dans son sac à main, en plus de l'ordinaire. Un couteau, une lampe-torche, une carte IGN, un miroir, quelques chewing-gums (sa mâchoire…). Hervé n'a de sac que sa veste sur l'épaule. Elle range également quelques CD de Dire Straits et de Jacques Brel dans sa sacoche en cuir. Hervé est plutôt musique classique et vieux films américains. Elle prévoit cinq romans, j'aurai le temps de lire, se dit-elle, et des poèmes de Victor Hugo. Il aime Marcel Proust et Charles Baudelaire.

Elle s'est assise sur son lit pour penser à tout ce qu'elle aurait pu oublier. Il aime la montagne et les pays froids, la course d'orientation, de préférence quand c'est long, marche pieds nus chez lui, n'a pas la télévision et souffre du syndrome de Raynaud avec, sans cesse, ce besoin de se réchauffer les mains.

Anaëlle regarde les siennes. Il ne manque rien, tous les doigts sont là, et ils sont souvent chauds. Elle se sait une exception parmi les femmes. Le menuisier a-t-il le bout des moignons froids ? Sa cuisse à elle est souvent froide.

Elle pense soudain à emporter le scotch ultra-résistant puisqu'il a passé le test de la greffière avec brio. « Un petit coin était décollé, elle n'a pas osé poursuivre, j'espère que vous en avez un rouleau entier. »

Il aimerait fixer une autre entrevue puisque la première…

Mais à peine est-il rentré qu'Anaëlle repart. C'est sûrement mieux ainsi. Se laisser du temps, des respirations, se connaître doucement, ne pas brûler les étapes car chacune d'entre elles marque la rencontre d'une pierre blanche qui pourrait bien un jour leur servir de repères.

Anaëlle bouclera ses bagages demain soir, ou même vendredi matin. Elle a forcément oublié quelque chose. Sauf les petites révélations qu'un procureur a bien voulu lui concéder dans ce long courrier. Elle se souvient de toutes.

Mais d'une en particulier.

Une jambe en moins ne change rien pour lui.

Et ça change tout.

51

L'arbre à moelle

Quand Thomas arrive dans la chambre en cette fin de journée ensoleillée et chaude, Simon regarde une émission de cuisine. C'est devenu une passion, lui qui ne mange plus rien depuis qu'on ne lui propose que des pizzas stérilisées et des frites en bocaux. Il se rattrape avec les yeux et engrange probablement des idées pour l'avenir quand il pourra rentrer, et manger, déguster, ce que plus personne ne savoure, d'en être trop gavé.

Il a aussi prévu de partir en pique-nique. D'ailleurs, ses parents et son frère ont la consigne expresse de mettre de côté le petit carré d'essuie-main en papier qui orne chaque pack de tenue stérile et qui n'est pas utilisé, pour en faire des serviettes. Ils doivent déjà en avoir une trentaine. Peut-être est-ce là le secret des enfants. Convoquer l'avenir dans l'instant présent, s'accrocher à la perspective de demain pour supporter aujourd'hui.

— Dis, les arbres aussi ont une moelle ? demande Simon qui saute sur son lit.

— Pas tout à fait. Mais ils ont un système bien organisé pour grandir, se défendre et se reproduire, qu'on pourrait comparer à notre sang.

— Et ils saignent des fois ?

— Oui. Souviens-toi l'année dernière quand tu t'étais assis sur une souche de hêtre fraîchement coupé et que tu t'étais fait disputer par ta maman parce que ton pantalon était couvert de sève au niveau des fesses.

— Ah oui ! Mais d'où elle vient, puisqu'ils n'ont pas de moelle comme nous ?

L'enfant devient incollable sur le fonctionnement du corps humain. C'est qu'il vous en pose, des questions. Et pourquoi tu me fais ci ? Et ce tuyau, pourquoi il est là ? – du matin au soir. Pas d'entourloupe au pays des enfants malades. Ils veulent comprendre. Tout.

La greffe semble s'installer sans trop de dégâts dans le corps de Simon. On les avait prévenus de la possibilité d'une réaction de la greffe contre son hôte, quand la nouvelle moelle vient se battre violemment contre les dernières petites cellules anciennes qui subsisteraient encore dans les recoins de l'organisme, malgré les intenses chimiothérapies. Cela peut être grave, parfois même dramatique. Chez Simon, la réaction a lieu, mais elle est modérée.

— L'arbre est une usine fantastique ! s'enthousiasme Thomas. Il va puiser de l'eau dans la terre et la fait monter vers les feuilles qui utilisent alors le soleil et le gaz carbonique présent dans l'air pour fabriquer de la sève. Et en plus, il rejette de l'oxygène. Nous, c'est le contraire. On respire l'oxygène et on rejette du gaz carbonique.

— Mais alors, on se complète ?

— D'une certaine façon. Cela dit, la nature n'a pas besoin de l'homme pour vivre. Elle s'en sortirait même mieux sans nous. Les hommes sont bien trop bêtes pour comprendre qu'ils doivent en prendre soin pour ne pas la détruire. Par contre, de notre côté, nous ne pourrions pas vivre sans les arbres. Ce sont eux qui nous aident à respirer.

Et Simon respire toujours. Plus que jamais. Il ne ressemble plus au petit garçon joyeux et coloré qu'il était il n'y a même pas un an. Pour ses parents et son frère, la transformation a opéré de manière progressive au point qu'ils n'ont pas conscience des étapes franchies dans cette métamorphose. Mais en prenant du recul… Le crâne lisse, la peau gonflée et rouge d'une éruption cutanée intense, les traits tirés, des petits yeux, et les fesses décapées. Et pourtant il sourit, il rit, il chante, il joue.

Il respire, car dedans il est le même, une bonne dose de maturité en plus.

— Mais après, elle va où la sève ?

— Elle va partout dans l'arbre, pour le faire grandir, pour le protéger des attaques des parasites, comme ton sang à toi. C'est pour ça que tu es en chambre stérile. Il ne faut aucun microbe tant que ta moelle ne fonctionne pas bien, parce que tu ne peux pas te défendre.

— Ils ont des leucémies, des fois, les arbres ?

— Non, mais ils ont d'autres maladies. C'est pour ça qu'ils ont un système de protection contre les attaques en tout genre. Et en plus, ils parlent entre eux pour se prévenir du danger !

— Ils parlent ?

— Oui. Ça t'en bouche un coin, hein ? Par exemple, les arbres dans la savane, quand ils commencent à se faire bouffer par les girafes, ils fabriquent une substance qui va dans les feuilles et qui les rend immangeables !

— Comme ma nourriture en bocaux ?

— En quelque sorte. Mais en plus, ils préviennent leurs copains autour grâce au vent.

276

— Ils sont intelligents, les arbres, conclut Simon.

— Plus qu'on ne pense. Maintenant, écoute bien cette histoire…

Thomas le regarde fermer les yeux, le visage gai et lumineux, en attente de l'aventure du petit arbre qui voulait devenir un nuage. Comme s'il avait oublié la douleur terrible qui lui arrache presque des larmes à cause d'une vessie abîmée par les traitements. D'autres se lamenteraient à longueur de journée. Lui non. Il préfère s'amuser. Les jeux sont limités, ils doivent passer l'épreuve du bain de Javel pour oser entrer dans l'espace stérile, mais sa maman lui a trouvé des perles en plastique, qu'il enfile sur des fils de scoubidou. Il fait des colliers, des bracelets à tout le monde. Quand une nouvelle infirmière prend son service, l'enfant enregistre sa commande, Tu veux quelle couleur ? demande-t-il, et elle repart avec son collier personnalisé à la fin de sa garde.

Thomas ne quitte plus le sien. Il suffit qu'il le prenne entre ses doigts pour sentir le courage de son frère et retrouver le sien, pour faire face aux délais qu'il ne tient pas, aux clients mécontents, à la route, à la fatigue, à cette pression permanente de ne pas avoir un seul instant de répit. Même les balades en forêt, le jeune homme les vit pour son petit frère. La maladie est là, partout, tout le temps, comme un insecte qui vous bourdonnerait à l'oreille depuis des semaines.

Mais l'avenir s'éclaire. Quelques semaines encore, le temps que le corps fasse sienne la moelle d'un autre, et ils abandonneront leur tenue stérile, puis un peu plus tard le masque, l'enfant pourra à nouveau manger, et un jour sortir, retrouver sa vie d'avant, certes avec un suivi rapproché et probablement à vie, mais un quotidien qui saura reprendre le dessus. L'école, les copains, Annabelle, la famille, la forêt.

L'avenir.

52

Sauver l'honneur

Le procureur s'est calé dans l'embrasure de la fenêtre pour fumer au grand air, les yeux fermés, face au soleil, les alvéoles pulmonaires avides de ces quelques molécules néfastes qui font du bien. Il surveille l'heure. La nicotine le détend. En général, le courrier arrive en fin de matinée. Vivement ! Jocelyne est désagréable depuis ce matin. Il lui a bien proposé une cigarette un jour, pour essayer d'assouplir cette rigidité en elle, installée jusque dans son chignon. C'est comme s'il lui avait suggéré un pacte avec le diable. Elle avait passé le reste de la journée à déblatérer sur le cancer.

— Vous ne vous en lassez pas, Monsieur le procureur ? demande-t-elle, le ton léger, en entrant dans le bureau.

Il explose, sans signe avant-coureur. La patience qui s'effondre soudain comme un pan de glacier.

— De quoi me lasserais-je ? aboie-t-il. De ma cigarette du matin ? La réponse est non. De vous ? Je me tâte. Surtout des jours comme celui-ci.

— Je parle des courriers de votre admiratrice, réagit la greffière, sur la défensive.

— Non, je ne me lasse pas de ses courriers, mais de vous, si. De votre propension à mettre des bâtons dans les roues du bonheur des autres, comme si les voir heureux vous rendait plus malheureuse encore. Vous me faites de la peine, Jocelyne, vous devriez vraiment aller consulter quelqu'un. Il vous ferait du bien, à n'en pas douter. Peut-être réussirait-il l'incroyable performance de vous rendre sociable.

— Vous n'êtes pas obligé d'être désagréable, s'insurge-t-elle.

— Mais vous non plus, Jocelyne, vous non plus.

— De toute façon, depuis que cette jeune femme vous écrit, vous n'êtes plus le même. Et vous voulez me faire croire qu'il n'y a pas anguille sous roche ?

— Mais même s'il y avait anguille, en quoi cela vous regarderait-il ? Je fais ce que je veux de mon anguille, et je n'ai aucun compte à vous rendre.

— À votre femme, si.

— Occupez-vous de vos fesses, Jocelyne, elles réclament déjà assez d'efforts à essayer de les décoincer, dit-il en se calmant, préférant l'attaque perfide à la colère.

— Oh, s'exclame la greffière, outrée.

Elle quitte la pièce d'une démarche rapide et nerveuse, le menton relevé vers la droite en lui tournant ostensiblement le dos. Hervé ressent le plaisir sournois de la vengeance inespérée en la voyant trébucher sur le coin de tapis du couloir. Elle a jeté les bras vers l'avant pour amortir la chute mais quelques pas accélérés rétablissent de justesse son équilibre. Il la voit ensuite tâter son chignon pour vérifier qu'aucune mèche ne s'est échappée dans la pirouette.

Aucune.

L'honneur est sauf.

*

Sélestat, jeudi 23 juin

Cher Hervé,

Si mes calculs sont bons et qu'aucun facteur ne fait un excès de zèle, je devrais déjà être partie quand vous lirez cette lettre. Je quitte la région vendredi matin pour passer le week-end chez ma tante à Lyon. Puis je rejoindrai le Cantal dimanche pour ma cure de jouvence. Je m'y rends en voiture, pour être autonome sur place, visiter un peu la région, rapporter du fromage et des spécialités locales. J'adore faire les petits marchés régionaux, trouver des agriculteurs, des vrais, et profiter de leurs productions fermières.

Nous ne sommes pas censés nous plaire, et pourtant…

Il m'est encore trop difficile d'imaginer qu'un jour, un homme puisse à nouveau poser un regard bienveillant sur mon corps. Mais j'ai envie d'y arriver. Du moins d'essayer. Hier, je suis allée faire quelques achats dans des magasins de vêtements en prévision de mon départ en cure. C'est un peu à vous que j'ai pensé durant les essayages. Non, vous n'étiez pas avec moi dans la cabine, non, vous ne m'attendiez pas non plus à la sortie pour me donner votre avis (êtes-vous ce genre d'homme ?). Il n'y avait qu'une vendeuse au discours formaté qui me faisait croire que ce pantalon allait très bien alors qu'il me boudinait du côté de ma prothèse. J'ai opté pour une longue jupe. Ceux qui me croiseront en ne me regardant que dans les yeux (ils sont rares) ne verront même pas qu'un pied bizarre dépasse. Comme vous le dites, après tout, c'est dans la tête que tout se passe.

Vous me faites du bien, Hervé. Vous me faites du bien à essayer de me mettre un coup de pied au derrière (pas trop fort, je suis tout de même assez instable). Rien qu'à l'idée de savoir qu'une jambe en plus ou en moins ne change pas tout pour vous et que vous êtes toujours là, cela me fait du bien. Cependant, je pense que vous ne réalisez pas l'intensité de cette souffrance. Parfois, les antalgiques ne suffisent pas. Il paraît que cela s'arrangera avec le temps, avec la cure (j'en espère beaucoup), mais il y a des soirs où les nerfs lâchent. Et puis la souffrance morale. De voir les femmes dans les magasins se regarder dans le miroir et se lamenter sur leurs petits défauts. Puis, au détour d'un rayon, elles tombent sur moi, sur le vide de ma jambe, et me lancent un sourire qui se veut sympathique et qui dégouline de pitié. Je n'avais pas trop de complexes physiques avant l'accident. J'aimais mes petits seins, la largeur de mes hanches et l'épaisseur de mes mollets. À croire que quelqu'un a décidé que j'étais trop bien dans ma peau, que c'était suspect, qu'il me fallait forcément un ou deux complexes pour être une femme normale. Ce quelqu'un a eu la main lourde.

Je peux vous dire qu'avec le sport que je pratique, la musculation en particulier, pour rendre mes déplacements et mes activités quotidiennes plus aisés, je me suis fabriqué un corps de rêve. Certes mes seins sont toujours petits, mais entourés de belles formes galbées dont je n'aurais jamais pu rêver auparavant. Mais quand on n'a pas le choix, hein ?

C'est juste dommage qu'il manque un morceau.

Pour le reste, je m'approche de vos valeurs politiques et humaines, je ne fume pas, je ne bois presque pas (à cause des traitements médicaux), j'aime les films qui finissent bien et qui ne font pas peur, ou à peine, j'ai un vrai sac à main (trop petit pour me servir de veste, contrairement à vous !), je préfère aussi la montagne, je ne voyage pas beaucoup, mais je rêve d'aller en Suède, je parle anglais, allemand, espagnol et pharmacologie. Le sport n'est plus vraiment à ma portée pour l'instant. J'aimais courir tôt le matin. Aujourd'hui, je me consacre à la natation et à la musculation. J'ai une prothèse orthopédique pour maintenir un semblant d'harmonie dans mon squelette, ce qui me permet de porter des petites chaussures de ville en journée, pour satisfaire à la coquetterie féminine, qui contrebalance les complexes. Je lis énormément. J'aime les musiques douces et les vrais rocks américains, ceux qui donnent la pêche. Je dansais très bien le rock'n'roll.

À la fin de votre lettre vous me demandez de définir le « nous ». Et là, je suis bien embêtée. Parce que ce « nous » n'a rien de classique. Il mélange un sentiment d'amitié, une compétence thérapeutique et l'ivresse d'une rencontre amoureuse. Nous ne sommes pas de simples amis, encore moins des soignants, et ne sommes pas amants non plus. On pourrait se dire que l'un de ces statuts va prendre le dessus, pour clarifier la situation, choisir un chemin classique, rentrer dans le rang. L'amitié signifierait que l'on oublie l'excitation de l'attente et la dimension de séduction qui commence doucement à pointer son nez dans l'échange, de façon indéniable. L'amour signifierait que vous basculez dans l'acte d'adultère, ce qui du reste n'est ni simple ni conseillé. Vous vous mettriez en danger, vous et votre couple. Alors ? Quel avenir ? Est-il encore temps de raison garder ?

Oui, il est encore temps. Je peux renoncer. À cette sensation de chaleur douce quand je lis vos lettres. À ce souvenir agréable de

votre sourire à mon égard. À vos mots récon-
fortants et à vos coups de pied au derrière. À
votre humour, qui me fait rire tout haut dans
mon petit appartement. À l'idée que quelqu'un
pense à moi, prend plaisir à me découvrir,
a envie de me rencontrer, de me connaître
mieux, sans tenir compte de l'état de ma car-
rosserie. Il me sera long et difficile de ne plus
penser à vous, mais je peux renoncer à vous
le faire savoir. Si cela est la meilleure solution
pour vous, pour votre situation, pour votre avenir, je m'inclinerai. Après tout, c'est moi qui
suis venue exploser dans votre jardin morne
et stérile et y mettre le bazar. Vous ne m'aviez
rien demandé.

Je vous embrasse.

Anaëlle,
votre planche de surf ?
(puisque vous êtes
effectivement revenu bronzé)

PS : Centre de cure thermale – 27, avenue du
Président-Pompidou – BP 21 – 15110 Chaudes-
Aigues.

53

Le jardin du pays magique

Anaëlle est installée au restaurant du centre de cure pour son premier déjeuner. Le repas est simple, raffiné, diététique. Elle partage la table d'une femme plus âgée qui souffre de la hanche. L'échange est courtois et sympathique.

Une employée se dirige vers Anaëlle en lui tendant une enveloppe.

— Déjà une lettre pour vous, madame Desmoulins.

— Cela ne pose pas de problème de recevoir du courrier ici ?

— Évidemment non, répond-elle avec un grand sourire. Vous pouvez même en recevoir tous les jours, des colis aussi.

Bienséance oblige, Anaëlle patiente jusqu'au café en ne montrant pas qu'elle trépigne d'impatience, puis elle s'excuse auprès de sa voisine et part s'isoler sur la terrasse où le soleil s'étale de tout son long.

*

Strasbourg, 27 juin

Ma chère Anaëlle,

Oui, vous êtes ma planche de surf, celle qui me permet de rester en surface, presque de voler au-dessus de l'eau, de vivre des sensations intenses. Si vous disparaissez, je coulerai au milieu des rouleaux et des vagues, je me ferai dévorer par les requins qui auront senti l'odeur de mon cœur qui saigne, et je finirai par dix mètres de fond, avec des coquillages qui se seront collés sur moi au gré des courants marins. Fermez les yeux et imaginez la scène. Est-ce vraiment ce que vous voulez ?

Quelle drôle d'idée. Non, pas drôle du tout, en fait. J'assume votre présence. Je la garde secrète, mais je l'assume. C'est vrai, je n'avais rien demandé à personne. Je me laissais porter par la routine de mon travail, de ma famille, sans trop y réfléchir, sans prendre de recul sur ma situation. Et puis vous êtes arrivée. Celui qui mange sans sel depuis toujours n'a pas conscience de ce qu'une pincée peut apporter dans la révélation des saveurs. Voilà, vous êtes ma pincée de sel. Et je n'ai plus envie de manger fade.

A-t-on vraiment besoin d'entrer dans les cases, de définir une relation, notre relation, selon les codes en vigueur ? L'amitié autorise ceci, mais interdit cela, la relation d'amour n'interdit pas ceci, mais n'autorise pas cela… Et si nous innovions, si nous inventions une relation à mi-chemin, que nous serions seuls à connaître, qui nous autoriserait ce que nous décidons. Qui nous en empêche, après tout ?

Est-il possible d'imaginer que vous soyez plus qu'une simple amie sans que cela perturbe nos vies respectives ? J'ai réellement envie de vous rencontrer, j'attends votre retour avec impatience. Je n'imagine pas forcément de suite intime. Mais, Anaëlle, notre relation est déjà intime. Du moins pour ma part. Je vous confie des choses que je ne dis à personne d'autre. Cela ne nous rend-il pas intimes ?

Vous me parlez souvent de mon épouse. Qu'en dire ? Mon épouse est agréable, gentille, généreuse, serviable, charmante et attentionnée. Elle est la mère de mes enfants et la femme à qui j'ai dit oui, il y a un peu plus de vingt ans. Elle est encore là quand je pars le matin, déjà là quand je rentre le soir, elle gère la maison, nos ados, le quotidien, les papiers, malgré son travail à elle (comptable dans une grande entreprise). Elle est la femme idéale pour les hommes qui désirent se ranger dans une existence facile et organisée, sécurisante et bien pensée, ces hommes qui cherchent en leur épouse la continuité de leur mère, je suppose. Il y a vingt ans je cherchais probablement la continuité d'une mère, une situation facile et sécurisante, organisée, pensée, rangée. Je l'ai trouvée. Et vous êtes venue y mettre le fouillis avec votre fraîcheur, votre intensité, vos rires et vos émotions vraies.

Anaëlle, vous êtes mon antidote à la routine et à l'ennui. C'est à double tranchant. J'ai découvert avec vous le plaisir de l'échange joyeux et tendre, je découvre aussi à cause de vous la banalité de tout ce que j'ai construit.

Cependant, je ne suis pas forcément prêt à tout quitter pour retourner ma parcelle triste et y semer d'autres graines. Quand un jardin comporte de grands arbres, de beaux massifs fleuris et une pelouse parfaite, il est difficile de tout raser pour recommencer à zéro.

J'aimerais avoir cette vie rangée et sécurisante avec une petite porte au fond du jardin, qui me permettrait de m'évader dans la forêt sauvage et printanière. En évitant cependant les chats. Je suis fortement allergique. Je gonfle de partout, c'est assez affreux.

Je vous embrasse.

> Hervé, amas de cellules vibratoires
> ou expansibles, selon les cas/les chats…

*

Chaudes-Aigues, 28 juin

Cher Hervé,

Je vous avoue que je suis assez curieuse à l'idée de vous imaginer par dix mètres de fond, couvert de coquillages (sauf le bras qui aura été emporté par le requin). Au moins, dans l'immensité marine, vous auriez du sel à ne plus savoir qu'en faire pour saupoudrer votre existence et la rendre moins fade.

Mais je reste ! Vous pourrez ainsi continuer à me tenir la jambe et je continuerai à ajouter mon petit grain de sel.

Que dois-je dire de ma propre existence ? Depuis mon accident, je me lève du pied gauche tous les matins, imaginez mon désarroi !

Allez, j'arrête ce petit jeu certes subtil, mais un peu déplacé des expressions autour de mon anatomie révisée et incomplète.

Sinon, je vous en supplie, faites-moi visiter le pays imaginaire et magique dans lequel vous vivez, où tout semble tellement simple et beau. Une petite femme agréable et attentionnée pour la sécurité maternelle et une « plus qu'amie » pour vous réchauffer de temps en temps. Évidemment, votre épouse attentionnée dispose d'une ouverture d'esprit suffisante pour accepter la porte de jardin qui donne sur la forêt. Évidemment, votre « plus qu'amie » accepte que vous passiez la porte de jardin dans l'autre sens pour retourner dans vos quartiers une fois la chaleur captée. Quelle chance vous avez d'être entouré de femmes à l'esprit ouvert !

Avez-vous imaginé la solution B ? Celle où votre femme verrait d'un très mauvais œil ces escapades forestières, et où votre plus qu'amie se lasserait avec le temps de ne pouvoir aménager aucun jardin structuré et pérenne avec son plus qu'ami ?

Revenez dans le vrai monde, Hervé. Le vrai monde où un homme et une femme mariés ne vont pas fricoter ailleurs sous peine de sanctions morales ou judiciaires (ce n'est pas moi qui vais vous l'apprendre), un monde où le sentiment qui dépasse l'amitié rejoint assez vite l'amour, avec cette incontournable envie, un jour ou l'autre, d'en arriver aux corps.

Alors, étiez-vous dans un rêve éveillé ou vivez-vous vraiment dans ce pays magique ?

Moi aussi, j'ai envie de réchauffer mes mains, de sentir mon ventre se serrer et de faire vibrer mes cellules. Mais j'ai envie d'être libre de le faire, sans une épouse légitime qui surveille la porte au fond du jardin. J'aimerais même qu'il n'y ait pas besoin de porte puisqu'il n'y aurait pas de clôture.

Nous sommes intimes, Hervé. Je tiens à vous, mais où cela nous mènera-t-il ? Quels risques prenons-nous à entretenir cette intimité, même si elle n'est pas physique (pas encore) ? Y avez-vous songé ?

Je regrette nos premiers échanges sucrés où nous ne nous posions pas de questions existentielles, et où la brise de nos âmes légères soulevait les mots sur le papier comme un souffle les pollens d'été...

Êtes-vous aussi allergique aux pollens ?

Je vous embrasse.

Anaëlle, broyeuse de magie

54

Comme des ondes qui s'éloignent

Thomas, particulièrement concentré sur sa scie circulaire pour épargner ses derniers doigts, un casque anti-bruit sur les oreilles, ne voit pas immédiatement son collègue lui faire de grands signes. Celui-ci doit se présenter devant lui pour qu'il lève les yeux et aperçoive l'homme grand et maigre qui se trouve à l'entrée de l'atelier. Un costume, de belles chaussures, une petite sacoche dont il tient la poignée en cuir de ses deux mains devant lui. Une sacoche comme une cloison pour se protéger du reste du monde.

Thomas soulève un des côtés du casque pour dégager une oreille.

— Un huissier de justice, c'est pour toi.

— J'arrive.

Il ne manquait plus que ça. Il sait qui l'envoie, il sait pourquoi, et il en connaît les conséquences. Il arrête la machine qui met quelques minutes à cesser complètement sa rotation et le bruit qui l'accompagne, s'essuie vaguement les mains sur l'arrière de son pantalon de travail et s'avance vers la porte d'entrée. L'apparence austère de l'homme en noir, probablement accentuée par sa fonction, est compensée par un regard doux et un sourire sincère.

— Monsieur Thomas Keller ?

— Oui.

— J'ai un pli à vous remettre en main propre. Il me faudrait votre pièce d'identité.

— Je vais la chercher au vestiaire. C'est de qui ?

— M. Brenner.

Ses craintes sont confirmées. Il n'a même pas besoin d'ouvrir le courrier. C'est une mise en demeure de finir les travaux pour lesquels il s'était engagé et dont le délai est dépassé depuis un bon mois. Rien d'urgent, rien de vital, beaucoup moins que les travaux d'Anaëlle Desmoulins dans la petite maison où elle doit emménager fin juillet. Une clôture extérieure qui, si elle n'est pas achevée dans les temps, ne changera rien à la face du monde. Mais l'homme est procédurier. L'homme a payé son acompte. L'homme ne supporte pas qu'on ne respecte pas ses engagements. Thomas n'a même pas essayé de lui expliquer les raisons du retard. Il a eu un autre client de ce genre il y a quelques mois. Simon venait d'être hospitalisé et le verdict était tombé. Il l'avait expliqué au type qui venait de lui envoyer un courrier recommandé pour le sommer de finir les travaux. Il avait eu comme seule réponse : « Tout le monde a des soucis dans la vie, ça n'est pas une raison pour ne pas tenir ses engagements. » Une fin de non-recevoir qui l'avait profondément blessé. Le ciel venait de leur tomber sur la tête et ce client enfonçait le clou, sans états d'âme, sans cœur, et sans aucune discussion possible.

Depuis, Thomas n'a plus osé avancer ses difficultés personnelles pour expliquer un retard dans son travail. Mais il faut bien vivre, manger, dormir. Alors il doit prendre des devis, et réaliser des chantiers. Il essaie de les faire avancer comme il peut, mais son frère a besoin de lui.

Cette fois-ci, l'huissier a remplacé le courrier recommandé, signifiant à Thomas que ce nouveau client mécontent sera encore moins tolérant que le premier.

Dans une énorme caisse en bois sur roulettes, il range les morceaux d'escalier déjà découpés et note sur une grande feuille « Breitenbach », avant de la faire rouler dans un coin de l'atelier et de ressortir celle annotée « Brenner ». À contrecœur.

Il essayera d'arriver un peu plus tard à l'hôpital ce soir, pour finir au plus vite, même s'il déteste l'idée que Simon puisse rester seul ne serait-ce qu'une heure, sous prétexte que le grand mouvement du monde qui continue hors des murs blancs de l'hôpital ne comprend pas qu'il puisse se suspendre pour certains. Il sait d'avance qu'il trouvera un petit frère triste de l'avoir attendu en regardant une bêtise à la télé et qui lui demandera « T'étais où ? », les yeux un peu humides, la voix presque tremblante. Car s'il y a une chose qui peut lui enlever instantanément son sourire d'enfant, son étincelle dans les yeux, c'est de rester seul dans cette chambre décorée et pourtant austère. À la maison, il ne s'est jamais senti seul, l'âme du cocon familial l'enveloppe et le protège. Là, dans cet hôpital, l'âme de la famille repart aussitôt qu'un de ses membres quitte le sas. Comme des ondes qui s'éloigneraient trop loin pour qu'on les capte encore.

Les premières nuits avaient été terribles. Après quelques jours passés aux urgences, en attendant le diagnostic et une place dans le service d'onco-hématologie, Clotilde, Christian et Thomas s'étaient relayés pour dormir sur le fauteuil attenant ou sur un matelas de fortune à même le sol. Mais dès son transfert, on leur avait dit que ce ne serait plus possible. Alors ils se relaient pour rester jusqu'à ce qu'il s'endorme et viennent tôt pour assurer une présence dès qu'il ouvre les yeux, en espérant qu'aucun réveil nocturne ne lui mette sous le nez cette solitude imposée. Les infirmières ont beau être gentilles, elles n'ont pas les ondes du cocon.

Le traumatisme de la maladie est bien suffisant pour ne pas y ajouter en plus la brûlure d'être seul.

Peu de gens comprennent. Même pas la société, qui ne prévoit aucune solution d'accompagnement digne de ce nom. Il ne faut pas perdre son travail. La vie continue. Débrouillez-vous.

Tout paraît pourtant futile à côté de l'épée de Damoclès qui se balance juste au-dessus de la tête de Simon.

Si futile.

55

Vol au-dessus d'un nid de clichés

Strasbourg, 30 juin

Ma chère Anaëlle,

Je n'aurais pas cette tendresse particulière à votre égard, je vous en voudrais de dévaster gratuitement mon pays magique comme un adolescent dans un jeu vidéo guerrier.

J'ai soudain pris conscience de l'incongruité de mon rêve de porte de jardin. Vous m'avez ramené à la triste réalité : celle des choix dans la vie, des choix douloureux mais nécessaires pour répondre aux règles de notre société.

Vous avez raison, il y a fort à parier qu'en vous rencontrant, j'aurai envie de vous revoir, puis de vous revoir encore, puis de vous prendre dans mes bras, puis de vous raccompagner, de boire un dernier verre, etc.

Vous avez encore raison, il est illusoire de croire que nous pourrions choisir délibérément de laisser l'amitié prendre le dessus. Ne me demandez pas de définir mon ressenti, c'est beaucoup trop tôt, c'est beaucoup trop flou, mais qu'est-ce que c'est bon ! Cette motivation qui m'aide à me lever le matin, à partir avec entrain, simplement à l'idée que peut-être j'aurai un signe de vous dans la journée.

Dois-je renoncer à cela sous prétexte que je suis marié ? Je songe chaque jour au chemin que nous prenons, aux choix que nous devrons peut-être faire un jour, à ce que nous risquons de perdre, ou de gagner, selon l'angle sous lequel on se place. C'est vrai, peut-être devrions-nous renoncer à poursuivre ce lien avant qu'il ne soit trop tard. Ce serait probablement la décision la plus raisonnable qu'il m'ait été donné de prendre depuis un paquet d'années.

Mais vous savez quoi, Anaëlle ? Je n'ai aucune envie d'être raisonnable. J'ai envie d'être le gamin qui fait une bêtise, parce qu'elle est excitante et stimulante. Le gamin ébouriffé au bermuda déchiré d'avoir traversé les champs, les clôtures, les barbelés et les ronces pour aller dans ce petit coin de paradis où il se sent bien. Je ne veux pas être le gosse bien propre sur lui, la raie sur le côté, avec son cartable, à attendre sa maman à la sortie de l'école. Ce que j'ai été jusqu'à présent.

JE VEUX VIVRE ET NON PLUS VIVOTER !!!

Alors, je vous propose d'arrêter de nous poser de tortueuses questions et de retrouver cette saveur sucrée dont vous parlez dans nos échanges. Qu'en dites-vous ?

Je suis un peu allergique aux pollens mais surtout aux chats. Je tente actuellement une désensibilisation.

Existe-t-il une désensibilisation aux Anaëlle, pour cesser de réagir à leur contact, des fois que j'en aurais un jour besoin ?

Pour l'instant, c'est de vous que j'ai besoin.

Je vous embrasse.

Hervé l'ébouriffé

PS 1 : Votre cure vous fait-elle du bien ?

PS 2 : Ma femme n'a pas accès au fond du jardin, là où se trouve l'éventuelle porte. Ma femme n'est au courant de rien, et je n'ai pas prévu que cela change. Ma femme ne sait pas tout de moi et je ne sais pas tout d'elle. Cela existe-t-il de tout savoir de l'autre ? Tout ?

Au point de n'avoir plus aucun jardin secret, aucune pensée pour soi, aucune liberté de mouvement physique ou émotionnel ? Est-ce la définition des couples fusionnels ? Cette idée me fait froid dans le dos. Vous voyez, j'ai besoin de me réchauffer !!!

*

Chaudes-Aigues, le 5 juillet

Mon cher Hervé,

Cette cure me fait le plus grand bien. D'abord physiquement. Mes douleurs s'atténuent grandement. J'ai même pu réduire les doses d'antalgiques puissants qui m'accompagnent depuis des mois. Et puis, je prends le temps de me promener dans la région, les vues sont à tomber ! Vive la stabilité de ma prothèse. Il m'arrive de trouver un bel endroit et de m'y asseoir pour contempler le paysage et réfléchir.

Et à quoi je réfléchis ? Je vous le donne en mille ! À vous ! À nous ! À tout !

J'ai envie de vous connaître plus, de vous connaître mieux, même si j'ai ce curieux sentiment de vous connaître déjà. Je crains cependant qu'en vous connaissant mieux, je vous apprécie trop.

Une question me taraude. Peut-on vraiment choisir les émotions que l'on ressent ? Peut-on vraiment décider des sentiments, du sens qu'on veut leur donner ou du chemin qu'on aimerait leur faire emprunter ? Ne sommes-nous pas l'un et l'autre en train de nous voiler la face devant une inéluctable marche en avant dans laquelle nous sommes déjà pris au piège, et dont nous connaissons vaguement l'issue ?

Dites, votre femme n'a-t-elle donc rien remarqué de vos cheveux ébouriffés et de vos bermudas troués ? N'a-t-elle pas l'impression que vous vous levez avec plus d'entrain qu'il y a quelques mois ? Êtes-vous de ces acteurs qui savent parfaitement dissimuler leurs émotions quand ils reviennent de leur petit coin de paradis, celui planqué derrière la porte au fond du jardin ?

Dites-moi encore, croyez-vous que votre femme ait aussi une porte au fond du jardin ? Lui trouvez-vous parfois les cheveux ébouriffés ?

J'ai le sentiment que pour aimer sincèrement, il faut aimer pleinement. Je n'ai pas vécu assez longtemps en couple pour connaître tous les scénarios possibles de l'évolution de celui-ci, l'un d'eux s'est présenté à moi à un feu rouge, mais j'imagine qu'ils sont variés.

En tout cas, cette cure me fait du bien à tout point de vue. La charmante kiné de début de semaine est partie en congé d'été et le collègue qui la remplace est plus charmant encore. Il me regarde avec bienveillance quand je me déshabille devant lui, me manipule avec une douceur d'ange, se montre d'une extrême patience quand je n'arrive pas à faire ce qu'il me demande et il me sourit gentiment à la fin de la séance. Je me demande si je ne vais pas postuler pour un emploi de secrétaire médicale ici, sur place.

Je vous embrasse.

Anaëlle, votre rocher du Cantal

56

De ciseaux et de colle

À trop souffrir du vide, Jocelyne est prête à le remplir de n'importe quoi. Y compris de malveillance. Elle n'imagine pas qu'on puisse lui en vouloir puisqu'elle considère ses actes comme un chemin vers plus de justice.

Depuis cet épisode où elle a dû fuir à la hâte après avoir été repérée dans sa voiture, elle a cessé de suivre la jeune femme. Mais les lettres continuent d'arriver, régulières, épaisses. La relation est vraiment sérieuse, et par voie de fait illégitime. Le procureur semble aveugle face à ses propres actes. Un comble pour un homme de loi, un citoyen de la République censé faire régner l'ordre dans la société.

C'en est trop.

Jocelyne perd son temps à essayer de le raisonner avec douceur, à n'en pas dormir, à en être hantée, à ne plus penser qu'à ça.

Déterminée, elle descend chez sa mère, fouille dans sa caisse de vieux papiers et en ressort le maximum de journaux. Elle remonte dans son petit studio en ayant pris soin d'expliquer qu'elle recherche un article précis. Elle s'installe à la table de son salon, munie de ciseaux, de colle, de feuilles blanches, et se met à découper un mot par-ci, une lettre par-là, à s'attarder parfois sur les faits divers, sans même avoir conscience qu'elle pourrait provoquer l'un d'eux.

57

Un homme en forêt

Strasbourg, 8 juillet

Chère Anaëlle,

C'est drôle, je repense à cette petite porte au fond du jardin et, par extension, je me demande sur quel type de forêt elle pourrait ouvrir si la femme était une de ces étendues naturelles.

Ma greffière ? Probablement la taïga sibérienne.

Vous, par contre, je vous imagine bien en forêt de Brocéliande, des chênes tortueux trois fois centenaires entourés de korrigans et de légendes féeriques.

Mon épouse ? Je dirais une classique forêt de feuillus du nord de l'Europe. De ce genre de lieu où il est agréable de se promener mais qui ne recèle pas d'endroit spécialement magique où l'on aurait envie de se perdre.

Je ne suis pourtant pas le contenu d'une charentaise, heureux de vivoter dans le moelleux et la chaleur des bouclettes de laine. Je suppose qu'il me faut rire un minimum pour être pleinement satisfait, et que je ne le savais pas avant de vous rencontrer et que vous me fassiez rire.

Je suis ravi que votre cure vous fasse du bien, au corps et à l'âme. Le Cantal est probablement une très belle région, et le kiné doit être aux petits soins pour vous.

Je devrais pouvoir me réjouir de vous imaginer tomber sous son charme, et que cela soit réciproque, vous en avez tant besoin. Ce n'est pas le cas. Vous allez me trouver égoïste, mais je n'aime pas trop l'idée que quelqu'un d'autre puisse se promener dans la forêt de Brocéliande et venir caresser le rocher magique. C'est égoïste et ridicule. Vous ne m'appartenez pas, vous n'aimez pas les clôtures, encore moins les portes arrière de jardin, vous avez toute la vie devant vous, et moi une bonne partie de la mienne gravée dans cette sorte de marbre que constitue le mariage. Vous vous demandiez si l'on pouvait choisir les émotions que l'on ressent. Je ne choisis pas celle-ci. Elle n'engage que moi, et ne vous enferme pas. À moi de l'assumer. Je ne pensais pas avoir un jour à la ressentir. Je croyais être sur les rails d'une existence toute tracée. Aucune autre rencontre ne m'a jamais fait douter de la destination du train. Comprenez-vous mieux le fouillis que vous mettez dans mes certitudes ? Une sorte d'aiguillage avec lequel vous jouez, comme dans les westerns, quand le train arrive à la hauteur de la gare au milieu du désert.

Vous êtes une rencontre comme on n'en fait pas deux dans une vie.

Je vous embrasse, Anaëlle.

Hervé, le train en fouillis

PS : Et si nous présentions ma greffière à votre kiné ? Une chance que ça colle ?

58

L'éternité d'une minute de solitude

L'homme qui a envoyé l'huissier a déjà prévenu : il paiera le plus tard possible, même si le travail est enfin achevé, et il est inutile de protester, il a un bon avocat.

Thomas se fiche de l'argent. Enfin, presque. Le budget essence commence à peser lourd dans la balance de son découvert autorisé. Mais il ne veut plus entendre parler de cet exécrable client. D'autres pensées plus sérieuses et plus graves envahissent sa tête. Alors qu'il venait de ressortir la caisse à roulettes « Breitenbach », Clotilde l'a appelé au secours. Son père est en déplacement en République tchèque jusqu'à la fin de semaine, et elle est malade. Une mauvaise toux, un rhume carabiné, qui s'est immiscé dans son système immunitaire trop fatigué et trop malmené pour résister. Il est hors de question qu'elle franchisse le sas d'une chambre stérile. Elle prendrait le risque de transmettre un virus qui pourrait être fatal à son fils. Le médecin lui a prescrit un traitement antibiotique, mais, dans le doute d'un éventuel envahissement viral, il la somme de rester à la maison pour la semaine.

— Simon peut éventuellement rester un peu seul le matin. Tu as un chantier important, non ? s'excuse-t-elle. Ou alors je demande à nos amis. Ils s'étaient proposés d'aller passer un peu de temps là-bas.

— Tu sais bien que ce n'est pas pareil pour Simon. Et rien n'est plus important que lui à mes yeux. Rien. Tant pis. Je travaillerai plus quand tu seras remise.

— Je pourrai y retourner le soir, après mon travail, si ça peut t'aider. Je suis vraiment désolée.

— Prends soin de toi, ne t'inquiète pas. J'y vais. Je resterai la journée. Ça lui fera du bien. Je te donnerai des nouvelles ce soir. Tu as besoin de quelque chose ?

Clotilde lui répond qu'une voisine lui fera quelques courses. Puis elle s'excuse encore, et encore. Parfois, Thomas a l'impression que la jeune femme s'excuse de vivre. Ou par moments, d'être responsable de la leucémie de Simon : « Je n'ai peut-être pas fait ce qu'il fallait ? » Se remet-on complètement d'une dépression post-partum comme celle qu'elle a traversée ? La peur d'être une mauvaise mère doit la poursuivre insidieusement, resurgir à la moindre faiblesse, l'écraser d'une assommante culpabilité qui la laisse à terre, pleurant sur ses incompétences et parfois sur ses fautes.

Thomas quitte l'atelier pour rentrer chez lui, se changer, et repartir à l'hôpital, où Simon doit déjà l'attendre. Les infirmières l'auront prévenu que sa maman est malade, que son frère va arriver, mais chaque minute sera alors une éternité.

59

La danse des molécules

Mon cher Hervé,

Merci pour votre dernière lettre et les mots si touchants que vous m'écrivez.

Peut-être est-ce bien la première fois que je m'attache à quelqu'un avec cette intensité, cette confiance, et cette sérénité d'âme. Mais j'ai un néocortex en mauvais termes avec mon cerveau émotionnel et il lui prend toujours l'idée d'ajouter des réflexions acerbes aux élans de mon cœur. D'où mes questions sur votre couple. Imaginez le mauvais rôle que vous me faites jouer si celui-ci venait à battre de l'aile. Je serais l'oiseau de mauvais augure, celui par qui le mal arrive.

D'un autre côté, je ne suis pas responsable de vos actes. Ni redevable des miens.

Nous sommes en train d'imaginer des plans scabreux sur des comètes incertaines, alors que nous ne nous sommes jamais vraiment rencontrés. L'écriture est-elle suffisante pour se faire une idée de l'autre ? Se croiser furtivement suffit-il à mettre en interaction les molécules chimiques qui œuvrent dans une rencontre ?

Après mon accident, mes émotions se sont grippées. Ce sont vos réponses qui leur ont redonné goût à la danse. Et moi, j'essaie de suivre le rythme comme je peux, avec mes béquilles et ma jambe en moins.

Soit.

Dansons.

Ça ne peut pas nous faire de mal. À moins que… Inutile de m'envoyer encore un courrier ici, ils seraient obligés de le faire suivre. J'ai prévu une étape chez des amis en Suisse ce week-end et retrouverai mon poste lundi matin.

Je vous embrasse.

Anaëlle, et sa danse des béquilles

60

La visite machinale

C'est un bilan sanguin qui autorise Clotilde à retourner à l'hôpital. Indemne, mais fatiguée. Heureuse, surtout, de revoir son garçon. Elle lui a téléphoné souvent, longtemps. Au moins quand Thomas était sur la route, ou quand il s'absentait pour manger, se rafraîchir, prendre l'air quelques instants. Certains enfants sont parfois seuls pendant des heures. C'est rare, mais Clotilde trouve cela tellement déchirant. Elle n'ose pas imaginer comment ils peuvent le vivre. Et surtout, comment des parents peuvent s'en accommoder. Ou alors ils n'ont vraiment pas le choix. Est-ce possible de ne pas avoir à ce point le choix ?

Le maire de la commune où elle travaille est compréhensif. Ils ont réduit temporairement le temps de travail. Une heure de moins par jour, pour lui permettre de compenser la longue absence auprès de son fils. Elle les rattrapera quand Simon ira mieux, qu'il sera sorti de toute cette histoire et retournera à l'école.

Malgré la pression du retard de ses chantiers, Thomas a aimé ces quelques jours complets auprès de Simon. C'est difficile de tenir sous le masque, les gants, la tenue stérile intégrale des heures durant, mais partager ainsi son quotidien, et le voir évoluer avec l'équipe soignante le rassure. L'enfant est à l'aise comme un poisson dans l'eau. Il se repère aux habitudes de service pour voir le temps s'égrener et il s'est maintenant fondu dans le moule. Thomas a pu assister, plusieurs jours de suite, à la fameuse visite des externes. Clotilde la lui avait déjà racontée, amusée, mais en être le témoin direct ajoute au comique de la situation. Deux étudiants penauds qui débarquent avec leur stéthoscope et leurs hésitations. L'examen médical est protocolaire. Tout vérifier, toujours dans le même ordre, pour ne rien oublier. Simon, blasé mais généreux, interrompt son jeu ou son activité pour s'asseoir au bord du lit quand il les voit entrer. Manifestement, il connaît mieux les étapes de l'examen que les deux novices car à plusieurs reprises, il lève son bras ou se tourne pour présenter son dos à leur stéthoscope, ou bien encore ouvre la bouche comme pour les guider vers le geste suivant, à moins que ce ne soit simplement machinal. Après tout, plus vite c'en est fini, plus vite il retourne à son jeu.

Le reste relève du quotidien. La toilette du matin, puis les visites des médecins, des infirmières, des femmes de ménage. Et un peu plus tard dans la journée, la prof de sport, l'institutrice, parfois les clowns. Ces derniers ont rebondi sur les doigts manquants de Thomas qui ne remplissaient pas les gants pour improviser un sketch qui a fait rire Simon au point qu'il a mouillé son pantalon. Un rire sincère et joyeux. Un rire puissant. Un rire qui rend vivants celui qui l'émet et celui qui l'entend. Des clowns en forme de pastilles colorées dans la grisaille des mauvais pronostics. La prof de sport aussi est une personne clé de la journée. Un enfant qui ne peut plus sortir de sa chambre, voire de son lit, perd ses muscles à une vitesse insolente. Les tendons se raccourcissent et leurs mouvements deviennent problématiques. Tous les soignants ont donc la responsabilité de faire bouger les petits patients, si possible de façon ludique, pour espérer une participation active et motivée.

Simon était fier de montrer toutes ces activités à son grand frère, lui qui ne vient généralement que le soir, quand une grande partie de l'équipe a déjà rejoint son domicile.

Thomas était cependant soulagé de profiter de la présence d'un tiers pour aller se détendre à la cafétéria, avaler un morceau, boire un café afin de tenir jusqu'au soir. Et respirer profondément. Aller se coller à l'un des arbres du parc adjacent et le sommer d'envoyer des forces aux enfants, là-haut, qui luttent pour refaire des feuilles à leur prochain printemps.

Depuis que la maman de Simon est à nouveau dans la boucle des visites, il a pu entamer sérieusement le chantier de Breitenbach. Il sait que la propriétaire reviendra sans qu'il ait pu finir et il s'en veut, mais comment faire autrement ? Il a d'autant plus de remords qu'elle n'a pas l'air méchante. Vulnérable, plutôt. Et qu'il a dû la décaler elle, pour honorer des chantiers moins urgents mais dont le non-achèvement l'aurait malheureusement mené à des ennuis de taille, dont il n'a nul besoin en ces temps compliqués. Il déteste ce système où ce sont les vipères qui ont le dernier mot, et il y participe quand même, parce qu'il n'a pas le choix. Lui aussi est vulnérable. Vulnérable autrement, mais vulnérable autant.

Il travaillera tard le soir en rentrant de l'hôpital.

61

Un autre genre de lettre

Anaëlle a quitté ses amis suisses tôt ce dimanche matin. Après trois semaines loin de chez elle, vu le déménagement imminent, la reprise du travail dès le lendemain, elle aimerait arriver en Alsace avant midi. Elle est surtout impatiente de voir le résultat des travaux et de faire le point sur le chantier pour les quinze jours qui lui restent avant d'emménager chez elle. Il est prévu qu'elle monte directement à Breitenbach. Ses parents l'attendent pour déjeuner. Elle rentrera à son appartement en fin d'après-midi.

La camionnette de la menuiserie est garée devant la petite grange attenante. La porte d'entrée a été refaite, elle est ouverte, laissant le soleil déposer ses rayons sur les tommettes du vestibule. Il doit travailler sur les dernières finitions.

En franchissant le seuil, elle reste muette devant le tableau qui s'offre à elle. L'escalier est certes posé mais rien d'autre n'a été fait et des gravats jonchent encore le sol un peu partout. L'artisan s'affaire à l'étage d'où proviennent les sons qu'elle entend. Après avoir fait le tour de la catastrophe, elle se poste au pied de l'escalier et le hèle avec fermeté. Il apparaît rapidement dans l'ouverture, conscient de ce qui l'attend.

— J'espère que vous avez une bonne excuse, vocifère-t-elle.

Thomas pose ses outils et descend les marches lentement, comme pour retarder le moment où il lui faudra s'expliquer. Une fois en bas, sa main s'accroche à la rambarde pour se tenir à quelque chose, puisque la vie ne cesse de se dérober sous ses pieds en ce moment. Il n'ose pas trop affronter le regard dur de la jeune femme qui le fixe en attendant des explications.

— Vous savez, je ne sais plus ce que les gens considèrent comme une bonne excuse.

— Que voulez-vous dire par là ?

— Qu'une bonne excuse pour moi ne sera peut-être pas une bonne excuse pour vous.

— Dites toujours, on verra bien, lui lance-t-elle en allant s'asseoir sur des paquets de parquet encore emballés.

Thomas hésite. Il n'a pas envie, une fois de plus, d'être confronté à une fin de non-recevoir et d'ajouter à la difficulté d'affronter la maladie celle de ne pas être compris. Mais Anaëlle paraît sensible. Elle a traversé une grosse épreuve, elle pourra bien comprendre, elle, qu'on ne maîtrise pas toutes les cartes, qu'il faut s'adapter. Et qu'on a le droit de faire passer un enfant avant un escalier.

Il se tourne vers la glacière et y prend une bouteille d'eau. Il fait une chaleur torride sous le toit qu'il est en train d'isoler avant la pose des lambris. Il a besoin de se rafraîchir la gorge, pour éteindre les mots qui s'apprêtent à sortir. Non qu'ils soient violents ou agressifs, au contraire, mais ils vont lui remuer les tripes et raviver son chagrin, qu'il arrive tant bien que mal à mettre de côté à chaque départ vers l'hôpital.

S'ensuit une explication simple et concise. Son frère, leur différence d'âge, l'amour qu'il lui porte, la leucémie aiguë myéloblastique à mégacaryocytes, une chance sur deux qu'il s'en sorte, la greffe, les traitements lourds et souvent douloureux, sa joie de vivre pourtant, dans la chambre stérile, mais le chagrin à chaque fois qu'il est seul, leur père souvent en déplacement pour le Conseil de l'Europe, sa mère, fatiguée et fragile, malade durant une semaine, et qu'il a dû remplacer. Mais aussi la difficulté de garder son travail, de tout concilier, le prix de l'essence, le rythme dingue, les repas sautés, les nuits écourtées, les clients procéduriers qui ne veulent rien entendre de son petit frère face à leur devis retardé.

— Je suis désolée, souffle Anaëlle. Excusez-moi, je n'aurais pas dû me fâcher.

— C'est normal. Vous attendiez un travail et il n'est pas réalisé. Vous avez payé l'acompte et donné votre préavis pour votre appartement. Je comprends votre colère.

— Et moi vos priorités. Je vais trouver une solution. Mes parents habitent ici. Si vous me dégagez la grange, j'y stockerai mes meubles en attendant et j'irai vivre chez eux, comme quand j'étais ado.

— Je peux vous aider à déménager, on met beaucoup de choses dans la camionnette. Et puis, d'ici là, j'espère avoir bien avancé.

— Mais il y a encore des travaux après vous.

— Je suis désolé.

— Comment faites-vous pour tout gérer ?

— On n'a pas le choix. On s'adapte. Vous non plus vous n'avez pas eu le choix.

— C'est vrai. Mais c'était ma jambe, pas un enfant.

322

— La vie ne fait pas grand cas de ce genre de différence. Elle tranche dans le bonheur sans états d'âme. À chacun de panser ses plaies comme il peut et de se relever. Il faut bien avancer. La société n'autorise pas les parenthèses.

— Il n'y a pas d'allocation ?

— Pas suffisante pour vivre. Et puis, le travail aide aussi à tenir. Ça change les idées quand on pense trop aux risques.

— Mais là, il va mieux ?

— Il va bien. La greffe doit maintenant s'installer. Il a souffert, mais tout semble derrière nous. Cela dit, les médecins nous préviennent tellement de nous attendre au pire qu'on a du mal à être vraiment sereins.

— Excusez-moi, je me sens bête. C'est parce que je m'étais tellement réjouie de mon nouveau chez-moi.

— Je comprends.

— Je peux attendre quelques semaines. Faites de votre mieux. Je veux bien la camionnette, quand même, si c'est possible pour vous. Je n'ai pas beaucoup de meubles, mais si ça peut éviter une location de véhicule.

— Je vous ai dit que je le ferai.

Anaëlle le laisse poursuivre sa tâche et se rend chez ses parents, confuse de s'être emportée sans savoir ce qu'il endurait. Ses parents, à qui elle expose les faits, lui proposent évidemment de l'héberger le temps nécessaire. Cela avait déjà été le cas après son retour du centre de rééducation, mais la jeune femme considérait que les progrès ne seraient possibles et rapides qu'en se réinstallant dans un quotidien autonome. Poser des obstacles en travers de son propre chemin vous offre le meilleur moyen d'apprendre à les franchir.

Bien sûr, elle sait qu'elle ne sautera pas toutes les barrières. Celle de la maternité lui semble insurmontable. Elle qui rêvait d'avoir quatre enfants, comment pourrait-elle s'occuper ne serait-ce que du premier avec ses béquilles et son instabilité, se dit-elle depuis…

En fin d'après-midi, Anaëlle rentre chez elle, avec son chat qui était en pension, et range ses valises, elle doit reprendre le travail le lendemain matin.

La voisine a laissé une pile imposante de courrier sur la table de la cuisine dans laquelle se trouve une lettre très différente de celles qu'elle prend plaisir à recevoir depuis quelques mois maintenant.

Une lettre comme on ne voudrait jamais en recevoir.

62

Le choix des pas

En découvrant le courrier d'Hervé après sa journée de reprise, Anaëlle se rend compte qu'avec les soucis du chantier et la lettre dérangeante trouvée à son retour de cure, elle a quelque peu perdu la candeur de ses pensées pour lui. Peut-être même ses pensées tout court. Comme une mise entre parenthèses de leur échange. Quoi qu'elle ait pu dire au menuisier, elle n'a pas la tête à la légèreté après le coup de massue du chantier en retard. Et puis cet étrange courrier… Elle a peur des conséquences car, si la menace est plutôt mesurée, c'est une menace quand même.

Pourtant, à peine l'enveloppe du procureur décachetée, la parenthèse s'est ouverte à nouveau, et les pensées virevoltent.

*

Ma chère Anaëlle,

Aujourd'hui est une journée calme pour moi. Mon épouse et les enfants sont partis en Allemagne pour faire du shopping. Les magasins sont ouverts outre-frontière. Pas de prise de la Bastille à fêter chez nos voisins. J'en profite pour relire vos lettres, que je laisse un peu respirer, loin de leur boîte, certes sécurisante, mais tout de même métallique et froide. À regarder les feuilles manuscrites étalées autour de moi et qui dansent avec le petit courant d'air qui règne dans mon bureau, j'entends presque le murmure de votre voix.

Ne vous souciez pas de ma situation, ni des conséquences de mes actes, j'en suis seul responsable. Il ne manquerait plus que je vous fasse porter le chapeau d'une éventuelle crise dans mon couple !

En revanche, j'aimerais beaucoup vous revoir. Le week-end prochain, ma femme part à Grenoble avec les enfants, chez ses parents, pour une semaine. Peut-être pourrions-nous aller manger au restaurant vendredi soir, le 22, ou samedi soir ? Je vous promets que je mettrai un T-shirt.

Peut-être même que je le prendrai directement du sèche-linge pour qu'il soit encore un peu froissé. Ma femme ne sera pas là pour vérifier. Vous pourrez même m'ébouriffer les cheveux et déchirer mon bermuda. (Je plaisante, Anaëlle.)

J'aimerais que l'on se voie en tout bien tout honneur. Comme vous le dites, dansons, ça ne peut pas nous faire de mal. Sauf si vous m'écrasez les pieds de vos béquilles habiles.

Je vous laisse le choix des pas et du rythme.

Du restaurant aussi. Vous connaissez mieux votre ville que moi.

Je vous embrasse fort.

Hervé, en T-shirt froissé

*

Sélestat, 18 juillet

Mon cher Hervé,

Ma boîte aux lettres est aux anges, elle reprend sa fonction d'entremetteuse entre vous et moi, gardant au chaud vos missives jusqu'au soir. Et il doit faire sacrément chaud dans ma boîte, non que le soleil s'en mêle, mais vos mots, Hervé, vos mots…

Mon chat est ravi lui aussi de me revoir et de pouvoir à nouveau venir ronronner sur mes genoux pendant que je lis votre courrier.

Je sens encore aujourd'hui les effets de la cure, et je renouvellerai l'expérience à coup sûr.

J'accepte avec plaisir votre invitation pour vendredi soir (le 22). Je vous propose de nous retrouver à La Ligne Bleue, rue Sainte-Foy. C'est un très bel endroit, mélange de salon de thé et de galerie d'art. Vous devriez aimer. Nous irons manger ensuite.

J'aurai pris soin de nourrir grassement mon lapin dans la journée pour qu'il ne lui vienne pas l'idée de se sustenter dans le même restaurant que nous. C'est promis.

Je vous embrasse fort aussi.

Anaëlle qui dit oui

PS 1 : Pour vendredi soir, mettez des chaussures de sécurité, mes béquilles sont à l'image de votre option « baratin », elles n'en font qu'à leur tête !

PS 2 : J'ai reçu une lettre anonyme. Après cette voiture qui semblait me suivre, cela commence à m'inquiéter.

63

Un T-shirt sans tête de mort

Strasbourg, mercredi 20 juillet

Ma chère Anaëlle,

Je n'arrive pas à décrocher le sourire qui s'est installé sur mes lèvres quand j'ai lu votre accord pour ce dîner.

Je comprends votre inquiétude à propos de la lettre anonyme. Ce n'est jamais très agréable. Voilà certainement une mauvaise plaisanterie. Pouvez-vous me la montrer quand nous nous verrons ?

Je suis très nerveux à l'idée que l'on se rencontre enfin. Nous nous sommes dit beaucoup de choses. Des révélations, des impressions, des émotions. Nous n'aurons plus la candeur de deux adultes qui font connaissance progressivement. Nous nous sommes découverts, largement, profondément, intensément, et nous allons nous voir. La danse sera originale. Ça changera de ma vie banale. Je crois bien que je vais arriver à ce rendez-vous avec la peur d'un adolescent qui invite une fille pour la première fois. Ne riez pas. C'est loin d'être drôle. Mais c'est assez excitant. Non, c'est émouvant. Émouvant parce que je n'aurais jamais imaginé, passé quarante ans, pouvoir un jour revivre cette sensation vive qui vous noue le ventre et vous fait battre le cœur, qui vous ouvre un horizon des possibles vaste comme un océan et vous renvoie votre carcasse de quatre-vingts kilos en une boule de nerfs au fin fond de vos petits souliers. Pointure 45, il y a de la place, mais quand même…

L'adolescent prépubère grisonne des tempes et dispose d'un soleil de ridules autour des yeux, mais il a quinze ans dans la tête. Allez, dix-sept, peut-être, ça fait plus sérieux. « On met longtemps à devenir jeune », disait Pablo Picasso. Et quand on le devient enfin, on regrette d'avoir été un vieux con toutes ces années. Ça, c'est moi qui l'ajoute !

Rassurez-vous, mon acné juvénile n'est pas revenue et mes dents sont alignées, libres de toute bague métallique crochue. Rassurez-vous, je ne dis plus de gros mots et je me lave régulièrement. Rassurez-vous, je porterai un T-shirt, mais il n'affichera pas une tête de mort ou le Che, ni un groupe de hard rock. Et j'aurai dans ma tête l'âme d'un jeune homme parce que je viendrai fréquenter un petit coin de paradis derrière les ronces et les barbelés de la vie.

À vendredi.

Hervé, le procureur prépubère,
sans appareil dentaire

64

À la table d'un ange

Anaëlle a pris le temps de se préparer. Rentrer chez elle, se doucher, s'habiller, se maquiller, se coiffer, essayer des vêtements, puis d'autres, mettre une pince dans ses cheveux, l'enlever. Enfiler une paire de chaussures pour finalement la reposer. Pester d'avoir ses règles, juste au mauvais moment, puis finalement tempérer. Il ne se passera rien. Pourquoi se passerait-il quelque chose ?

Quand Anaëlle est entrée, le propriétaire des lieux a bien remarqué qu'elle était élégante. Non qu'elle ne soit pas soignée d'habitude, mais ce soir, elle dégage ce petit parfum indéfinissable dont les femmes savent se parer quand elles caressent l'idée de vouloir être belles. C'est qu'il les observe, les clients, derrière son comptoir en bois. Il voit les regards dérobés de l'un quand l'autre fouille dans son sac, les éclats de rire un peu faciles qui claquent, la main qui, au moment de quitter les lieux, se serait presque posée dans le dos de madame si elle avait été l'officielle, mais se ravise discrètement.

La voilà assise bien avant l'heure, préférant prendre un peu de lecture et un thé pour être déjà installée au moment où il arrivera. Ça évitera la démarche boiteuse. Satané mental qui continue son travail de sape. Peu importe, elle aime aussi l'idée de le guetter pour le voir pousser la porte et la chercher du regard. Et puis, elle apprécie le gérant et sa femme. Toujours un mot gentil, une pointe d'humour, et la passion de leur travail, de leurs trouvailles, dénichées ici et là dans des brocantes ou des vieux greniers pour donner vie à l'endroit.

Avec les années, le galeriste a appris à deviner la suite des événements. Une femme entre et s'installe – j'attends quelqu'un. Il lui propose une boisson pour patienter et se met à imaginer qui sera ce quelqu'un. Une amie ? Un rendez-vous galant ? L'homme le sera-t-il vraiment ? L'élégance est-elle un gage de galanterie ? Il sait pertinemment que non. Il en a vu des propres sur eux, tirés à quatre épingles, qui regardent à peine leur femme en mangeant leur part de tarte aux pommes.

Mais quel genre de personne viendra rejoindre Anaëlle pour qui, avec sa femme, il a une tendre affection ? Il en serait presque à exiger patte blanche avant de laisser pénétrer son rendez-vous dans leur galerie et s'asseoir avec elle. Tu la respecteras dans sa fragilité et dans ses blessures ? C'est qu'il ne voudrait pas que le loup entre dans sa bergerie.

Hervé est ponctuel et se tient droit comme un i. Un rapide coup d'œil lui suffit pour apercevoir la jeune femme et se diriger vers elle.

Le propriétaire toise, observe, analyse, depuis le fond de la pièce, où il fait la poussière sur quelques vieux jouets. L'homme qui vient d'entrer a des gestes sûrs et la présence imposante, mais il porte un regard doux sur Anaëlle.

Soit.

Voyons la suite, et nous aviserons du loup.

— Bonsoir, Anaëlle, ça fait longtemps que vous êtes là ?

— Je viens tout juste d'arriver.

Elle commence à se redresser de son fauteuil, mais déjà il se penche vers elle pour l'embrasser.

— Vraiment ? Pourtant, ça fait un moment que je suis garé au coin de la rue.

— Bon, c'est vrai, je suis arrivée très tôt. J'ai dû me battre avec le lapin. Soit j'arrivais en avance, soit il venait à ma place.

— Il est très bien là où il est !

— Vous êtes vraiment venu en T-shirt !

— Je vous l'avais dit. Mais j'ai pris soin de le repasser. Chacun ses démons.

Il s'installe dans le fauteuil un peu mou en face de la table basse. Le propriétaire est déjà à côté de lui. Il essaie de ne pas montrer qu'il le jauge en prenant sa commande. Il est du genre à prêter un caractère aux clients en fonction de leur consommation. Nerveux si c'est un café, romantique si c'est un thé rouge.

— Un jus de rhubarbe, s'il vous plaît.

Le voilà déstabilisé. Il n'avait pas prévu ce choix. Il retourne vers le comptoir d'un pas incertain. Il faut que j'arrête de tout analyser, se dit-il.

— Je suis très heureux d'être là. Et que vous le soyez aussi… « Là », pas « heureux »… enfin, je préférerais que vous soyez heureuse aussi d'être là, pas seulement là…, dit-il en s'empêtrant dans ses propres mots.

— Je suis là, et heureuse de l'être.

— L'endroit est insolite, ajoute-t-il, en observant les objets autour de lui, bien content d'avoir l'excuse de poser son regard ailleurs que dans les yeux d'Anaëlle – tout adolescent qu'il se sent.

— Oui, à chaque fois que je viens ici, j'ai l'impression de découvrir quelque chose.

— C'est là que nous mangeons ?

— Non, j'ai réservé dans une petite crêperie. Vous aimez la Bretagne ?

— J'aime les crêpes, en tout cas. Mais la Bretagne aussi. Racontez-moi pour votre maison.

— Le menuisier devait travailler pendant ma cure. Il avait les clés et le temps nécessaire pour que tout soit fini à mon retour. Mais il a eu un empêchement.

— Vous avez payé un acompte ? Y a-t-il une date sur le devis, pour la réalisation des travaux ?

— Oui et oui.

Chiffon toujours sur l'épaule, l'homme est venu déposer la consommation du procureur en demandant si tout se passait bien et s'ils voulaient grignoter quelque chose avec leur boisson. Il tourne les talons en s'interrogeant : n'est-ce pas un loup aux pattes blanches ? Une impression diffuse et inexplicable. De l'ordre de l'instinct.

— Alors, vous pouvez vous retourner contre lui, poursuit Hervé, le mettre en demeure de

336

faire les travaux au plus vite ou de vous rembourser l'acompte.

— Je sais, mais je ne le ferai pas. Il a assez de soucis comme ça.

— Vous êtes trop gentille. Il faut se méfier des artisans et de ce qu'ils racontent. Ils sont du genre à trouver des entourloupes pour gagner du temps ou de l'arg…

— Je ne crois pas que la leucémie de son petit frère soit une entourloupe.

— Ah, répond Hervé, penaud.

— Il travaille le soir, le week-end, les jours fériés, pour pouvoir passer du temps auprès de lui à l'hôpital. Je ne vais pas en plus lui coller une mise en demeure.

— C'est sûr. Comment allez-vous faire ?

— Je vais retourner vivre chez mes parents. Ça ira aussi.

— Vous avez encore votre chambre d'adolescente ?

— Comme si je l'avais quittée hier. Ça leur fera plaisir de me chouchouter.

— À vous aussi.

— Évidemment. Mais pas trop longtemps, j'aime mon indépendance.

— Et la solitude ?

— Elle a du bon.

— Je ne me souviens même plus. Ça fait tellement longtemps que je n'ai pas été seul.

— C'est bien aussi de ne pas être seul.

Hervé ne répond pas. Il la regarde en silence, un léger sourire sur les lèvres, son verre dans la main. C'est Anaëlle qui baisse les yeux maintenant. Avant de fouiller dans son sac.

— Vous voulez voir la lettre anonyme que j'ai reçue ?

— Ah oui ! Montrez-moi !

— Une vraie de vraie, avec des lettres et des mots découpés dans les journaux. Les *Dernières Nouvelles d'Alsace*. Le « dernière » vient de la une. J'ai reconnu la police et la couleur.

— Ça ne vient donc pas de très loin.

— D'ici.

— Comment ça, d'ici ?

— De Sélestat. La poste près de chez moi.

— Mince.

L'homme déplie le rabat de l'enveloppe et ouvre la lettre.

CE QUE VOUS FAITES EST MAL ET IMMORAL.
VOUS DEVRIEZ AVOIR HONTE.
CESSEZ ! C'EST VOTRE DERNIÈRE CHANCE,
AVANT D'ÊTRE PUNIE.

— Je n'aime pas trop ça. Quelqu'un pourrait vous en vouloir ?

— Je suis un ange, vous savez bien, répond Anaëlle très sérieusement.

— Dans votre famille, parmi vos voisins ? Si vous saviez tout ce que je vois dans mon quotidien de procureur.

— Eh bien, moi, justement, je ne vois pas qui pourrait m'en vouloir.

La suite est un échange de regards, de sourires, de longues discussions, de petits compliments dissimulés, d'instants délicats. Le moment est délicieusement partagé, trop rapide, si simple.

Il en sera de même durant le dîner au restaurant. Une sorte de vibration harmonieuse qui met le reste entre parenthèses.

Mais l'harmonie sera vite brisée.

65

La misère selon le chat

Anaëlle revient du marché. En plein été, le monde se presse devant les étals et il est difficile de se frayer un passage en tirant son petit chariot à roulettes. Elle a ses habitudes et les commerçants la connaissent. Ils sont généreux et n'hésitent pas à lui ajouter qui des fruits en plus, qui un petit savon, ou à arrondir la note en sa faveur. En raison de son handicap, ou simplement pour son joli sourire et le temps qu'elle s'accorde pour parler avec eux. Elle ne veut pas connaître la raison de ces largesses. Elle savoure.

Sur le chemin du retour, elle s'aperçoit qu'elle n'a relevé aucun regard déplaisant sur sa démarche un peu boiteuse. Ou ne les remarquerait-elle plus ? Voilà un premier pas, se dit-elle, et si cela voulait dire que je m'en fiche ? Ou qu'elle a désormais retrouvé un peu de confiance en elle.

Après avoir rangé ses achats, elle enfile sa tenue de sport et monte sur son appareil de musculation. L'outil indispensable à son indépendance. Pas de muscles, pas de force. Pas de force, pas d'autonomie. Pas d'autonomie, pas d'indépendance. C'est son autre compagnon de tous les jours, plus statique que son chat, et nettement moins câlin. Nougat la regarde s'activer, couché sur le canapé, tel le Sphinx, les yeux à moitié fermés et le bout de la queue se soulevant en rythme. Elle vit sa présence comme un encouragement. Il était là avant l'accident, il a été présent sans faille ensuite. Après l'hospitalisation, à son retour au domicile de ses parents, qui avaient recueilli l'animal, celui-ci venait s'allonger sur le bout de sa cuisse coupée, comme pour prendre son mal, réparer le manque, ou cacher la misère.

Alors qu'elle commence à sentir la brûlure dans ses muscles, son téléphone lui annonce l'arrivée d'un message :

Vous me plaisez, Anaëlle.

La soirée était excellente. Elle aime ce jeu subtil de lenteur dans l'échange, et ce genre de petite urgence, cette fantaisie qu'ils ont instaurée dès le départ et qui met un peu de sel dans leur relation. De sel ou de sucre.

Était-ce si urgent que ça pour utiliser la voie de communication pourtant réservée aux cas extrêmes ?

Très urgent ! répond-il immédiatement.

Nous voilà bien avancés.

Ai-je une chance de décrocher le poste ?

Je vous propose de m'envoyer CV et lettre de motivation.

Vous êtes dure !

Impitoyable ! Bon dimanche.

Bon dimanche ! Manuscrite, la lettre de motivation ?

Évidemment. Je suis graphologue à mes heures perdues… je vous embrasse…

La jeune femme sourit. Touchée, émue, ravie. Peut-être est-ce la raison pour laquelle elle se sentait si bien de retour du marché.

Elle se sent bien tout court. Ceci explique cela.

66

Un arbre dans l'ouragan

Anaëlle a fini ses derniers emballages la veille au soir. Ce matin, elle fait le tour de son petit appartement. Elle n'a gardé que le strict nécessaire pour les quelques jours qui la séparent du déménagement. Comme si elle logeait à l'hôtel. Le reste de sa vie repose bien emballé dans une vingtaine de cartons éparpillés un peu partout. Avec sa prothèse, une lourde charge reste difficile à déplacer. Son centre de gravité lui joue des tours. Ses copines les ramasseront là où ils ont été fermés.

Nougat sent bien que quelque chose se trame. Il erre entre les cartons, miaule en y frottant ses moustaches. Ces dernières semaines, il l'observe d'un œil suspicieux à chaque nouveau meuble vidé. Mais Anaëlle sait qu'il sera beaucoup mieux là-haut. Il n'est jamais vraiment sorti. Les chats d'appartement en ville n'ont guère d'autre choix que de réduire leur périmètre. Entre la grange attenante, les vieilles maisons voisines et le village clairsemé au milieu de nombreux terrains ou vergers, Nougat sera au paradis à Breitenbach. Il pourra vaquer, chasser, jouer, flairer, inspecter et ramener quelques trophées sur le carrelage de la cuisine. C'est aujourd'hui qu'elle l'emmène chez ses parents. Ils y resteront le temps nécessaire pour finir les travaux.

En montant sur les hauteurs du village, Anaëlle s'arrête devant sa maison. La chaleur est déjà intense malgré l'heure matinale. Le menuisier est précoce lui aussi. On l'entend s'affairer dans la grange, certainement pour faire place nette en vue du déménagement.

Il n'a pas entendu le cliquetis des béquilles et sursaute quand elle le salue.

— Vous vous reposez quand ?

— Je me reposerai quand mon frère sera sorti de l'hôpital, que j'aurai rattrapé tout mon retard et renfloué mon compte en banque.

— Ne vous en faites pas pour moi, ça ira. Si vous avez des chantiers plus urgents, privilégiez ceux-là.

— Je n'aime pas laisser les gens dans la mouise. Surtout vous.

— Je suis une personne comme une autre.

— Non, vous êtes bien plus gentille.

— Je croyais que vous parliez de mon handicap.

Thomas a bien compris, dès leur première rencontre, que la jeune femme ne voulait pas le mettre en avant, et encore moins en profiter. Il serait bien le dernier à s'apitoyer. Mais il peut concevoir son empressement à emménager chez elle. Il fera donc le maximum.

— Comment va votre petit frère ?

— Je ne sais pas trop. Les médecins sont dans l'expectative. Je crois que sa moelle aurait dû commencer à produire des cellules et qu'elle ne le fait pas.

— Ça arrive ?

— Oui. Si la greffe ne prend pas.

— Et que faut-il faire dans ce cas ?

— Espérer trouver un autre donneur et tout recommencer. Nous en saurons plus cette semaine.

— Je peux me débrouiller autrement pour le déménagement, vous savez.

— Je serai chez vous le matin, à l'heure que vous voulez.

Anaëlle fait un petit tour rapide dans la maison. Elle n'est pas encore montée à l'étage. Le chantier était trop risqué. Thomas lui propose de s'y rendre. Il a fait place nette et il ne lui reste que le parquet à poser. Elle laisse ses béquilles au pied de l'escalier et s'agrippe aux rambardes en montant à cloche-pied. Arrivée en haut, elle aperçoit le menuisier qui la rejoint, les béquilles en main.

— Ça sera plus facile pour vous déplacer là-haut, dit-il en les lui tendant. Vous n'avez pas votre prothèse ?

— Il a fait très chaud ces dernières nuits. Je me réveille trop enflée le matin pour l'enfiler. Je préfère le printemps et l'automne.

— Ça vous plaît ?

— Oui, c'est lumineux avec ces nouvelles ouvertures. Et l'atmosphère bois me plaît beaucoup.

— J'ai un peu regardé au-dessus de la grange. Vous aurez la possibilité d'agrandir largement la maison, si un jour vous voulez fonder une famille.

— Je n'y suis pas. Je vais déjà m'installer moi, et on verra la suite. Je vous laisse travailler. Vous avez aussi besoin de manger et de vous poser un peu avant d'aller à l'hôpital.

Thomas sait qu'elle a raison. Il ne faut pas s'oublier. Il essaie juste de tenir. Tenir soi pour tenir les autres, à bout de bras. Mais dans la tempête, vous ne réfléchissez pas, vous vous accrochez au premier arbre venu en espérant qu'il ne se déracinera pas. Thomas s'accroche aux sourires de son frère quand il franchit le sas. Son visage joyeux, c'est l'arbre le plus solide qui soit dans l'ouragan de sa leucémie. Thomas peut ne pas manger et ne dormir que peu, il a le sourire de Simon pour lui donner de l'énergie.

De toute façon, il n'a pas le choix. Il est quand même soulagé que la jeune femme ait un plan B. Il s'en serait terriblement voulu de la savoir en train de camper dans un chantier, alors que sa propre vie à elle en est probablement déjà un.

67

Les détester tous

Jocelyne a pris une douche et s'est étalé de la crème sur les jambes. Elle s'est coupé les ongles des pieds et les a limés. Elle a regardé sa toison, sans savoir s'il fallait la raser ou non. Elle n'est jamais allée voir un gynécologue. Elle n'a pas d'amie à qui en parler, et ce n'est pas sa mère qui pourrait lui donner un avis. Elle ignore donc les usages pour ce genre de rendez-vous. En y réfléchissant, elle n'a rien pour se raser ou pour s'épiler. Elle ira donc ainsi. Elle appréhende, mais c'est le seul moyen qu'elle ait trouvé pour approcher au plus près cette ancienne étudiante qui vient perturber le procureur. Un jour, elle est montée jusqu'au cabinet des médecins, où elle se doutait bien qu'elle la trouverait. Elle est restée dans le couloir en attendant que la porte s'ouvre et l'a aperçue de loin, à son comptoir d'accueil.

Elle ne sait pas trop ce qu'elle pourra faire de ce moment, mais la voir de près, entendre sa voix, la regarder dans les yeux, est devenu une obsession pour elle. Pour trouver une autre faille ? Une autre idée pour faire en sorte que cela cesse ?

Ou peut-être pour se faire du mal.

Une fois garée au bas de l'immeuble, elle respire profondément. Elle déteste l'idée de cette consultation. Mais peut-être est-ce nécessaire pour sa santé ? Un mal pour un bien ? Elle verrouille sa voiture et marche lentement jusqu'à la porte d'entrée. Son doigt est posé sur la sonnette. Elle peut encore renoncer, repartir, oublier ce rendez-vous et rentrer chez elle. Mais elle n'a pas fait tout ça pour rien et ne reculera pas avant d'être arrivée à ses fins. Juste la voir de près. Le doigt appuie et la porte se déverrouille quelques secondes plus tard. Elle sent les battements de son cœur dans sa poitrine quand l'ascenseur s'immobilise au bon étage. La porte du cabinet s'est ouverte sur une patiente qui quitte les lieux. Elle n'a plus le choix, elle entre et se dirige vers le comptoir.

— Bonjour, madame, vous avez rendez-vous ?

Jocelyne hésite, à peine quelques secondes. Juste le temps d'encaisser le fait qu'Anaëlle Desmoulins ait une jolie voix. La garce !

— Oui.

— Je vais prendre votre Carte vitale.

— Je ne l'ai pas. Elle est en renouvellement à la Sécu.

— Je vais vous faire une feuille de soins. Votre nom ?

— Claudine Germain.

— Vous avez un dossier chez nous ?

— Non, c'est la première fois que je viens.

— Le nom de votre précédent gynécologue ?

Que va-t-elle bien pouvoir inventer ? La question est posée sur un tel ton d'évidence qu'il lui faut trouver une réponse crédible.

— Oh, ça ne vous dira rien, je vivais en Allemagne jusqu'à l'année dernière.

— D'accord. Je vous laisse voir tout ça avec le docteur Matthieu. Vous pouvez vous installer dans la salle d'attente, il va vous appeler.

Jocelyne s'assoit, face à l'accueil. Elle ne peut détacher son regard de la secrétaire. Elle a le temps de détailler les cicatrices sur son visage, ses yeux, les lèvres joliment dessinées, sa fossette à droite. La gauche a peut-être disparu dans une opération chirurgicale. Elle se surprend à avoir de la compassion pour la jeune femme. Elle a forcément vécu un événement douloureux, et ça ne doit pas être facile tous les jours. Elle comprend mieux cet échange épistolaire presque compulsif. Jocelyne suppose qu'il est plus facile dans son cas de se réfugier derrière du papier et une enveloppe. Mais cela n'excuse pas ledit échange et encore moins son rythme. Ou alors avec un autre homme, pas avec son procureur. Elle vient de retrouver toute sa colère quand le gynécologue l'appelle.

C'est un bel homme. Il en impose dans sa longue blouse blanche entrouverte sur un polo bleu.

— C'est la première fois que vous venez consulter ici ?

— Oui.

— Chez quel gynécologue étiez-vous avant ?

Mentir encore ? Pas au médecin, quand même. Ça ne se fait pas, Jocelyne. La blouse blanche, douze ans d'études, un homme.

— Je n'avais pas de gynécologue.

— C'est votre médecin traitant qui assure votre suivi gynécologique ?

— Non.

— Vous n'avez jamais fait de contrôle ?

— Non.

— Qu'est-ce qui vous fait venir aujour-d'hui ?

— J'ai, euh…, j'ai lu dans un magazine que c'était important de le faire régulièrement.

S'ensuit un long échange de questions-réponses : âge des premières règles, situation maritale, nombre de partenaires, contraception en cours. En y répondant, Jocelyne constate la pauvreté de sa vie de femme. Son corps, un terrain vague qu'aucun homme n'a jamais vraiment aimé. Elle-même ne l'aime pas. Qui l'a un jour aimé ? Certainement pas sa mère. Elle tressaille quand il lui enjoint de se déshabiller à l'endroit dédié et de s'installer sur la table d'examen. Je vais devoir vous examiner et vous faire un frottis. La phrase cogne dans sa tête. C'est sûrement important, mais elle ne veut pas. Elle aimerait repartir en courant, sans même jeter un œil à la secrétaire. Juste fuir, rentrer chez elle et s'enfermer dans son appartement. Pourtant, elle s'exécute comme un petit soldat. Elle plie soigneusement sa jupe et sa culotte sur le petit tabouret disposé à cet effet derrière le paravent et s'assoit au bord de la table, les pieds dans les étriers. Elle entend l'homme enfiler un gant et le voit se poster devant elle, le sourire poli, tout en actionnant la pédale pour lever la table d'examen.

— Écartez un peu plus les genoux, madame, je ne vais pas y arriver comme ça. Allez, détendez-vous.

Le médecin essaie d'entrer deux doigts dans le vagin sec de Jocelyne. Elle sursaute et éloigne son corps.

— Depuis combien de temps n'avez-vous pas eu de rapport ?

Mentir quand même ! Oubliés, la blouse et les douze ans d'études. Elle ne va pas lui avouer que ça fait plus de vingt ans !

— Ça fait quelque temps.

— Détendez-vous et posez les fesses, il faut bien que j'arrive à vérifier si tout est normal. Je vais lubrifier un peu.

Elle sent un liquide visqueux sur le bout du gant qui entre sans grand ménagement. Elle grimace, essaie de relâcher son sexe contracté. L'homme appuie fermement sur le ventre, ses doigts profondément enfoncés. Les mains de Jocelyne s'agrippent aux étriers. À ce moment précis, elle déteste le médecin, et puis le procureur, et tous les hommes de la terre. Elle déteste les femmes qui aiment les hommes, et puis les femmes tout court. Surtout celles qui sont belles, et surtout celles qu'on aime.

Elle déteste sa mère de l'avoir mise au monde sans se soucier de ce qu'elle deviendrait. Elle déteste surtout être une femme.

— Je vais utiliser un petit spéculum, ne vous inquiétez pas.

— C'est pas fini ?

— Non, je dois vous faire un frottis et observer votre col. J'ai senti quelque chose au toucher vaginal. Je veux vérifier. Il vous arrive de saigner en dehors des règles ?

— Non. Enfin si, parfois.

Le frottement du petit écouvillon lui provoque presque un malaise mais elle se ressaisit en respirant fort, puis le médecin trifouille dans ses instruments, dans le tiroir, et revient à la charge au fond d'elle. Elle ressent une douleur vive mais le geste est rapide et l'homme la libère de ce matériel froid qui est venu en elle comme pour lui rappeler que cette zone était encore plus glacée.

Elle tremble.

Il fait pourtant chaud.

Elle se rhabille en silence en essayant de comprendre ce que dit le médecin. Il n'aime pas trop l'aspect de son col. Le résultat du frottis arrivera bientôt. Il a tout de suite fait une petite biopsie pour lui éviter de nouvelles manipulations désagréables. Il lui téléphonera pour l'informer. Il lui suggère de venir plus régulièrement pour son suivi gynécologique et la raccompagne jusqu'au bureau d'accueil. La jeune secrétaire à la jolie voix lui tend alors la feuille de soins en lui indiquant la somme à régler.

Jocelyne la regarde une dernière fois avant de quitter les lieux.

68

Mots croisés

Sélestat, 24 juillet

Mon cher Hervé,

Je plaisante, évidemment, avec mes histoires de CV, de candidature, de lettre de motivation manuscrite. Je ne suis pas impitoyable. Au contraire, je suis sensible. Très sensible. À votre présence sur mon chemin, à votre douceur dans le regard, à cette bienveillance à mon égard, à votre humour. J'ai passé une excellente soirée. J'espère que votre ventre d'adolescent s'est vite dénoué, car il n'y avait aucune raison d'être stressé. Vous voyez, nous avons trouvé de quoi parler, d'emblée et sur la longueur. À peine deux ou trois petits anges qui passaient par là. J'ai un peu éludé la question

de l'accident, du handicap, de ce que j'ai traversé, et que je traverse encore. Peut-être parce
que de vive voix et en face de quelqu'un, on
ne peut pas dissimuler les yeux qui brillent et
la voix qui dérape. J'ai ma pudeur. Je n'aime
pas montrer mes faiblesses. Vous auriez été
tenté de me prendre la main pour me réconforter. Ah, mais oui, c'est vrai, vous m'avez pris la
main de toute façon.

Je vous en parlerai peut-être un jour…

Encore un cliché que de vous proposer un
verre quand vous m'avez raccompagnée chez
moi. C'était sans compter Nougat. Quand j'ai
vu vos yeux commencer à gonfler et votre respiration devenir rauque, je me suis dit que nous
ne boirions plus grand-chose de la soirée. Cela
m'a fait de la peine de vous voir partir si vite.

J'en ai voulu à mon chat. Il a dû le sentir,
il s'est frotté à moi tout le reste de la soirée,
quand je tournais en rond en cherchant un
sommeil qui se faisait attendre. Vous m'aviez
parlé de cette allergie, mais je ne pensais pas
qu'elle se manifestait à ce point.

Je vous avoue cependant que je n'arrive pas
à vivre notre rencontre avec sérénité. Je reste
inquiète des conséquences.

Oui, je sais, ce n'est pas mon problème, c'est
le vôtre.

Vous m'avez dit que ce n'était de toute façon pas un problème, mais quand même.

Et si vous n'aviez pas été allergique au chat, que se serait-il passé ?

Vous voyez, je me suis rebranchée en mode « questionnement ».

Je vous embrasse très fort.

Anaëlle, mais quand même

PS : Un stylo a dû tomber de votre poche quand vous étiez assis dans le canapé. Je le garde précieusement. L'auriez-vous fait exprès pour que l'on se revoie ?

*

Hervé sourit en repliant la lettre. Il songe à celle qui est partie ce matin, avant que le facteur ne passe. C'est la première fois que leurs courriers se croisent. Lui qui a joué le jeu espère que cela la fera au moins sourire.

69

L'homme reste homme

Le grand jour est arrivé. Celui d'un nouveau départ, même si elle aurait préféré intégrer dès aujourd'hui sa maison fraîchement refaite. Elle pense au petit frère du menuisier et se dit qu'elle a cette chance inouïe de ne pas être dans leur situation. Les aléas du chantier ne sont que matériels, une broutille insignifiante en regard de ce qui soucie une famille entière, quelque part à l'hôpital, tout près d'ici.

Les amies d'Anaëlle sont arrivées à deux voitures en tenue de combat, joyeuses comme à l'accoutumée. C'est Anne-Catherine qui plonge la première dans le chantier. Elle saisit un carton pour le déposer au pied de l'escalier. Johanne et Tatiana sont parties démonter le lit, Coline et Marie rassemblent les meubles non loin de l'entrée. Elles décrocheront les rideaux ensuite.

— Il vient quand avec sa camionnette, ton menuisier ?

— Il ne devrait pas tarder.

— Il est sympa ?

— Oui. C'est gentil qu'il nous aide à déménager. Tout le monde ne l'aurait pas fait.

— Il arrive ! crie Anne-Catherine depuis le bas de l'escalier, avec sa spontanéité légendaire.

Thomas salue chacune des jeunes femmes présentes en tâchant de se souvenir des prénoms. Il est réservé, se sent comme un intrus au milieu de cette petite bande d'amies. Il fait un tour rapide de la situation avec Anaëlle pour évaluer la quantité d'objets à déménager, puis propose de charger les éléments lourds et encombrants. Les filles sont disponibles toute la journée, elles suggèrent de faire un ou deux voyages avec les voitures, s'il reste encore quelques cartons après le voyage en camionnette. C'est Anne-Catherine, la plus forte de toutes, qui s'associe au menuisier pour porter les meubles et la machine à laver. Elle décoche quelques clins d'œil à ses copines amusées, après s'être aperçue de la profondeur de son décolleté quand elle se penche pour porter le canapé. Thomas reste sérieux et appliqué, feignant de ne rien voir. Il lui sourit poliment tout en lui donnant quelques instructions techniques dans l'escalier.

Il leur faut près de deux heures pour tout charger, et il suffira d'un aller-retour en voiture pour débarrasser les derniers cartons de l'appartement qu'elles viendront nettoyer dans la foulée. À six, le ménage devrait être efficace.

La procession d'une camionnette et de trois voitures s'enfonce dans le val de Villé. Thomas ouvre la route, Anaëlle la referme, au cas où l'un des deux véhicules s'égarerait. Ses amies n'ont pas encore vu la maison, en dehors de Johanne, passée un jour où son travail l'avait conduite aux alentours.

L'artisan fait directement une marche arrière vers l'accès à la grange pendant que les jeunes femmes se garent un peu plus haut dans la rue étroite. Les parents d'Anaëlle sont là, venus prêter main-forte. Le déchargement sera rapide, rien n'est à installer dans la maison.

Thomas a commencé à déplacer les premiers cartons, pendant que les copines s'extasient au fur et à mesure de leur visite. Il se dit que sa cliente a bien de la chance d'avoir des amies aussi proches. Il réfléchit à son propre entourage. Deux copains d'enfance, partis loin, qu'il ne voit que rarement. Les autres ne sont que des connaissances. Il en est responsable. Il préfère parler aux arbres. Il s'est toujours senti en décalage avec le monde, un peu en dehors du mouvement. Il rêvait d'un ami avec qui il aurait pu partager le silence, la forêt, la poésie du vent dans les feuilles. Il n'a personne à qui parler de tout ce qu'il vit avec cette saleté de leucémie. Ses craintes, ses doutes, ses espoirs, ses chagrins, ses boules dans le ventre, ses réveils nocturnes et ses cauchemars. Son père ? Certainement pas. Il porte lourd lui aussi. Il a bien songé à consulter la psychologue du service, mais il n'a pas le temps. Il court sans cesse. Il se dit qu'au moins, en courant, il oublie de penser, et que c'est peut-être mieux. Mais en écoutant les six poulettes caqueter dans la maison, il envie Anaëlle d'avoir autour d'elle des âmes complices à qui se confier.

Thomas est jeune. Quand la maladie sera derrière eux, il prendra le temps de se faire des copains. Il fera des efforts pour s'adapter, pour faire comme tout le monde.

Mais c'est maintenant qu'il aurait besoin de quelqu'un. Là, tout de suite. Pour l'écouter sans rien dire, autour d'un verre, et sentir une large main qui lui empoigne l'épaule afin de lui redonner des forces.

Anne-Catherine a évincé le père d'Anaëlle sans son approbation pour aider le menuisier à décharger les objets lourds encore au fond de la camionnette. Aucune de ses amies ne sait si c'est pour préserver le dos de l'homme ou pour jouer de son décolleté devant ce menuisier qui a manifestement tout pour lui plaire.

Les derniers cartons posés, Thomas prend une bière avec la fine équipe, mais décline l'invitation d'Anaëlle à rester pour une collation que sa mère a préparée, encore moins pour le dîner, qu'ils ont prévu de partager tous ensemble chez les parents, un peu plus haut dans le village.

— Il ne pouvait pas rester, ton gentil menuisier ? C'est dommage.

— Tu sais, il n'a ni le temps, ni trop la tête à ça. Son petit frère a une leucémie. C'est pour ça qu'il est en retard dans les travaux. Il court du matin au soir pour essayer de tout boucler et passer quand même du temps avec le petit.

— Mince ! Il n'a rien dit.

— Ça ne s'est pas présenté. Il me l'a avoué quand je me suis énervée parce qu'il n'avait pas respecté les délais. Il était pourtant déjà dans cette situation en me faisant le devis.

— Et tu regrettes de l'avoir pris lui ?

— Non. Pas une seconde. Il a besoin de travailler. Et il travaille bien. C'est juste un peu plus long. Mais comment je pourrais lui en vouloir ? D'autres s'en chargent très bien.

Puis elle leur raconte la greffe, l'attente, la crainte de devoir tout recommencer. La différence d'âge aussi. L'amour qu'il porte à son petit frère et tout ce qu'il a fait pour lui depuis qu'il est bébé.

— Il a l'air simple et juste, et très humain, dit Anne-Catherine, qui se sent un peu bête d'avoir mis en valeur son décolleté, même si elle affirme ensuite que ça n'a pas pu lui faire de mal. L'homme reste homme en toute circonstance, conclut-elle.

— Et toi, tu restes toi en toute circonstance aussi, ajoute Marie dans un rire contagieux.

70

Le troisième choix

Sélestat, vendredi 29 juillet

Mon cher Hervé,

J'ai pris acte de votre candidature. Votre CV est riche et votre lettre de motivation bien construite et argumentée, même si vous avez choisi la facilité en laissant s'exprimer votre cœur à votre place. D'autres vous en tiendraient rigueur. Cependant, vous oubliez de préciser si vous êtes libre du précédent poste ou si vous n'avez pas encore démissionné, auquel cas merci de me préciser la durée du préavis prévu au contrat.

Il est difficile pour moi d'imaginer qu'un avenir qui s'annonce radieux au premier abord puisse s'avérer sans lendemain. Je ne suis pas (encore ?) en état de prendre le risque de perdre un autre morceau de moi. Cette jambe en moins est déjà source de grandes difficultés, alors un bout de cœur arraché…

Vous avez raison : un courant d'air et les chandelles s'éteignent. Un feu rouge et les belles perspectives d'avenir aussi.

C'était le 15 août il y a deux ans. Nous revenions d'une soirée entre amis. Mon compagnon avait un peu bu, mais il se sentait capable de conduire. Et surtout de ne pas respecter le code de la route. J'ai crié lorsqu'il a accéléré malgré le feu rouge. Tout a été très vite. Je n'ai vu que les phares de la voiture qui arrivait par la droite. J'ai entendu le choc et puis plus rien. Quand je me suis réveillée, il y avait des lumières partout, des gyrophares bleus. Et un homme en uniforme qui me parlait : « Ne vous inquiétez pas, on va vous sortir de là… » D'où ? me suis-je demandé un instant, avant de me rappeler le feu rouge, la voiture à droite, les phares, le choc, et mon corps coincé dans la tôle. J'ai vaguement tourné les yeux vers la gauche pour voir comment allait mon petit ami mais il n'y avait plus personne à côté de moi. Juste un autre pompier qui étudiait comment gérer le tableau de bord enfoncé, et moi en dessous. J'ai demandé où était le conducteur.

L'homme m'a répondu qu'il était dans l'ambulance, en route pour l'hôpital, mais que pour moi, les choses semblaient plus compliquées. J'avais une perfusion dans le bras. J'ai tenté de le bouger. En vain. J'ai essayé les jambes. Non plus. Je n'avais pas vraiment de douleurs. Le gentil pompier qui me tenait compagnie a évoqué la morphine dans la perfusion. Il m'a expliqué ensuite que ma jambe droite était coincée sous la portière enfoncée. Un corps humain gagne rarement la bataille contre une voiture à pleine vitesse. Ils ne pouvaient pas me désincarcérer sans l'avis d'un chirurgien. Celui-ci arriverait rapidement. Ce pompier a été ma bouée de sauvetage. Il était calme, il me souriait. M'a demandé ce que je faisais dans la vie, mes projets, ce que j'aimais comme musique. J'étais presque bien. Dans le coton. Trop consciente de la situation pour ne pas avoir peur, évidemment. Mais la morphine me maintenait comme elle pouvait au pays des éléphants roses. Il m'a surtout tenu la main, et la sienne, je la sens encore dans la mienne quand je me remémore l'instant.

Et puis, le chirurgien est arrivé. Il était bienveillant, lui aussi. Soucieux, mais bienveillant. Pas d'apitoiement. Du pragmatisme plutôt. De l'urgence surtout. Sur ses épaules reposait la responsabilité de m'extraire de ce véhicule avant que je ne me sois vidée de tout mon sang, malgré le garrot. Il m'a lancé un sourire furtif, un peu gêné, il a analysé la situation, puis m'a expliqué qu'il fallait qu'ils m'endorment pour me sortir de là. La suite, vous la connaissez en partie. Trois semaines de coma artificiel, et le réveil, avec cette jambe en moins qui laissait désespérément tomber le drap à côté de celle restante. Un drap aussi plat que mon envie de survivre à tout cela.

J'ai passé deux mois de plus à l'hôpital pour subir des greffes de peau et me construire un moignon digne de ce nom. Je déteste ce mot, je le trouve affreux. Moignon, gnon, trognon, quignon, que des bouts de quelque chose, oignon, rognon…, rien de très joli, n'est-ce pas ?

J'ai ensuite enchaîné avec la rééducation active. Quatre mois en centre. Quatre mois qui m'ont permis de sortir la tête de l'eau. Je n'avais pas un kiné, j'avais un ange. Non, deux anges, si je compte le prothésiste, qui se mettait en quatre (quelle expression pour un type qui bosse pour des amputés !) afin d'adapter son matériel à nos corps bousillés.

Deux anges pour m'appareiller, me trouver la prothèse la mieux adaptée, m'apprendre à remarcher, m'aider à gérer mes volumes. Parce qu'une prothèse doit s'adapter parfaitement au bout de jambe qui la reçoit… Grossir, maigrir, gonfler avec la chaleur, ou la pesanteur, et votre prothèse ne rentre plus, ou alors ne tient pas (ne m'offrez pas trop de chocolat !!!). Deux anges pour m'aider aussi à passer cette période de douleurs fantômes qui vous réveillent la nuit, avec la sensation que votre pied bouge ou démange atrocement. Un pied ? Quel pied ? Il n'y a plus rien au bout de la jambe, il n'y a même plus de jambe. Et ce pied qui se contracte, à en devenir fou. Ils m'ont appris à masser, à stimuler la zone où les nerfs sensitifs ont développé des névromes qui se transforment en ces fameux fantômes, la nuit, dans votre lit hanté, et qui parfois, le matin, vous jouent des tours. On se réveille, on sent ses deux jambes, on est encore un peu vaseux et on se lève avec entrain sur ses deux pieds, sauf qu'il y a le vide d'un côté. On tombe, et on se trouve idiot. D'abord parce que ça fait terriblement mal de tomber sur son moignon, ensuite parce que le corps a encore gagné sur la tête.

Ce kiné était un vrai coach pour moi. Qui vous encourage ou vous secoue selon les situations. Qui vous pousse jusque dans vos derniers retranchements, là où ça fait vraiment mal, tout en vous prouvant que, finalement, vous avez la force au fond de vous. Qui partage les joies des réussites et les peines des échecs. Qui transforme ces échecs en nouvelles réussites. Quand je me regardais dans le miroir et que je pleurais l'absence, il me disait de me battre. Alors je me suis battue au-delà des attentes des soignants. C'était ma condition à moi pour poursuivre. Être au top ou n'être pas. Tant qu'à se relever, autant marcher droit.

J'ai eu un mal fou à les quitter. Ce cocon familial rassurant qui me protégeait du monde extérieur et des regards de travers. Des gens qui vous abordent dans la rue ou au supermarché pour vous dire « Oh ma pauvre ! ». La bienséance vous interdit de leur répondre d'aller se faire foutre, mais ce n'est pas l'envie qui manque. Ils sont qui pour se permettre d'avoir pitié et de croire que quelques mots de ce genre vont nous faire du bien ? En rééducation, nous étions toute une flopée de corps cassés, alors du jugement, il n'y en avait pas. On ne se préservait pas les uns les autres et on se moquait facilement, mais on avait le droit entre nous. Il fallait bien rire, et se préparer à tout ce qu'on allait entendre dehors.

Ensuite, il y a eu ce travail de secrétaire médicale. Un peu pistonné, mais comment me le reprocher ? Je ne pouvais pas imaginer rester à la maison. Tourner en rond sur ma prothèse. Il fallait que je travaille. Pharma, c'était fichu. Et je n'avais plus envie. C'était mon projet d'avant.

Et puis, il y a eu vous, pour me redonner l'envie de plaire. Pour me faire accepter l'idée que je pouvais encore être une femme pour un homme.

Aujourd'hui, il y a des perspectives d'avenir. Un genou bionique, presque aussi intelligent que l'original, et qui me permettra de monter et de descendre des pentes, des escaliers, de vivre quasi normalement, et même de recommencer la randonnée. Mon dossier est en bonne voie.

L'avenir, j'aimerais aussi le reconstruire dans mon cœur, pas que dans mon genou. Et je ne sais pas si ça peut être avec un homme marié. Certes charmant, doux, attentionné, drôle, intelligent, mais marié.

Je suis dans ma petite maison. Enfin, presque, parce que en vrai, je me suis installée chez mes parents. Ça fait bizarre à mon âge, mais je n'ai pas le choix. Mon handicap m'impose un minimum de confort.

Je vous embrasse.

Votre future Anaëlle bionique

*

Ma chère Anaëlle bionique,

Je savais bien que vous étiez la femme qui valait trois milliards.

Merci pour vos confidences. Je m'approche doucement de votre réalité, sans toutefois avoir l'indécence de vous dire que je vous comprends et que je me mets à votre place. Comment le pourrais-je ?

Je suis sincèrement heureux de vous avoir donné cette envie de me plaire. Si seulement cela pouvait vous redonner confiance en vous.

Je n'ai pas prévu de vous arracher un morceau du cœur, ni même de faire courant d'air au risque d'éteindre la chandelle.

Nous avons le choix entre deux possibilités, Anaëlle : je remets les compteurs à zéro en quittant ma femme et j'essaie de refaire ma vie avec vous, au risque que cela ne fonctionne pas car nous n'aurons pas testé, puis que je regrette ce choix, car je suis quand même attaché à mon épouse. Ou alors, je poursuis ma vie actuelle en vous y intégrant, comme je le peux, comme vous le pouvez, aussi longtemps que cela durera. Je vous le disais déjà, il n'est pas si simple de balayer d'un revers de manche ce que l'on a mis vingt ans à construire, même si cette construction ne correspond pas aux plans, même si la façade est triste, même si les pièces sont froides. La maison est là, hantée par les cris des enfants et les souvenirs communs.

Je ne me sens pas très bien, Anaëlle, depuis quelque temps. Cette petite fantaisie et cette légèreté du début ont disparu, laissant la place à des émotions plus sérieuses et à des questionnements compliqués. C'est dommage, nous avons un peu perdu de cette candeur et de cette innocence, mais je suppose qu'elles n'étaient possibles que dans mon imaginaire. Vous faites bien de me replonger le nez dans la réalité. Mais cette réalité, j'aimerais qu'elle vous intègre dans ma vie, sans toutefois tout perdre par ailleurs.

Je ne me sens pas très bien, et pourtant, vos lettres me comblent plus que jamais. J'en ai besoin. J'ai besoin de ce contact avec vous. J'ai besoin de vous.

Je vous embrasse.

Hervé

PS 1 : Je crois que je vais aller m'acheter des chocolats.

PS 2 : Vous enlevez un o de moignon, et ça donne mignon.

*

Sélestat, mercredi 3 août

Hervé,

Nous avons un troisième choix. Nous arrêter là. Ne pas laisser s'installer des sentiments qui pourraient devenir des couteaux dans des plaies que nous nous serions infligées sans nous en rendre compte, et n'avoir plus qu'un amer souvenir de cette belle rencontre en sentant les lames remuer dans l'espace béant de nos âmes déçues et de nos cœurs déchirés (parfois, je me demande si mon cerveau n'est pas bionique aussi pour sortir des choses pareilles). Pardon, je ne devrais pas tenter l'humour dans les moments difficiles. Une jeune femme pleure quand elle annonce quelque chose de triste, ce sont les hommes qui essaient de blaguer pour faire les malins et pour ne pas montrer leurs émotions.

Ne faut-il pas avoir parfois quelques petites peines pour éviter les plus grandes ?

J'ai reçu une nouvelle lettre anonyme. Cela m'inquiète. Et si c'était lié à nos échanges ? Je n'ai rien à perdre, mais vous si. Je ne veux pas en être la cause. Je vous propose de suspendre notre correspondance, de nous laisser dans nos bulles respectives, de reprendre de l'air et des perspectives de légèreté.

Cela nous fera du bien, je crois.

Je vous embrasse.

Votre Anaëlle

71

Se plaindre même des orties

Thomas rentre de l'hôpital, un nœud sous les côtes, il peine à respirer.

Il gare sa voiture dans la cour et part directement à pied. Il va se ressourcer dans la forêt, là où la vie grouille, dans le houppier, le long des troncs et des tiges d'herbes, dans le sol. Il se souvient des yeux de Simon quand il lui a dit que dans une poignée de terre de forêt il y avait plus d'organismes vivants que d'humains sur la planète et qu'on pouvait trouver sur un même arbre plus de deux mille animaux de deux cent cinquante espèces différentes. Ce regard d'abord suspicieux – tu me racontes des blagues –, puis cette sorte d'émerveillement d'imaginer une telle effervescence à si petite échelle. C'est elle que Thomas vient puiser ce soir au-dessus du village. Le bouillonnement, le tumulte, l'agitation. L'énergie.

Il accélère le pas pour monter jusqu'au château du Frankenbourg regarder le soleil se coucher. Il veut y voir le signe d'un lendemain meilleur. Il est vite essoufflé. La fatigue, accumulée depuis des mois. Son corps solide mis à rude épreuve n'a jamais vraiment flanché, mais il n'est pas à l'abri. Il s'en fiche, il le pousse dans ses derniers retranchements. Ce n'est rien, une telle côte à gravir. Il est en bonne santé, il a toutes ses cellules, ses plaquettes, ses globules, les rouges, les blancs. Il peut bien malmener ses muscles brûlants, juste pour montrer qu'on est résistant dans la famille.

C'est pas une putain de leucémie qui va nous terrasser.

Il arrive au sommet avec sa colère en bandoulière et le souffle égaré en chemin. Exténué mais soulagé. Le soleil n'est pas couché. Les premières couleurs s'installent dans les nuages, que le vent a oubliés sur l'horizon montagneux. Les Vosges sont belles ce soir, et dire que Simon n'en voit rien. Il n'a que leur souvenir dans un coin de sa tête et sur les croquis accrochés. Thomas sort son carnet à dessin et son crayon. Il s'assoit au sommet d'un large mur de pierre et commence à crayonner

378

en cherchant encore sa pleine respiration. Il mettra les couleurs à la maison et l'apportera demain pour partager ce moment avec son petit frère. Partager la beauté du monde, celle qui ne s'efface pas dans l'adversité. Elle est même sublimée pour qui veut bien la voir comme arme de consolation massive.

Il finit son dessin quasiment dans le noir, distingue tout juste son crayon et sa main sous la lueur d'un fin quartier de lune. Ses yeux se sont habitués à l'obscurité. Comme Simon s'est habitué à l'hôpital.

Le jeune homme range son carnet, enfile son sac à dos sur son T-shirt encore mouillé et devenu froid, descend prudemment du mur en sautant dans un buisson d'orties. Il sent les piqûres presque instantanément. Détail futile. Les grosses épreuves apprennent la relativité. Celle qui manque à tous ces gens désagréables ou exigeants, qui râlent pour trois fois rien, envoient l'huissier au premier faux pas, avec le mépris en sus.

Finalement, relativiser donne de la légèreté à l'existence. Un comble d'être obligé d'en passer par le pire pour le comprendre. Il pense soudain à Anaëlle en redescendant le sentier escarpé. Elle la connaît, cette relativité, elle la pratique chaque jour. Elle aussi a une épreuve à encaisser. Différente, mais tout aussi formatrice. Il aurait bien envie de l'appeler, là, dans le noir, pour lui parler de son frère, de la mauvaise nouvelle, de la suite des événements, pour entendre sa voix qui se voudrait consolante, comme le jour où il lui a tout expliqué. Se plaindre même des orties, car elle sait que ça fait du bien de sentir du soutien pour les petites misères. Elle lui dirait que ça va passer, qu'elle déteste ça aussi, qu'il ne faut surtout pas gratter, qu'il faut mettre du froid sur les jambes, ou un peu de vinaigre blanc, et ne pas y penser.

On peut mettre du froid sur la leucémie ?

Mais Anaëlle en porte déjà bien assez avec son handicap pour ne pas lui ajouter la maladie du petit frère d'un parfait inconnu.

Un simple sourire lui ferait pourtant du bien ce soir. C'est peut-être la première fois que Thomas sent à ce point le poids de la solitude. Il se pelotonnerait volontiers dans des bras bienveillants. Mais il est seul, dans le noir, au milieu des arbres centenaires qui le regardent passer sans bouger. Il se met alors à leur hurler l'injustice, à leur cracher ses peurs, à leur renvoyer à la figure la paix qu'ils incarnent parce qu'à cet instant précis, elle est bien trop provocante. C'est la guerre au fond de lui. Il se sent petit, insignifiant, inutile, un grain de poussière dans la marche du monde. Il s'est cru fort pourtant et solide, jusque-là, la puissance du chevalier, le courage du soldat. Mais dans cette bataille-là, il n'est rien. Il crie ce rien qui prend toute la place. Il hurle et ça résonne tout autour. Les chevreuils doivent s'être arrêtés, la tête dressée pour saisir d'où vient le danger. Mais le danger n'est pas dans la forêt ce soir, il est dans les os de Simon. Et personne n'y peut rien. Ni les hêtres, ni les sangliers, ni la forêt entière.

Ni Thomas.

Était-ce cela, « s'attendre au pire » ? Entendre le professeur annoncer que la greffe n'a pas pris, et qu'il faudra recommencer. Tout. Les chimiothérapies préparatoires, les effets secondaires douloureux, l'espoir, l'attente. Prolonger ce temps d'enfermement, et les allers-retours, et les jours qui ne font que s'enchaîner. Et mettre de l'entrain pour ne pas trop sombrer. Il pense à ses travaux qu'il ne pourra pas finir, au banquier qui commence à râler, à Clotilde qui va encore devoir accuser le coup, de quoi grignoter un peu plus sa fragilité. Il ne restera pas grand-chose du petit bout de femme si ça continue. Elle se vide de ses forces à vouloir en donner.

Mais si ça n'a pas pris à la première tentative, pourquoi ça prendrait à la deuxième ?

Et puis non, chasser ces idées pessimistes. Se cantonner à l'instant. Une chose après l'autre, dans le travail, à l'hôpital, dormir, manger, se lever, partir, revenir, ne pas penser, sauf à Simon, lui envoyer du bon.

Un donneur est déjà trouvé, encore plus compatible. Il ne faut qu'attendre le délai minimum nécessaire à la préparation d'une greffe, pour l'un et pour l'autre. Alors chacun autour de Simon essayera de repartir à l'assaut du sommet avec son sac à dos plein d'espoir. Y mettre des cailloux de chagrin pèserait trop lourd. Ils ont tous compris ça maintenant. Pas le choix, on y va. Comment ? On ne sait pas trop. Jusqu'où ? Non plus. Mais on y va.

Simon y va, alors tout le monde suit.

« Maman t'a dit qu'il y aura une autre greffe ? lui a demandé Thomas en début de soirée.

— Non, pas encore. Mais je le sais. Je suis pas idiot. Je les entends parler, les médecins. Mais je suis costaud », a-t-il ajouté en faisant le geste de Popeye et en se tâtant le biceps.

Le jeune homme lui a alors parlé de cet arbre, le tremble, qui n'en a rien à faire des chevreuils ou des bovins qui viennent le grignoter, parce que son système racinaire poursuit inlassablement sa croissance sous la terre, lançant de jeunes pousses à côté, sans cesse et sans cesse, au point d'en faire un buisson de plus en plus impénétrable, jusqu'à ce qu'il soit tranquille pour pousser enfin en tant qu'arbre au milieu des rejets.

« Il y a en Amérique du Nord un tremble de plus de quarante mille troncs sur plus de quarante hectares, et il est vieux de plusieurs milliers d'années.

— Mais c'est une forêt !

— Non, c'est un seul et unique individu.

— Je ne serai jamais aussi vieux !

— On ne battra jamais les arbres. Le plus vieux est en Tasmanie et il a quarante-trois mille ans, soit l'époque de l'homme de Néandertal. Il a vu grandir l'humanité.

— Comme toi ! Tu m'as aussi vu grandir !

— Oui ! Tu es une humanité à toi tout seul. Et ce n'est pas fini ! Un jour, tu seras plus grand que moi ! C'est comme ça, j'en suis sûr.

— Même avec ma leucémie ? »

Lui faire confiance. Une plante ne se laisse jamais mourir. Tant qu'elle a une chance de survie, elle garde l'espoir. Simon a cette force-là, la force de ses racines, de ses cellules saines, de son envie de pousser et de refaire des feuilles dès que sa sève fonctionnera.

L'âme d'un arbre...

72

Tenir jusqu'à Noël

Strasbourg, vendredi 5 août

Ma chère Anaëlle,

N'attendez pas de moi que je me réfugie derrière un quelconque humour pour faire semblant d'aller bien. Je suis de ces hommes qui n'aiment pas forcément montrer leurs émotions, mais qui ne s'en cachent pas non plus.

J'ai du mal à imaginer ne serait-ce que la suspension de nos échanges. Je pourrais me dire que vous partez en vacances dans un lieu incertain ou perdu, là où même les facteurs n'arrivent pas, mais je sais que derrière votre silence il y a ce besoin de distance. Reprendre l'air. Ou peut-être en changer. La méthode Coué ne fonctionne plus. Je suis probablement

triste d'avoir le sentiment que nous avons commencé à construire quelque chose ensemble
et que le pan de mur s'effondre. Je sais ce que
vous allez me répondre, les travaux sont sus-
pendus temporairement. Mais certaines maisons en travaux, sur le bord des routes, sont
parfois abandonnées depuis si longtemps.

Je vais cependant respecter votre silence. En
profiter pour reprendre un peu l'air moi aussi,
ou alors martyriser Jocelyne, qui le mérite
amplement.

J'aimerais simplement que vous me promet-
tiez de ne pas oublier que je suis là. Toujours.

Votre Hervé, plus que jamais

PS : Dois-je vous envoyer des chocolats pour
le réconfort ?

*

Sélestat, lundi 8 août

Cher Hervé,

Je vous promets que je n'oublierai pas que
vous êtes là, toujours.

Laissez-moi simplement la maîtrise de notre reprise de contact, s'il vous plaît.

Je vous embrasse.

Anaëlle

PS 1 : C'est très gentil pour les chocolats, mais pensez à la gestion de mes volumes !… Je dois faire attention à mon poids. D'ailleurs, il m'en reste encore. Je savoure ! Je vous avais dit que je tiendrais jusqu'à Noël.

PS 2 : Je vous enverrai votre stylo par la poste.

*

Strasbourg, 10 août

Ma chère Anaëlle,

Ne m'envoyez surtout pas le stylo par la poste, s'il se perdait, vous en seriez responsable. Et puis, c'est la seule chose qui me lie encore à vous, d'une certaine manière. Ne coupez pas cela. Je sais écrire avec autre chose. Et si vraiment nous n'avions pas l'occasion de nous revoir, gardez-le en souvenir de cet échange épistolaire.

Je vous embrasse.

Hervé

PS 1 : Je sais, il faut que nous arrêtions, sinon vous ne reprendrez jamais d'air.

PS 2 : À très bientôt j'espère.

PS 3 : Pourquoi je n'arrive pas à mettre de point final à cette lettre ?

PS 4 : Le voici ! « . »

PS 5 : Arrrrgggggghhhhh…

73

Dans la neige et la nuit

Thomas a embrassé longuement son frère à travers le masque. Ce soir, Simon avait dans le regard la force d'un vieillard qui a tout vu de la vie, mélangée à l'innocence de l'enfant qui a tout à apprendre. Une sorte de sérénité émerveillée. Le petit a serré son grand frère dans ses bras comme à l'accoutumée, une petite énergie en plus, malgré sa fatigue. Une intention plutôt. L'intention de lui dire son amour avec ses bras.

La semaine passée a été consacrée à la planification de la nouvelle greffe. Les parents de Simon ont bien demandé à l'avoir quelques jours à la maison, mais l'immunosuppression est totale puisque la première greffe n'a pas pris. Il n'a aucune défense. La chambre stérile s'impose plus que jamais. Alors, autant reprendre au plus vite le programme. Mais depuis quelques jours la fièvre s'est installée. Les prélèvements révèlent une infection sévère. Trois antibiotiques sont administrés, sans effet. Nul ne sait d'où vient le germe. De l'extérieur ? De l'hôpital ? De partout et nulle part à la fois. Mais en connaître l'origine ne changerait rien aux conséquences.

Les médecins les préparent à nouveau au pire. Cette fois-ci « vraiment ». Le corps est trop frêle, trop chétif pour se battre seul face à une septicémie. Le mot a été prononcé. Une septicémie sur un corps sans défense, ce n'est plus le napalm sur la forêt vietnamienne, mais un feu gigantesque que rien ne peut arrêter, et qui détruit tout sur son passage.

« Vous avez bien d'autres antibiotiques ! a essayé Clotilde. Vous allez en venir à bout ! C'est juste une infection. Après tout ce qu'il a traversé… » Le professeur a baissé les yeux sur son dossier pour se réfugier derrière les résultats écrits. Il y est question de résistance. De méchante bactérie. Ils essaient tout.

Se préparer vraiment au pire.

Thomas est dans la salle de détente avec une infirmière. Ils parlent un peu. Si peu. Que dire ? C'est surtout la présence qui compte. Avant que Thomas ne reprenne sa voiture.

— Nous ne savons plus ce qu'est le pire après tout ce qu'on nous a dit. D'abord les effets secondaires des chimios, et puis après c'était la rechute, et là, c'est quoi, le pire ? La mort ?

— On ne peut pas se préparer au pire, répond l'infirmière. On ne peut jamais s'y préparer, je ne crois pas. Aucun parent n'y arrive. On encaisse une chose après l'autre, c'est tout. Ne pensez à rien, si tant est que cela soit possible. Juste à mettre un pied devant l'autre, et de l'amour, et des sourires, beaucoup de sourires. Simon s'accroche à eux. C'est un enfant qui déborde de joie. Prenez-en, cette joie vous aidera.

L'infirmière a répondu sans répondre. À force, elle doit avoir l'habitude de l'ellipse, exceller dans l'art d'adoucir la vérité. Finalement, Thomas ne rentrera pas. Il somnolera sur un des canapés de la salle des parents. Il ne peut pas, là, s'éloigner de la source de joie, comme un trappeur du Grand Nord qui partirait dans la neige durant la nuit en laissant le feu de camp derrière lui. Ça n'a pas de sens. Il est retourné dans le sas le regarder dormir. Même dans son sommeil, Simon sourit. Même avec l'oxygène dans le nez, il sourit. Même en pleine détresse respiratoire, il sourit. Même menacé du pire, il sourit.

C'est peut-être sa force, de sourire dans son sommeil au milieu du pire.

Il envoie un message à Anaëlle pour s'excuser de ne pas pouvoir avancer beaucoup dans les prochains jours, en raison de la dégradation de l'état de santé de son petit frère.

Il est sur le point de couper son téléphone quand le message arrive :

Ne vous inquiétez pas, prenez le temps qu'il faut. Je pense très fort à vous. Courage et force.

Il se lèvera plusieurs fois dans la nuit pour aller le voir dormir, pour s'imprégner de son visage apaisé et serein. Pour échanger un regard avec l'infirmière qui surveille l'enfant régulièrement. Même le médecin est là. Thomas sait que la situation est critique.

Il restera finalement sur le fauteuil à côté.

Il prendra chaque instant.

Et il prendra la joie.

La chaleur du feu, avant la neige.

Avant la neige et la nuit.

74

Penser à Simon

Thomas n'a dormi que quelques heures.
C'est lui qui a conduit hier soir, pour ramener Clotilde et Christian chez eux. Il a tenu
le temps de la route. Il en fallait bien un qui
tienne. Et puis il s'est effondré. Il pensait l'in-
somnie inévitable, mais le sommeil l'a cherché,
sûrement pour le protéger de ses propres pensées. Un sommeil qui l'a emmené loin, avec
Simon, dans la forêt, en été, en hiver, tout
en haut, au château, et même au-dessus des
arbres. Ils planaient dans le ciel de la vallée,
une petite main frêle bien agrippée à la sienne
incomplète de quelques phalanges. N'empêche
qu'elle tient, cette main, même avec quelques
bouts en moins. Et l'enfant riait. Il riait en
montrant la cime des arbres juste en dessous
d'eux.

Le sommeil l'a redéposé à l'aube, délicatement, tout au bord du réveil, à 6 heures du matin, l'heure à laquelle il devait se réveiller pour accomplir ce qui lui tient à cœur.

Thomas ouvre les yeux et pense à Simon.

Il soulève le drap, s'assoit dans son lit et pense à Simon.

Il passe son T-shirt et pense à Simon.

Il va pisser ce que les larmes n'ont pas emporté, se passe de l'eau sur le visage et pense à Simon.

Il se regarde dans le miroir, les yeux dans les yeux, et pense à Simon.

Il enfile son pantalon et pense à Simon.

Il regarde le café couler et pense à Simon.

Il pense à Simon.

Il pense.

Simon.

Simon.

Simon.

Le café est froid.

Il n'y a pas touché.

Quelques instants plus tard, il est en route pour la grande demeure de M. Kuhn. Il a appelé son ami garde forestier, Pierre-Yves est toujours très matinal, surtout le dimanche. Il doit le rejoindre devant la maison du vieil homme. Ils devraient arriver en même temps. Thomas a besoin de son aide. Qu'il soit là, peut-être qu'il parle, peut-être qu'il s'occupe de tout. Son ami a trouvé l'idée courageuse mais belle. Belle mais difficile.

L'ami lui serre la main en appuyant l'autre sur l'épaule de Thomas. Longtemps. En le regardant. Les hommes ne s'encombrent pas de paroles inutiles. Une poignée de main virile réconforte autant que des mots.

— Tu crois qu'il est déjà réveillé ? demande le garde forestier.

— M. Kuhn se lève toujours très tôt. Il est peut-être déjà dans la forêt.

— Tu veux que je parle ?

— C'est à moi de lui dire. On verra si j'y arrive.

Et Thomas y arrive. Une sorte de force sereine. Parce qu'il sait que c'est à lui d'informer le vieil homme. M. Kuhn l'écoute, le regard un peu détourné, pour aider Thomas à ne pas affronter un chagrin de plus que le sien. Il s'assoit un instant, le temps d'encaisser. À son âge, il faut laisser au corps un peu plus de temps pour rassembler le courage de ne pas flancher.

Il dit oui, évidemment, pour l'arbre.

— Il te le faut pour quand ?

— Le plus tôt possible.

— Tu le veux aujourd'hui ?

— Mais nous sommes dimanche !

— On s'en fout du dimanche, affirme l'homme en regardant le garde forestier. Il faut juste trouver un bûcheron.

— Rémy n'est pas là. Patrick est en famille, pense Pierre-Yves à voix haute.

Ils réfléchissent un instant. Ils pourraient bien s'en occuper, mais ils ne sont pas assez équipés, et puis, il faudra déplacer la bille de plusieurs centaines de kilos jusqu'à l'atelier. Pierre-Yves s'éloigne alors dans la cour en précisant qu'il revient, qu'il a un coup de fil à passer.

Il réapparaît quelques minutes plus tard.

— J'en ai un. Il habite à Solbach, de l'autre côté du col de la Charbonnière. Yann Delvaux. Un indépendant, qui dépanne facilement. Il peut venir aujourd'hui. Il se fout aussi du dimanche. Il a tout ce qu'il faut. Il sera là vers 16 heures. Tu l'auras ce soir à l'atelier.

— Ça me laisse le temps de retourner le voir. Merci, monsieur Kuhn, merci, Pierre-Yves. Je reviens cet après-midi. Vous pourrez m'attendre ? J'ai besoin d'être là au moment où il tombe.

Avant de partir pour l'hôpital, Thomas passe chez les parents d'Annabelle. Il a de la tendresse pour cette petite fille douce et attentionnée, et d'avance du chagrin de devoir lui annoncer. Il sonne et leur apprend dans le vestibule qu'il a une mauvaise nouvelle. Annabelle apparaît en haut de l'escalier, en chemise de nuit, les cheveux ébouriffés. Elle ne lui laisse pas le temps de parler qu'elle a déjà dévalé l'escalier, le bouscule, et quitte la maison dans ses petits chaussons en courant sans se retourner vers la forêt. Tout le monde a compris. Son père la suit, de loin, pour essayer de la consoler.

Thomas a prévenu Christian qu'il arrivait. Ils se retrouvent au pied de l'ascenseur du sous-sol de l'aile B, dans les entrailles de l'hôpital. La morgue est un peu cachée. C'est mieux, pour taire la vérité, ou du moins la dissimuler. Il faut laisser l'espoir aux autres, ne pas trop leur mettre sous le nez les risques qu'encourent ceux qu'ils viennent peut-être visiter. Et puis, c'est calme ici, tout au fond, là où il n'y a plus rien après. On n'y passe pas par hasard, ou alors il faut être sacrément perdu.

Ils le sont, tous les trois.

Clotilde lui offre un sourire dévasté. Elle a dû pleurer toute la nuit. Hoqueter dans les bras de son mari, au bord du gouffre de sa dépression passée. Avec la tentation probable d'y sauter.

Ils vont aller boire un café, et puis rentrer.

Thomas leur dit de ne pas l'attendre. Il veut prendre le temps.

75

...

Simon est là, minuscule au milieu de la grande pièce froide. L'agent de la chambre mortuaire savait que son frère viendrait juste après. Il le reçoit simplement. L'homme est digne, sans fioritures, sans sourire, l'élégance de l'accompagnant qui sait qu'il ne pourra rien au chagrin mais qu'il ne faut pas en rajouter. Il lui accorde le temps nécessaire.

Thomas est assis à côté du petit. Il lui a pris la main. Il respire plusieurs fois pour convoquer les mots qui sont au fond de lui :

— Je voulais te parler du papillon aujourd'hui. Il en vole partout dans les champs en ce moment, dans les jardins, sur le bord des routes. Des petits bouts d'arc-en-ciel éparpillés autour de nous. Je voulais te parler d'eux, et tu t'es envolé juste avant.

— ...

— Tu avais la fragilité de ses ailes et pourtant la force face aux bourrasques d'avoir affronté tout ça dignement. Peut-être grâce à ta candeur, comme celle de leur trajectoire aléatoire. La légèreté, le vent qui porte et qui déporte, et reprendre pied après une rafale, pour continuer, coûte que coûte.

— ...

— Tu guettais chaque année les tout premiers citrons, parce que ce sont les plus précoces à sortir de leur cachette. Nous en avions vu un en février il y a deux ans. La légende dit que les fées se transforment en citrons et viennent voler du beurre dans les fermes, ce qui explique leur couleur jaune. C'est pour ça qu'on dit *butterfly* en anglais.

— ...

— Tu te souviens, tu avais appris ce mot parce que tu le trouvais beau. Hier soir, tu t'es débarrassé de ta vieille enveloppe, de ce corps qui ne voulait plus te protéger. Ta vie ne tenait plus qu'à un fil, comme celui de la chrysalide accrochée à la branche en attendant l'éclosion. On les avait observés longtemps, les citrons, tu te souviens ? Et ce dessin d'un visage sur leurs ailes. Un œil sur chacune et une petite bouche qui sourit. Tu m'avais dit joliment qu'ils se promenaient avec un ange gardien sur le dos.

— …

— Tu veux bien être mon ange gardien ? Je peux emmener ton sourire et tes yeux toujours avec moi ?

— …

— Chaque fois que je verrai un papillon, je penserai que c'est un petit bout de toi, du jaune, du bleu, de l'orange, du vert, un bout d'arc-en-ciel saupoudré là pour me donner un peu de couleur quand mon cœur sera gris.

— …

— Je te promets de penser à toi en couleurs. De ne pas laisser le noir m'envahir.

— …

— Ça sera difficile, j'dis pas. Mais je te promets.

— …

— J'aurai sûrement des moments de découragement, mais je ne peux pas te faire ça, tu m'en voudrais, toi qui vivais en couleurs. L'infirmière a raison, tu débordais de joie. Je ne sais pas trop comment je vais la retrouver, là, mais tu as bien dû la laisser quelque part pour moi, cette joie profonde. Dans les arbres ? Dans la forêt ? Dans les ruisseaux ? Au château, entre les pierres ?

— ...

— Tu l'as planquée où, ta joie, dis-moi ?

— ...

— On jouera à chaud ou froid, hein ? Tu me diras que je brûle quand j'en approche, et que je refroidis quand je m'en éloigne. Là j'ai froid, mais je vais aller dans la chênaie tout à l'heure. Je suis sûr que je vais chauffer, et en trouver un peu.

— ...

— Je te promets, Simon, de laisser en moi tout un espace pour incarner ta joie. Promets-moi, toi, petit papillon, de voler de fleur en fleur au-delà de nous. Et de nous donner envie de virevolter aussi. J'essaierai de faire virevolter ta maman, et ton papa, et Annabelle aussi. Je m'occuperai d'elle, promis. Elle ira bien aussi. Elle a de la joie cachée au fond d'elle. Comme toi. C'est pour ça que vous vous aimez.

— ...

— Et moi aussi je t'aime.

— ...

— Je t'aime.

— ...

— Je t'aime.

— ...

— Je t'aime.

Thomas l'embrasse, le regarde longuement, imprime au fond de lui ce léger sourire qu'il porte, le visage de l'ange qu'il veut emporter avec lui pour se protéger de tout. Et surtout pour qu'il lui dise quand il brûle ou quand il refroidit.

Le corps de l'enfant est froid, mais la chaleur est désormais ailleurs. Quelque part dans ce qui fait encore battre le cœur de Thomas, et de ceux qui aiment Simon.

76

Le cri de l'arbre

Il est essoufflé, il a couru. Pour fuir le froid, se réchauffer. Mais aussi pour ne laisser aucun vide dans le temps, aucune chance aux pensées d'avoir le loisir de rôder trop près de ses tripes. Ils l'attendent autour du chêne.

Pierre-Yves vient à sa rencontre, l'accueille en posant sa main sur l'épaule, le même geste qu'au petit matin. M. Kuhn cligne doucement des yeux en guise de soutien puis le garde forestier lui présente le bûcheron.

— Merci d'être venu, dit Thomas. Surtout un dimanche.

— C'est normal. On va attaquer, il est gros.

— Il faudra me dire vos honoraires. Monsieur Kuhn, vous me direz aussi pour le bois.

— T'occupe pas de ça, Thomas. C'est ma contribution. Et le bûcheron, c'est pour moi aussi. Le reste de l'arbre le paiera largement. De ce que j'ai compris, c'était pas facile pour toi financièrement ces derniers temps.

— N'empêche. J'ai mon honneur.

— Ton honneur ? Ton honneur, il est dans ce que tu fais là, avec cet arbre. Le reste, c'est pas une question d'honneur, c'est une question de soutien entre humains. Si on ne peut plus s'entraider, il reste quoi ?

Puis le vieil homme vient poser ses deux grandes mains sur les épaules du jeune menuisier et le secoue en silence, d'avant en arrière, presque violemment, comme pour faire rentrer bien profondément ce qu'il vient de dire : si on ne peut plus s'entraider, il reste quoi, avant de disparaître derrière un de ses chênes pour ravaler ce que son éducation lui a appris à cacher comme une preuve de faiblesse.

Le bûcheron enfile son casque et enclenche sa tronçonneuse. Il connaît la raison de sa présence mais ne laisse aucune place à l'émotion. Trop dangereux quand vous abattez un arbre aussi solide que celui-là. Ils ont étudié le terrain et le sens de la chute en attendant Thomas. Il sait exactement ce qu'il fait, où il doit couper, vers où il doit partir au moment où l'arbre commencera sa chute, pour se protéger d'un dramatique rebond.

Les trois témoins sont en retrait, à l'abri, en amont dans la pente. Le bruit de la tronçonneuse ne dure que quelques minutes avant qu'on entende l'énorme craquement du tronc qui lâche et s'incline, le sifflement des branches qui fouettent l'air et les arbres voisins à une vitesse vertigineuse. Puis le bruit lourd du géant qui s'abat sur le sol. Et enfin le silence.

C'est ce calme qui déclenche un torrent de larmes chez Thomas. Un barrage en amont, qui retenait tout et qui cède sous la force de ce silence, celui de l'après-vie, quand tout s'arrête, quand la sève ne circulera plus, ni le sang. Quand les feuilles ne pousseront plus, ni les cheveux. Quand l'écorce ne vieillira plus, ni la peau. Quand les branches ne bougeront plus, ni les bras.

C'est l'arbre, dans sa chute, qui lui a crié : « REGARDE, SIMON EST MORT, COMME MOI. »

Le bûcheron enchaîne avec la coupe du houppier, pour dégager le tronc et chercher le meilleur endroit pour le tronçon qui les intéresse. Les minutes sont longues, l'arbre était vieux et imposant. L'homme est concentré – le danger est toujours là – et d'une efficacité hors pair.

M. Kuhn parle à l'oreille de Thomas qui sent le flot se tarir à ses paupières. Il sait maintenant

404

à quel point c'était le bon choix, même si l'idée a pu leur paraître étonnante au début. Les paroles du vieil homme confirment l'importance de ce qu'il s'apprête à faire pour son petit frère.

Deux heures plus tard, la longue et large bille du chêne trône au milieu de l'atelier. L'ancien patron de Thomas est là. C'est son atelier, il voulait être présent, savoir s'il pouvait aider. Mais Thomas a besoin d'être seul.

Ça ira.

Ou pas.

La solitude lui semble indispensable pour l'ouvrage qui l'occupera les jours à venir.

Il prévient Anaëlle. Parce qu'il en a besoin, sans trop savoir pourquoi. Pour le « courage et force » de la dernière fois. Il ne sait pas comment ou du moins il sent juste qu'il ne peut pas parler, et que le message sera court. Il cherche son numéro en pleurant.

Voilà.

Elle sait.

Thomas se sent moins seul.

77

Un papillon au milieu du bouquet

Anaëlle a passé la journée à fournir un effort surhumain pour rester concentrée auprès des patientes et des médecins du cabinet. Dès qu'elle relâchait la bride, ses pensées partaient naturellement vers le menuisier et son petit frère au détriment du logiciel de rendez-vous, de la télétransmission des Cartes vitales ou du classement des résultats de biopsie. On peut donc être triste de la mort de quelqu'un qu'on n'a jamais côtoyé. Cependant, elle a connu ce petit garçon par procuration, à travers le désarroi d'un artisan qui a fait de son mieux pour tout assumer. Et puis, c'est un enfant. C'est toujours triste, la mort d'un enfant, parce que c'est injuste. D'autres morts le sont, mais pour un enfant, il y a cette notion d'ordre des choses bafoué par la Grande Faucheuse.

Que les humains se débrouillent, ce n'est plus son problème.

Elle prend, elle emmène.

Point.

La mort n'a pas d'états d'âme.

Anaëlle, si.

La sienne est bien triste en bouclant le dossier de la dernière patiente de la journée. Elle a évidemment mis un petit mot à Thomas hier soir à la suite de l'annonce terrible. Mais elle ressent le besoin de lui offrir un réconfort un peu plus conséquent qu'un simple message sur un téléphone.

En remontant chez ses parents, elle passera à l'atelier lui déposer quelque chose. Oui, mais quoi ? Des chocolats ? Il ne doit pas avoir très faim. Un livre ? Mais lequel ? Et pourquoi pas des fleurs ? On n'en offre pas qu'aux femmes, des fleurs. On les offre à ceux qui ont besoin de beauté et de couleur.

Elle ressort de la boutique avec un petit bouquet de renoncules et d'œillets. Des blanches et des pastels, pour ajouter de la douceur à la beauté. Même si c'est trois fois rien. La fleuriste l'a joliment arrangé, avec un petit papillon en tissu au milieu. C'est symbolique, le papillon. Dans beaucoup de cultures, il évoque l'âme qui s'envole. C'est ce que lui a dit la femme en agrafant la feuille de plastique autour du bouquet.

Il n'y a pas de sonnette à l'entrée de la menuiserie. Elle ouvre la porte sans trop de certitude et passe la tête pour jeter un œil à l'intérieur. Il est déjà tard, les artisans commencent souvent très tôt le matin, il ne doit plus y avoir personne. Mais un bruit attire son attention. Thomas est là-bas, tout au fond, de dos. Il travaille à la main sur un ouvrage en bois. Elle s'approche et attend d'être à quelques pas pour toussoter afin d'annoncer sa présence. Il a déjà perdu quelques phalanges, ce n'est pas le moment de provoquer un accident, d'autant qu'elle n'a aucune idée du type d'outils qu'il utilise.

Thomas se retourne et voit d'abord le bouquet avant Anaëlle. Ses yeux sont tristes mais un sourire essaie de rehausser le tout, tant bien que mal.

— Je voulais passer vous dire... Enfin... et puis, je ne savais pas trop quoi vous apporter, mais je ne voulais pas non plus venir les mains vides, alors je me suis dit que des fleurs, peut-être, hésite Anaëlle en lui tendant le bouquet.

— Vous avez bien fait. Elles sont jolies. Merci beaucoup.

Puis il aperçoit le petit papillon au milieu des pétales. Une grimace fugace sur son visage témoigne d'un sanglot retenu. Elle ne pouvait pas savoir. L'intention est douce.

— C'est très gentil de passer.

— Je sais que c'est important, quand on traverse un coup dur, de ne pas se sentir seul.

— Oui.

— Vous travaillez ? essaie Anaëlle, avant d'avoir peur de comprendre. C'est son…

— … cercueil. Oui.

— C'est vous qui le faites ?

— J'ai demandé.

— C'est courageux.

— C'est symbolique. C'était le chêne que Simon aimait plus que les autres. Ils se connaissent depuis qu'il est né. Je crois qu'ils se parlaient. La vie est étrange. Alors que le bûcheron l'abattait, le propriétaire de la forêt m'a dit hier qu'il était malade aussi. Une insidieuse attaque de champignons qui le rongeait depuis de nombreuses années, sous l'écorce. Il était condamné de toute façon. Alors, autant qu'ils continuent à discuter tous les deux, hein ?

— Oui. C'est une très belle idée. Mais ça doit être difficile.

— C'est difficile de toute façon. Au moins, ça donne un sens à ce que je fais. Je m'excuse, c'est du temps que je ne passe pas sur votre chantier.

— Comment pourrais-je vous en vouloir ? Quand a lieu l'enterrement ?

— Jeudi.

— Vous aurez fini ?

— J'y passerai le temps qu'il faudra. Après la cérémonie, je n'aurai plus aucun instant à lui accorder, alors je prends ce qui reste pour lui.

— Je viendrai si vous voulez bien.

— Ça me fera du bien.

C'est alors que la porte de l'atelier s'ouvre à nouveau, cette fois sur une petite fille. En apercevant la jeune femme, elle n'ose pas avancer.

— Viens, Annabelle. Je te présente Anaëlle. Vous avez presque le même prénom, tu vois.

La petite s'approche et baisse les yeux. Elle tient une boîte entre ses mains.

— Ce sont tes mots doux ?

— Ceux d'aujourd'hui. Je peux encore en faire demain ?

— Tu peux en faire autant que tu veux.

— Alors, je te laisse ceux-là et j'y retourne.

Elle jette un œil au gros tronc d'arbre juste avant de repartir, se retourne et manque vaciller, toute frêle petite fille triste, fait quelques pas, revient vers Thomas et se colle contre lui à la recherche d'un peu de réconfort. Il la serre quelques instants. Puis elle se dégage et quitte l'atelier en courant.

— C'est son amoureuse. Ils se connaissaient depuis toujours. Je l'ai emmenée souvent avec Simon dans la forêt depuis qu'ils sont petits. Elle est très triste. Comme nous tous, mais elle est tellement petite pour affronter ça.

— C'est quoi la boîte ?

— Des mots doux. Elle m'a demandé si elle pouvait lui en écrire pour les mettre avec lui dans le cercueil.

— Ça doit lui faire du bien de les écrire.

— Chacun fait ce qu'il peut…

Anaëlle éprouve une peine immense de voir cet homme vivre un tel chagrin. Elle ne le connaît pas mais il a été gentil avec elle. Il a montré beaucoup de bienveillance, sans la pitié de certains face à son handicap. C'est quelqu'un de bien. Elle aimerait oser le prendre dans les bras, mais comment savoir si ce geste lui conviendrait. Alors elle pose la main sur son avant-bras. Il est grand et large, solide sur ses jambes. Elle sent instantanément sa force. Triste mais bien ancré dans le sol, comme un chêne centenaire qui affronte la tempête sans plier. Il doit avoir des racines sous les pieds. Il sent le bois et le corps qui travaille depuis ce matin.

— Je ne dois pas être très engageant, dit Thomas en se redressant à peine.

— Qui vous demande de l'être, là, maintenant ?

411

Anaëlle redémarre sa voiture dans un flot de pensées. La vie est compliquée, et parfois trop courte. Quand elle s'avère être d'une longueur normale, certains passent à côté d'elle sans même s'en rendre compte. Elle pense souvent au procureur, à la complexité de la situation.

Mais elle, que veut-elle ? Il ne suffit pas de se dire qu'il sera toujours temps d'aviser. C'est surtout le but qui fait choisir le chemin. Qu'en est-il du sien ?

Certaines morts vous remuent les pensées dans tous les sens, et puis le cœur, et puis les tripes, et les douleurs qu'on voulait passées, et les espoirs qu'on s'était construits. Tout ça tourbillonne, dans un flou qui devient net doucement, comme lorsque le brouillard se lève, et qui dessine un avenir qui se veut suffisamment arrogant pour dire merde à la mort.

Plus je serai vivante, moins je serai faillible.

La gazelle en pleine forme s'éloigne plus vite du risque de finir en repas que celle blessée ou triste qui n'a pas l'instinct vital de fuir. Certes, avec sa prothèse, Anaëlle ne peut pas vraiment parler de fuite, mais un bon coup de béquille dans les côtes de la Faucheuse devrait l'éloigner. Au moins pour un temps.

Elle veut désormais profiter. Profiter de l'instant, construire, se reconstruire, aimer, s'aimer, penser aux belles choses et à ce qu'elle peut faire de bien. Un bouquet de fleurs, des bras, une présence. De jolies lettres.

Ses parents viendront aux funérailles. Ils assistent aux enterrements dans la vallée, quand ils le peuvent, même s'ils ne connaissent pas le défunt, surtout si c'est un enfant. Ils trouvent bon qu'il y ait du monde, pour être plus nombreux à dire au revoir, et pour montrer à ceux qui restent qu'ils ne sont pas si seuls, même s'ils le pensent très fort à ce moment-là. À cause du vide que le cercueil laisse derrière lui comme une traînée de pétrole dans une mer calme qui englue jusqu'à l'asphyxie toute forme de vie qui passait par là.

En comparaison de cette marée noire, sa jambe à elle n'est qu'un minuscule bout de vide, à peine une petite tache d'essence sur le macadam, avec un moiré arc-en-ciel en plus, puisqu'elle peut encore sourire.

Un si petit bout de vide insignifiant, qui ne l'empêche pas d'être une gazelle remuante qui dispose d'une paire de béquilles pour dire merde à la mort.

Merde à la mort.

78

Le répit d'un oisillon

Thomas s'est jeté dans le travail dès le lendemain des funérailles. Le cercueil était lisse d'avoir été longuement poncé et aussi arrondi que le visage de Simon. Thomas avait pu emmener Annabelle déposer ses derniers mots doux avant qu'il ne soit scellé. La fillette était étonnée de voir son amoureux aussi beau, mais elle ne l'a pas touché. Thomas lui serrait fort la main pour qu'elle n'en ait pas l'idée. Le froid de sa peau aurait glacé Annabelle à jamais. La petite et le grand, liés pour toujours d'avoir partagé ce moment. Tout recommençait maintenant. Autrement. À ceux qui diront que la vie continue, Thomas pourra désormais répondre qu'elle reprend. Comme un arbre après la foudre. Avec cette zone fragile, dont la trace de l'impact persiste à jamais.

Il redémarre les travaux par la maison d'Anaëlle et ne s'arrêtera pas avant qu'elle soit finie. Il œuvrera sans relâche pour achever les autres chantiers, rapidement. Remettre les compteurs à zéro et repartir sur un autre rythme. Travailler pour manger, le minimum, mais vivre à côté. VIVRE.

Anaëlle lui apporte un café. C'est un samedi matin où elle ne travaille pas. Ils se posent sur le banc à l'extérieur. Thomas n'est pas bavard mais il lui sourit avec délicatesse. Certains seraient rentrés dans leur coquille pour se protéger de tout. Lui se laisse approcher.

— Vous vous occupez de vous ?

— Un peu. J'ai encore beaucoup de travail en retard, mais je vais marcher dans la forêt. Ça fait du bien. Les arbres ne vous jugent pas. Ils sont posés là, paisibles, et vous donnent de la fraîcheur, des odeurs, le bruit des feuilles. Tout fourmille dans la quiétude. C'est très bizarre comme sensation. J'en reviens calme et chargé d'énergie. Et puis, ils sont solidaires, ils s'entraident, ils protègent leurs petits, ils communiquent entre eux. Ils constituent une vraie communauté et personne ne s'en doute. C'est bon de côtoyer cette ambiance-là, parce que dans notre société humaine, on se sent parfois bien seul. Les quelques messages que les autres vous envoient, c'est du ressentiment, ou de la colère.

— Il y a aussi de belles personnes.

Thomas boit quelques gorgées du café brûlant et saisit un croissant dans le panier qu'Anaëlle lui tend. Elle est aux petits soins pour lui. Discrète. Des gestes simples. Une présence. Elle a raison, il y a aussi de belles personnes.

— J'aimerais tellement pouvoir retourner dans la forêt, mais depuis l'accident, c'est compliqué.

— Il y a quelques zones de chemins très plats au-dessus de Neubois.

— J'aurai bientôt une jambe bionique, si tout va bien. Je pourrai affronter des terrains un peu plus escarpés.

— Je vous accompagnerai si vous voulez.

— Avec plaisir, répond Anaëlle en tournant la tête vers l'angle de la maison d'où vient un piaillement depuis tout à l'heure. Ça ne serait pas un petit oisillon là-bas ? Vous vous y connaissez mieux que moi en nature !

Thomas se lève et se dirige dans le coin d'ombre d'où viennent les cris. En effet, un petit merle encore rose par endroits et dont les plumes ne lui permettent pour l'instant aucune envolée gît dans l'herbe, au pied du grand rosier grimpant.

— Il a dû tomber du nid qui se trouve dans le rosier. J'ai déjà vu des merles s'y rendre plusieurs fois depuis ce matin.

— Avec les chats qui rôdent, il n'a aucune chance.

— Je vais essayer de le remettre dans le nid. Vous auriez un bout de chiffon dans lequel l'emballer ?

Thomas revient de la grange avec une échelle et enveloppe le petit animal dans le bout de tissu. Celui-ci ouvre un bec immense en tendant le cou dès que l'homme approche la main. Puis le menuisier monte à l'échelle et cherche le nid entre les branches.

— On aura essayé, conclut-il en s'asseyant à nouveau sur le banc. C'est quand même la vie qui décide au final, ajoute-t-il, une ombre dans la voix.

— Oui.

— J'aimerais vous demander autre chose.

Thomas marque un silence en faisant tourner le reste de son café au fond de la tasse dans un mouvement parfaitement maîtrisé. Il hésite. Il serait déçu qu'elle dise non.

Anaëlle attend. Elle n'est pas du genre à harceler quelqu'un de questions quand il est

manifestement en train de se préparer à poursuivre. On a tous parfois besoin d'un peu de
temps.

— Si vous pouviez m'accompagner quelque
part.

— Dites-moi.

Thomas lui explique alors longuement ce
voyage dont Simon rêvait, la promesse d'y aller
ensemble après sa maladie et l'idée de l'accomplir quand même, sans lui, pour le symbole,
pour le geste, pour conjurer le sort.

— J'aimerais que vous soyez là.

Anaëlle réfléchit un instant. On entend
encore l'oisillon crier entre les branches du
rosier. Émue par sa demande, elle n'écoute pas
sa peur. Elle a confiance. L'homme est solide
et réfléchi.

— Je viendrai. Mon handicap n'est pas un
frein ?

— Je ne crois pas. Je demanderai à mon ami
qui nous emmènera.

— Quand ?

— Dès que possible, début septembre, un
week-end où les conditions seront favorables.
Tôt, au lever du soleil. On ne le saura pas très
longtemps à l'avance. Peut-être la veille, au
mieux quelques jours avant.

— Je viendrai.

La délicatesse du sourire est encore là, avec une sorte de soulagement en plus. Thomas n'imaginait pas y aller seul. Son père a le vertige, Clotilde est trop fragile. Et puis, Anaëlle a cette discrétion qui permettra au jeune homme de ne pas se sentir envahi.

Alors qu'elle range les tasses dans le panier, Thomas repart travailler sans un mot. Certains sanglots sont encore en embuscade dans un recoin de sa gorge, prêts à fondre sur lui sans pitié.

La fuite est parfois le meilleur moyen d'échapper à l'ennemi.

Point de lâcheté ici.

Juste un instant de répit.

Comme l'oisillon dans le nid.

79

Philibert

Jocelyne raccroche, livide. Elle ne s'y attendait pas. Il avait pourtant émis des doutes à l'examen, mais avec le peu que son corps avait vécu d'ouverture vers l'extérieur, elle n'imaginait pas le moindre risque. Surtout pas celui-là : « La biopsie.............. cancer............. opération............. bon pronostic......... »

Le gynécologue a parlé vite, elle n'a pas tout compris. Peut-être n'a-t-elle pas tout entendu. Le cerveau aura fait le tri. Il lui reste quelques mots en tête. Surtout « cancer ». Comment va-t-elle faire avec sa mère ? et le travail ? Elle aimerait en parler à quelqu'un mais elle n'a personne à qui se confier.

Personne dans sa vie.

Personne.

Sauf le cancer, maintenant.

Elle va l'appeler Philibert, en souvenir de ce grand-père qu'elle a voulu voir mourir tant de fois après ce qu'il lui avait fait subir. Et dire que c'est une mort naturelle on ne peut plus douce qui l'a emporté il y a quelques années. Dans son sommeil. Il n'a même pas souffert ! La vie est vraiment injuste.

Elle va enfin se débarrasser de lui dans sa tête. Un Philibert à détruire ! Voilà une excellente motivation qui l'aidera à affronter l'opération et les traitements.

Tout s'acharne contre elle. Elle en veut encore plus à cette secrétaire qui entretient une relation avec le procureur. Elle n'en serait pas là si cette peste n'était pas entrée en contact avec lui. Cependant, une petite voix intérieure lui susurre que cette jeune femme tant maudite depuis des semaines est peut-être, sans le vouloir, en train de lui sauver la vie. Pas de lettre, pas de petite enquête. Pas de petite enquête, pas d'approche à travers un rendez-vous bidon. Pas de rendez-vous bidon, pas de biopsie.

Ce rendez-vous n'était pas si bidon, finalement. Elle devrait presque la remercier pour ses enveloppes soi-disant anodines.

Oui.

Enfin bon.

La remercier ?

Il ne faut pas pousser.

Chacun sa croix.

Mais soudain, elle lui en veut moins.

Au procureur, si ! Parce que c'est à cause d'hommes comme lui que les femmes attrapent des cancers et risquent leur vie. Elle s'est renseignée. Papillomavirus, transmission sexuelle.

Donc les hommes.

Son grand-père, ou le garçon de sa première fois.

Tous des salauds ! Les hommes en général et le procureur en particulier. Des salauds !

Chacun sa croix.

Maintenant, elle en a deux à porter.

Sa mère et Philibert.

80

Revirement

Hervé prend son courage à deux mains. Il a beaucoup réfléchi pendant ces quelques semaines de silence imposé. Il pense à la situation, au contexte, à la difficulté de gérer toutes ces femmes qui gravitent autour de lui. L'épouse, la greffière, la… la quoi ? L'amante sans en être une, l'amie un peu plus qu'amie.

Il veut mettre de l'ordre dans tout ça. Il s'apprête à quitter le tribunal pour rentrer chez lui, mais il lui reste une dernière chose à faire pour clore la journée.

— Jocelyne ?

— Oui, Monsieur le procureur ?

— Faites-vous quelque chose vendredi soir ?

— Non.

— Je vous invite à dîner.

— Vous êtes sérieux ?

— J'ai l'air de rire ? Je me suis trompé à votre égard, j'aimerais me rattraper.

Puis il ferme la porte du bureau en la saluant à peine.

Jocelyne reste assise sur sa chaise, les bras ballants, à regarder un peu partout autour d'elle pour accrocher son regard à quelque chose tant elle se sent tanguer. Elle oublie tout le reste, sa mère, Philibert, l'ancienne étudiante, l'épouse dont elle prenait la défense. Le procureur l'a invitée à dîner. Elle n'ose y croire, mais il avait l'air très sérieux. Il lui reste deux petits jours pour décider de sa tenue vestimentaire. Le coiffeur aura peut-être encore un rendez-vous, demain, à la dernière minute. Il s'est trompé ? Il veut se rattraper ? Mais alors, tout ce qu'elle a fait avait peut-être un sens. Il a compris, à force qu'elle lui mette la vérité sous le nez, qu'il s'égarait avec cette jeune femme.

Jocelyne sourit comme rarement elle a souri. Peut-être même est-elle en train de ressentir une émotion qui pourrait s'approcher de la joie.

81

Se méfier surtout des rats

L'instant est fort. Anaëlle est arrivée au moment où le menuisier rangeait son matériel. Il a pu céder la place au père venu faire quelques menus travaux et au chauffagiste pour la salle de bains. Le chantier ne sera pas très long pour eux. Beaucoup moins que le sien. Moins laborieux aussi.

Le claquement de la porte arrière du fourgon de Thomas signe le début d'une nouvelle vie pour Anaëlle. Elle va enfin pouvoir emménager. Elle est montée sous les combles et semble profondément heureuse quand il la rejoint.

— C'est très beau. Merci beaucoup. Je serai bien ici. C'est lumineux, c'est doux, c'est paisible.

— Ça vous ressemble.

— J'aurais dit que ça ressemble à la forêt dans laquelle vous aimez vous promener.

— Alors, vous ressemblez à une forêt.

— J'espère abriter moins d'organismes qui grouillent.

— Vous avez de la vie en vous, c'est ce qui compte. Vous savez qu'il y a des stages de thérapie sylvicole dans certains pays ? Le Japon, je crois.

— Des stages de thérapie sylvicole ?

— On emmène les gens dans la forêt pour leur faire du bien. Sûrement au prix fort. C'est fou, non ? Il suffit de trouver une forêt et d'aller s'y promener.

— Certains ont besoin qu'on les prenne par la main pour les reconnecter à l'essentiel, et certains autres de payer pour avoir l'impression que c'est efficace.

— Je devrais peut-être proposer ce genre de service. Emmener les gens se promener en forêt et les faire payer pour ça. C'est un bon filon.

— Ça ne vous ferait pas autant de bien que d'y aller seul.

— C'est vrai. Je vous emmènerai en stage si vous voulez, quand vous serez devenue bionique pour arpenter les sentiers !

— Vous demandez cher ? Parce que, aussi bionique que je puisse être, je n'en demeure pas moins secrétaire.

Thomas affiche un sourire vraiment sincère. De ceux qui ne sont pas là pour dissimuler une peine. Un vrai sourire, témoin d'une légère gaieté intérieure qui repousse doucement comme les rejets autour d'un tronc coupé. Tant que les racines tiennent, la vie reprend. Anaëlle est honorée de provoquer cette joie simple chez lui. C'est toujours une petite victoire de voir un trait de craie blanche s'inscrire sur le tableau noir.

Thomas lui avouerait bien qu'à ce moment précis, c'est lui qui serait tenté de payer pour qu'elle vienne avec lui en forêt. Il pourrait aller marcher avec le garde forestier, mais ce n'est pas pareil. Une présence féminine est plus douce, même sans arrière-pensées. L'effet dépend peut-être de la femme, mais pour Anaëlle, cela ne fait aucun doute.

— Je crois que la fouine n'est pas partie.

— Vous parlez de celle dans la grange ou de celle dans la voiture qui nous suivait ?

— Je parle de la vraie, dans la grange, répond Thomas en riant. D'ailleurs, vous l'avez revue ?

— Celle de la grange ?

— Non, celle de la voiture !

— Non. Vous avez dû l'effrayer la dernière fois.

— En tout cas, si elle vous embête à nouveau, appelez-moi.

— La fouine ?

— La femme qui fouine ! Cela dit, si la bête vous dérange, je peux aussi la faire fuir.

— Je crois que je vais la garder. Je me méfie des rats.

— De la grange ?

— Aussi !

82

Le sarcasme de loin

Ce jour-là, Jocelyne croyait encore en l'homme avec un petit h.

Elle a quitté un peu plus tôt que d'habitude le bureau, profitant que le procureur était déjà parti. Il ne faudrait pas qu'il puisse penser qu'elle néglige son travail au profit de leur dîner ce soir. Il ne doit pas savoir non plus qu'elle va mettre un soin tout particulier à se préparer et que cela va prendre du temps. Elle désire paraître naturelle, comme si elle s'apprêtait ainsi chaque soir.

Elle a enfilé un haut noir, très légèrement décolleté. On lui a appris les bonnes manières mais les hommes restent des hommes. Elle a choisi sa jupe blanche en dentelle anglaise. Elle la grossit un peu au niveau des hanches, mais elle est tellement raffinée. Le chignon est un peu relâché. À peine. Un léger coiffé-décoiffé qui fera toute la différence. Elle veut montrer qu'elle sait être parfois un peu plus détendue qu'à l'accoutumée. Elle aurait aimé mettre des chaussures à talons hauts, pour mieux galber ses mollets et lui donner plus d'allure, mais elle est incapable de marcher sur des échasses.

C'est l'étape du maquillage qui a été la plus délicate. Comment souligner son teint, son regard, ses lèvres, sans pour autant passer pour une traînée ? Elle a essayé, s'est démaquillée deux fois, au risque de faire apparaître des rougeurs à force de frotter, avant d'opter pour un simple trait gris sur les paupières et un peu de mascara. Elle n'aime pas sa bouche. Lèvres trop fines et trop pincées. Mieux vaut les faire oublier en les fondant dans le paysage de ce visage sans intérêt.

Elle a vérifié sept fois son allure dans le miroir avant de partir. De face, de profil, de dos, puis de face et encore de dos. Elle est allée préalablement saluer sa mère, en début de soirée, avant les préparatifs, sans lui dire qu'elle ressortait.

Le lieu de rendez-vous est éloigné, mais elle marchera. Elle ne va pas y aller à vélo, cela la décoifferait, et un taxi coûterait trop cher pour son budget serré. Elle a prévu de partir tôt, pour ne pas avoir à forcer le pas. Ce serait dommage d'arriver en nage au restaurant.

La voilà quand même en avance. Il lui a dit de s'installer à la table qu'il avait réservée en terrasse, pour qu'elle attende confortablement en cas de retard.

Et quel retard ! La première demi-heure n'inquiète pas Jocelyne qui connaît bien le procureur, toujours sur le fil. Mais au bout d'une heure et d'une première petite bouteille d'eau pétillante, elle commence à se poser des questions. Elle irait bien aux toilettes se soulager et se repoudrer, mais s'il arrive à ce moment précis, il pensera qu'elle n'est pas venue et tournera les talons, alors elle se retient.

Au bout d'une heure et demie, elle espère qu'il ne lui est rien arrivé. Par trois fois elle décline la proposition de la serveuse de lui apporter un petit quelque chose à manger. Ça le fera venir, a osé la jeune femme, sans grande conviction, avant de repartir bredouille dans son tablier blanc.

Au bout de deux heures, elle se demande s'il n'y a pas sous ce rendez-vous manqué une volonté de lui faire du mal, mais elle ne peut pas y croire. Pas lui ! Pas ce monsieur charmant sous tous rapports qui semble doté d'une bonne éducation.

Elle se pose toutes ces questions en ignorant qu'un homme l'observe de loin, à la table d'un café, à une centaine de mètres de là, lunettes de soleil, casquette sur la tête, un T-shirt délavé emprunté à son fils, un peu caché par la petite haie de lauriers qui délimite la terrasse.

Jocelyne finit par se lever et quitte le restaurant sans avoir rien mangé.

Sous les lunettes, sous la casquette, un sourire satisfait s'installe.

Elle a dû comprendre maintenant.

83

Couic

— Vous n'avez pas attendu trop longtemps ?

— Vous l'avez fait exprès ?

— Chère Jocelyne, croyez-vous vraiment que j'aie envie de passer une soirée avec vous ? Je voulais vérifier une dernière fois ce que je soupçonne depuis le début. Vous êtes jalouse ! Malade de jalousie à l'encontre des femmes qui m'entourent. C'est vous, les lettres anonymes, n'est-ce pas ? Vous essayez de nous nuire pour que cela s'arrête entre cette jeune femme et moi.

— De quoi parlez-vous ?

— De votre caractère nuisible. Vous êtes jalouse parce que vous êtes amoureuse de moi en cachette, mais vous savez qu'il n'y a aucune chance que je m'intéresse à vous. Alors, plutôt que de renoncer et d'oublier, vous essayez de vous venger, sous couvert de solidarité féminine. Elle a bon dos la solidarité féminine envers ma femme. Vous étiez sur votre trente et un vendredi soir. C'était par solidarité aussi ?

— Vous étiez là ? Vous m'avez vue ?

— J'avais besoin de tester votre résistance. Elle est tenace, dites donc ! Vous m'avez attendu deux heures avant de comprendre.

— C'est ignoble.

— Vous n'entendez pas quand je vous dis les choses avec gentillesse, alors j'essaie d'autres méthodes. Fichez-moi la paix avec votre morale. Je ne vous ai rien demandé et ma femme non plus. Si vous me faites encore une remarque à propos de mes courriers, je vous vire. Nous avons les lettres anonymes, il doit y avoir des traces de votre ADN un peu partout, et la plainte d'un procureur pour harcèlement dans le cadre du travail sera prise au sérieux. Plus que vous.

— Vous êtes un monstre.

Quand Hervé rejoint son bureau, la greffière sent monter une nausée puissante au creux de son estomac.

Le fumier. Elle se demande si elle ne va pas rebaptiser son cancer Hervé-Philibert. D'une pierre deux coups. Peut-être même va-t-elle essayer d'avancer la date de l'opération pour en finir au plus vite, sans attendre ses congés officiels. Couic ! Débarrassée ! Du cancer et des salauds qui la méprisent.

Trop bonne trop conne, Jocelyne. D'ailleurs, elle pourrait bien se mettre en arrêt maladie. Ce n'est pas rien d'affronter une telle annonce. Celle du cancer il y a quelques jours, et celle du mépris de son patron à l'instant. Qu'il se débrouille au pied levé. S'il a le temps de conter fleurette à une jeune femme, il peut bien gérer lui-même tous ses dossiers.

Elle quitte le bureau sans un mot, encombrée d'un chagrin terrible qui pour l'instant se dissimule derrière la rage. Elle avait vu en lui l'homme idéal pour réparer sa profonde blessure infligée par un autre en qui elle aurait dû pouvoir avoir confiance. Oui, ce procureur, représentant officiel de l'ordre et de la justice, avait la lourde et secrète charge de redonner confiance à Jocelyne pour qu'elle accepte l'idée que certains d'entre eux pouvaient se montrer doux et bienveillants.

Elle a définitivement compris que non.

Elle part chercher un arrêt maladie.

Hervé se rendra compte de son absence en fin de matinée, en sortant de son bureau, après avoir écrit une longue lettre à Anaëlle. Il n'a pas pu résister.

Mettre de l'ordre dans les femmes de sa vie.

*

Strasbourg, 11 septembre

Ma chère Anaëlle,

Voilà quelques années, les tours jumelles se
sont effondrées à cause de la folie de quelques
hommes… J'ai une pensée pour tous les gens
qui ont perdu un être proche.

Cela m'aide à relativiser mon avion à moi qui
s'est encastré dans la construction que j'avais
commencée avec vous. Je relativise car vous
êtes bien vivante, et tant qu'il y a de la vie, il y
a de l'espoir.

Ce n'est plus le cas de ma grand-mère. Elle
est morte il y a une petite semaine. Non, non,
remballez vite vos condoléances, ce n'est pas
pour cela que je vous écris. Je suis probablement triste qu'elle soit partie, car cela est poli-
tiquement correct, mais je me sens soulagé.

Elle avait quatre-vingt-neuf ans, a usé deux
maris, névrosé ses trois enfants, dont mon
père, et brimé psychiquement quelques-uns de
ses petits-enfants, dont moi.

J'ai passé une partie de mon enfance chez
cette femme qui ne se souciait que des apparences. Dans mes souvenirs, il y a la fameuse

raie sur le côté, quand je repartais à l'école après le déjeuner, et sa salive qu'elle mettait sur le doigt pour me frotter la moustache de chocolat autour de la bouche ou pour discipliner un épi dans mes cheveux. Les critiques acerbes à l'égard de ma mère à propos de mes chaussures qui ne brillaient pas assez. Ma chemise qu'elle me faisait enlever pour la repasser après le dessert. Je n'ai par contre aucun souvenir de moments de tendresse, de bras accueillants dans lesquels aller me réconforter quand j'avais un chagrin. Jamais d'encouragements non plus. Rien n'était assez bien.

Certaines personnes très dures peuvent déteindre sur des familles entières. Comme une pomme gâtée qui pourrit tout le cageot si on ne la retire pas à temps.

Elle est morte seule dans son lit, un matin d'été, un chapelet dans les mains. Elle n'était pas peignée, sa chemise de nuit était tachée, et personne n'est venu la veiller. Qu'est-ce qu'a dû penser Dieu en la voyant arriver ainsi ? Sûrement qu'elle s'était trompée de combat toute sa vie.

En sortant de l'église après la cérémonie, je me suis senti libéré de son emprise. J'ai surtout pensé à ma vie. Toute morne et toute bête, sans relief et sans perspectives autres que de planifier les prochaines vacances ou la date de réfection de la cuisine. J'ai pensé à vous, ma petite fleur colorée qui embaume ma terre stérile de son subtil parfum de légèreté.

Vous me manquez, Anaëlle. Vous me manquez terriblement.

J'ai donc réalisé que je devais changer quelque chose. Je ne sais simplement pas dans quel temps imparti. J'aimerais ménager mon épouse. Elle n'est pas méchante, je crains de la faire souffrir, mais j'ai peur de ne plus me contenter désormais de cette existence.

Cette idée s'est imposée à moi dans les allées au milieu des tombes. Je regardais les dates de naissance et de décès en calculant les âges. C'est un réflexe, je le fais systématiquement quand je me promène dans un cimetière. Cela fait prendre conscience que si la plupart des occupants ont fait leur temps, d'autres ont été cueillis dans la fleur de l'âge. Ont-ils profité de la vie ? Ont-ils pris les bonnes décisions ? Ont-ils rencontré une personne exceptionnelle sur leur chemin avant de mourir ?

Vous êtes un peu mon Robert Kincaid, venu photographier des ponts couverts sur la route de Madison. Mais je ne veux surtout pas être la Francesca qui ne part pas et qui a dû se ronger les sangs sa vie entière d'avoir renoncé à lui, enfermant ses vibrations sous un couvercle

438

de fonte par culpabilité et esprit de sacrifice envers sa famille. Pour ne pas la faire souffrir. À quoi bon si on souffre soi-même, si on vivote pour le restant de ses jours ?

Pardon, Anaëlle, je romps ma promesse de vous laisser reprendre contact, mais cela me démange comme une piqûre de moustique. Alors je gratte le papier avec un stylo quelconque, et j'imagine le mien, peut-être entre vos mains, pour me répondre.

S'il vous plaît, ne m'en veuillez pas…
Répondez-moi…
Voulez-vous des chocolats ?
Je vous embrasse.

Hervé, dans la fleur de l'âge

PS : Et votre petite maison ?

*

Sélestat, mercredi 14 septembre

Mon cher Hervé,

Je vous soupçonne de lire dans mes pensées (sinon, pourquoi m'auriez-vous écrit au moment où j'avais le plus envie de vous lire ?)

et je n'aime pas ça du tout. Vous pourriez y voir des choses secrètes, comme des portes au fond d'un jardin ou, pire, des émotions profondes, de celles qui m'appartiennent et que j'aimerais distiller à mon rythme.

Je ne sais pas quoi dire pour votre grand-mère. Les condoléances sont toujours plus compliquées à émettre qu'à recevoir. Pour vous, j'ai le sentiment que c'est une sorte de renaissance. Alors, que dire ? « Félicitations ! » ? Évidemment non. C'était quand même votre grand-mère et elle est morte. J'ai beaucoup de mal à croire que les gens méchants le soient gratuitement. Je suppose qu'il y a toujours une faille quelque part qui l'explique. Ce qui n'excuse pas tout, je vous l'accorde.

Votre grand-mère était âgée, c'est dans l'ordre des choses qu'elle disparaisse. Pour ma part, j'ai été très affectée par le décès du petit frère du menuisier. Cette saleté de leucémie l'a emporté à l'âge de huit ans il y a quelques semaines. Je ne le connaissais pas et j'ai pourtant été profondément triste. C'est si injuste et la vie peut être parfois tellement courte. Cela m'a confirmé dans ce besoin que j'ai depuis l'accident de la croquer à pleines dents.

À propos des ponts couverts aux alentours de Madison, Francesca était-elle empreinte de morale chrétienne pour ne pas oser partir et préférer le sacrifice à la passion ? L'histoire ne dit pas ce qu'aurait donné leur relation s'ils l'avaient prolongée. Ils seraient peut-être morts en se détestant. Jamais on ne connaît à l'avance les conséquences de nos décisions. C'est ce qui rend les choix difficiles. Alors, comment faire ? Écouter les traditions, la culture, les normes sociales ? Écouter ses parents, ses amis, ses propres angoisses ou ses idées reçues ? Écouter sa pédale de frein, celle qui nous pousse sans cesse à ne prendre aucun risque car le confort sécurise et rassure ? Ou écouter son cœur ?

Mes parents, mes amis, les normes sociales, mes angoisses de solitude et ma pédale de frein me disent que je ne devrais pas fricoter avec un homme marié…

Et là, Hervé, je vous sens pendu à mes mots, impatient de savoir ce que me dit mon cœur…

Pour l'instant, il délibère.

Anaëlle, et ses deux (petits)
Robert (Kincaid) (le droit s'appelle « Clint »
et le gauche « Eastwood »)

PS : J'ai enfin emménagé dans ma maison. Je campe encore un peu mais ça avance, et je me sens chez moi, délicieuse sensation.

84

« Même pour le simple envol d'un papillon, le ciel tout entier est nécessaire[1] »

Samedi 17 septembre

Thomas l'a prévenue hier matin. Temps idéal pour aujourd'hui. Beau, vent calme, des courants favorables pour décoller de la base et passer au-dessus de la forêt du Frankenbourg à basse altitude comme convenu. Avec toujours une incertitude. La météorologie n'est pas une science suffisamment exacte pour planifier précisément la trajectoire d'une montgolfière. Par contre, le décollage est programmé aux aurores. Le jeune homme a insisté pour venir chercher Anaëlle en voiture malgré le détour.

---

1. Paul Claudel.

En se garant devant chez elle, il voit la fouine s'engouffrer furtivement dans un minuscule trou sous la gouttière de la grange, il est 5 heures, elle rentre certainement d'une nuit de maraude. D'autres femmes auraient exigé d'en être débarrassées, condition *sine qua non* pour acheter le bien. Anaëlle a lu *La Hulotte* et entendu ses arguments. Elle est proche de la nature, et il est heureux qu'elle ait dit oui pour ce vol aujourd'hui.

— Vous préférez prendre vos béquilles ? lui demande-t-il en la voyant s'installer dans la voiture.

— Oui ! C'est bête mais je n'ai jamais testé les variations d'altitude en plein air sur le volume de mon moignon. Je n'aimerais pas avoir de mauvaise surprise tout là-haut. Et puis, si l'atterrissage est sportif, je préfère que ce soit une béquille qui prenne un coup plutôt que ma prothèse.

— Ça ira, affirme Thomas sur un ton rassurant.

— Et vous, ça ira ?

— Je crois que oui. Je suis content que vous soyez là. Et je suis content de le faire. Et je serai soulagé quand ce sera fait. Comme s'il me fallait ça pour le laisser partir.

La route n'est pas très longue jusqu'au grand pré de Lièpvre où l'équipe s'affaire déjà autour de l'immense montgolfière couchée sur le flanc, à moitié gonflée. Il en faut de l'air chaud pour remplir tout cet espace. Le ventilateur tourne à fond et le brûleur l'accompagne. L'envie d'Anaëlle de monter dans la nacelle grandit à mesure que la toile de nylon se déplie. C'est son premier vol. Elle n'aurait jamais imaginé s'offrir cela un jour. Le contexte est particulier, mais l'intention de Thomas de l'y faire participer est touchante. Il lui a dit dans la voiture, juste avant d'en sortir : « J'aimerais que ce soit un moment heureux. Sans forcément d'effusions, mais heureux pour vous, pour moi, quelque chose de beau, de calme, de doux, un moment suspendu au-dessus de la vie. »

Quand Anaëlle voit la nacelle commencer à se redresser avec le grand ballon, elle se dit que pour un moment suspendu, ils sont bien partis. Il leur appartient désormais de le rendre heureux, beau, calme et doux. Même si une petite appréhension commence à la gagner. Pas de filet de sécurité, pas de parachute, s'il arrive quelque chose à mille mètres d'altitude, c'est la mort assurée. Mais on dit que c'est le plus sûr moyen de voler, alors elle a confiance. Gaëtan, le jeune aérostier, est agréable et rassurant. Il est sûr de ses gestes, il regarde encore une fois la météo, l'air satisfait. Deux véhicules seront là en permanence, à scruter leur déplacement dans les airs pour les récupérer au plus près, au plus vite. C'est presque pour les conducteurs au sol que le plus difficile s'annonce, surtout en montagne. Mais arrivé à une certaine hauteur, le ballon se dirigera vers la plaine, emporté dans les couloirs de vent d'altitude qui tirent vers l'est.

À 6 heures, ils sont sur le point de prendre place dans la nacelle. Thomas tient son énorme sac en toile de jute rempli des copeaux de bois du cercueil. Il le pose dans un coin de la nacelle avant de tendre la main à Anaëlle pour l'aider à monter.

Les personnes au sol décrochent les amarres et les trois occupants sentent la montgolfière se hisser dans les airs, délicate et rapide. Gaëtan a prévenu, si tout se passe comme il le suppose, ils vont arriver assez vite au-dessus de la forêt de Neubois. Le jeune menuisier a ouvert le sac en toile pour être prêt quand ils la survoleront.

La sensation est savoureuse. Ils prennent de la hauteur, sans un bruit, en dehors de celui du brûleur que l'homme active à intervalles réguliers. Le silence est de mise dans la nacelle également. Chacun sait ce que Thomas s'apprête à faire symboliquement. Inutile de remplir l'air de mots dérisoires.

Une dizaine de minutes après le décollage, le château du Frankenbourg est en vue. Gaëtan laisse descendre le ballon au point que la nacelle rase presque la cime des arbres qui habillent la colline jusqu'à la ruine. La sensation de marcher sur la forêt est fabuleuse. La grande chênaie qu'aimait Simon se trouve de l'autre côté, sur le versant ouest.

C'est le moment.

Thomas commence à déverser les premiers copeaux quand la nacelle arrive à la hauteur du château. Il est beau vu d'en haut. Le jeune homme y reconnaît chaque endroit, chaque recoin où Simon aimait se cacher, grimper, regarder au loin. Puis la montgolfière poursuit sa route en laissant le sommet de la montagne derrière elle et en prenant de l'altitude. Un courant ascendant venu de la vallée l'y aide, et les copeaux continuent à virevolter dans les airs comme des milliers de petits papillons qui iraient se cacher dans la forêt de chênes. Sur le fond de ciel encore un peu rouge des lumières matinales, et avec l'ombre du château juste derrière, le spectacle est magnifique.

Va, petit frère, va à travers ces milliers de copeaux de bois que tu as remplacés désormais, va habiter la forêt et l'imprégner de ta présence joyeuse. Va te poser sur les épines de douglas et sur la mousse des rochers, entre les petites branches hautes des chênes et dans quelques ruisseaux. Va dans les bois d'un cerf, à l'entrée d'un terrier. Va poursuivre ta vie autrement, au milieu des arbres. Tu voles avec nous, Simon. Ce vol dont tu rêvais et que la vie t'a pris, il est là, il est pour toi.

Bien sûr, Anaëlle a vu les larmes, et les soubresauts du corps solide. Bien sûr, elle l'a entendu renifler, et gémir parfois, très faiblement, comme une plainte venue des profondeurs du ventre et que rien ne peut réprimer. Bien sûr, elle imagine à quel point il a mal, à cet instant précis, même s'il voulait que ce soit un moment heureux. Il ne peut pas être heureux. Il peut être important, solennel, puissant, mais il ne peut pas être heureux. Il le sera dans le souvenir, quand le chagrin aura laissé place à la mélancolie. Mais c'est beaucoup trop tôt. Beaucoup trop vif.

Thomas a fouillé le fond du sac pour vérifier que tous les petits morceaux étaient partis. Il les regarde disparaître progressivement entre les branches en contrebas. Ils ne représentent que très peu à l'échelle de la forêt, mais à travers l'humus qu'il deviendra, chaque copeau sera utile à la forêt tout entière. Comme chaque individu est utile à l'humanité tout entière.

Thomas regarde Anaëlle en lui souriant doucement, les yeux humides et les épaules basses.

Gaëtan a allumé les deux brûleurs pour s'élever rapidement. C'est sûrement mieux ainsi. Prendre de la hauteur sur la mort, pour la défier un peu plus fort. Anaëlle s'est approchée de Thomas et a posé sa main bien à plat dans son dos pour qu'il la sente la plus largement possible. Il se retourne et la prend entre ses deux grands bras. Le réconfort dont il a besoin. Le chagrin se terre dans un coin de la nacelle et laisse à l'homme une chance de rendre un tant soit peu l'instant heureux quand même. Il veut fêter ce vol symbolique, tous ces papillons de bois qui sont retournés dans leur forêt comme autant de petits morceaux de l'âme de son frère qui restera là pour toujours. Là et ailleurs, mais là surtout, autour de son chêne et des gens qui l'aiment.

Le soleil commence à caresser les premiers sommets et la montgolfière est maintenant très haut dans le ciel. Ils distinguent toute la chaîne des Vosges vers l'ouest et la Forêt-Noire à l'est.

Personne ne parle. Gaëtan pointe soudain son doigt au loin, vers le sud-est. Les brûleurs sont à l'arrêt et le ballon suit le mouvement du vent qui le porte, de sorte qu'aucun bruit n'est perceptible à ce moment du vol. Le silence absolu, l'immensité autour, l'arrondi au bout de l'horizon, le calme parfait. Cette impression de n'être rien au milieu de l'univers, mais de lui appartenir pourtant. L'impression aussi de partager cette insignifiante appartenance avec toutes les autres entités vives de ce monde et au-delà. Simon est là, forcément, autour d'eux, en eux.

Ô temps ! suspends ton vol…

— Tout là-bas, le plus loin que vous puissiez voir, c'est la chaîne du Mont-Blanc. Il faut une bonne vue, mais le temps est particulièrement clair. Nous avons beaucoup de chance.

Thomas pense au fond de lui qu'il vit le drame d'avoir perdu son petit frère, mais qu'il a la chance d'être là, dans ce moment suspendu, avec un ami qui a accédé immédiatement à sa requête sans rien lui demander en retour, et avec une jeune femme dont il ne connaît pas grand-chose, mais chez qui il a senti la grandeur d'âme suffisante pour la convier à partager ce geste hautement symbolique, ce qu'il ne regrette pas. Elle aime le silence autant que lui. D'autres auraient parlé tout le long du vol. Sûrement les mêmes qui auraient chassé la fouine.

Gaëtan leur annonce qu'il va amorcer la descente et essayer de manœuvrer pour arriver dans un endroit accessible aux voitures, surtout pour Anaëlle, afin de lui éviter de crapahuter sur des surfaces instables.

Thomas a repéré les deux véhicules, plus petits que des pois chiches, ils sont pile en dessous, et les routes de la plaine alsacienne qu'ils ont désormais atteinte se sont multipliées, laissant une chance d'accès plus sûr. L'arrivée est souvent sportive car il faut gérer les courants d'air qui se croisent et prévoir un atterrissage ailleurs que dans un bosquet ou une petite forêt, ce qui se révèle assez compliqué dans cette zone. Gaëtan est très concentré, ce n'est pas le moment de lui parler. Il a repéré un grand champ violet de luzerne, avec un peu de chance, il n'arrivera pas au beau milieu. Une route de campagne le longe sur un de ses côtés. Il remet les gaz pour passer juste au-dessus d'un groupe d'arbres puis tire sur une corde puissamment pour ouvrir le ballon en son sommet et le faire descendre rapidement en lâchant d'un coup l'air chaud qu'il contenait. Mais la vitesse de déplacement latéral est encore importante en raison d'un couloir de vent entre deux collines.

— Attention, ça va secouer ! Accrochez-vous bien !

Thomas a tout juste le temps d'envelopper Anaëlle et de s'agripper aux poignées intérieures de la nacelle avant l'impact.

— Ne lâchez rien tant que je ne vous l'ai pas dit ! crie le pilote, alors que les secousses se prolongent.

Car la montgolfière n'est pas encore immobilisée. La nacelle s'est renversée sur le côté en touchant le sol, mais le ballon est encore dressé dans les airs, emporté par ce foutu vent, et traîne le panier sur plusieurs dizaines de mètres dans le champ de luzerne.

Puis le silence.

Thomas est allongé de tout son long sur la jeune femme. De peur de l'écraser, il se redresse vite sur ses genoux et sur ses coudes. Il n'a pas encore lâché les lanières de cuir.

— Ça va, Anaëlle ?

Elle le regarde légèrement hébétée, avant d'éclater de rire. Un rire de peur un peu, de soulagement surtout. Un rire de plaisir d'avoir partagé cet atterrissage sportif et d'en sortir indemne.

— Tout le monde est OK ? demande Gaëtan. J'ai rarement fait aussi sportif ! Désolé ! Les conditions n'étaient pas idéales. Mais le champ est sympa, non ?

Thomas se redresse et aide la jeune femme à se relever puis lui tend ses béquilles. Il entreprend alors d'ôter les brins de luzerne coincés dans les cheveux d'Anaëlle. Une fleur jaune de lotier corniculé s'est insinuée dans le décolleté de son T-shirt. Celle-ci, il la laissera. C'est tellement joli. Et il n'oserait pas.

Il pousse un long soupir et regarde vers le val de Villé et le château sur la colline. Là-haut, c'était beau, calme, doux, suspendu.

C'était pour Simon.

Ici, c'est la vie, les brins de luzerne, les fleurs, le mouvement, les rires.

Ici, c'est la vie qui reprend.

85

Meryl et Robert

Strasbourg, vendredi 16 septembre

Ma chère Anaëlle,

Youpi ! Vous me répondez.

Ça fait un peu puéril, non ? Encore un peu et je coiffe chaque i d'un petit cœur.

Où en sont vos délibérations ? Le verdict est-il tombé ?

Je vous embrasse.

Hervé, quelque part sur la route de Madison

PS : Passez le bonjour à Clint et à Eastwood. Sachez que mes mains sont prêtes à leur assurer un soutien sans faille en cas de nécessité. La droite s'appelle Meryl, et la gauche Streep.

86

Parapente

Sélestat, mardi 20 septembre

Mon cher Hervé,

Seriez-vous donc en train de prendre les choses en main dans notre relation ?

L'automne s'installe. Le soleil est agréable, les premières feuilles commencent à rougir, les colchiques pointent leur nez dans les champs et nous recommençons à nous écrire. Toutes les feuilles sont volantes, certaines plus vivantes que d'autres.

Voyez-y un signe du destin ou un simple hasard, Nougat est mort. Il était vieux, comme votre grand-mère, mais son caractère était bien plus doux. Je ne me sens pas légère de son départ, mais très mélancolique.

Nougat est arrivé dans ma vie le jour de mes onze ans. Je venais d'entrer au collège, bousculée par l'insécurité totale que m'inspiraient cette structure et cette nouvelle organisation. Mes parents me l'ont offert dans une petite boîte en bois, que j'ai toujours. En apercevant cette boule de poils aussi mignonne que sur les catalogues de la poste, j'ai su qu'il m'aiderait à passer des caps dans ma vie. Cela a été le cas. Celui de la sixième d'abord, celui de mon premier amour ensuite, puis mon départ de la maison, mes études éprouvantes, et enfin l'accident. Nougat était mon confident, mon ronronnant, ma petite présence réconfortante en rentrant du travail, mon coach depuis sa couverture sur le canapé. Son œil acerbe quand j'arrêtais les exercices ou que je pleurais de découragement me poussait un peu plus loin dans mes retranchements. Il venait ensuite se frotter à moi pour compenser.

Nougat avait un cancer depuis quelques mois. Une sorte de boule sous la peau du dos. Le vétérinaire l'avait enlevée, mais sans grand espoir qu'il vive encore longtemps, la tumeur était tellement grosse. Une voiture l'a écrasé il y a trois jours. Un chat fait encore moins le poids qu'un être humain face à la tôle. C'est sûrement mieux ainsi, d'un coup sec, que de souffrir longuement d'un mal qui vient de l'intérieur. Le voisin, un amour, me l'a ramassé, un peu arrangé, lavé de son sang et posé dans un cageot sur un joli tissu. Nous l'avons enterré au fond du jardin.

Dans six mois, toute trace allergisante lui appartenant devrait avoir disparu de mon environnement.

Cela a-t-il modifié l'issue de mes délibérations ? Évidemment, non. Je crois bien que j'ai envie de visiter votre pays magique. J'ai peur que le terrain soit un peu pentu et accidenté, et que ma prothèse du futur ne fasse pas le poids, mais je peux au moins essayer. Oui, vous avez bien lu : j'ai l'accord pour mon genou bionique. Certains font le marathon de Paris, moi, je participe aux épreuves sportives de la Caisse primaire d'assurance maladie. Descendre une pente de 15 %, monter et descendre des escaliers et marcher à 4 km/h, conditions indispensables pour le remboursement. C'est dans la poche. Et c'est le pied ! Je vais pouvoir marcher en montagne, sur la plage, dans la neige, et faire comme si j'étais normale.

Dans ma tête, je redeviens normale. Et c'est un peu grâce à vous.

J'ai cependant peur de l'évolution de notre relation. Peur que ce soit trop compliqué. Peur de votre raie sur le côté. Peur que ça ne colle pas, peur que l'on se lasse même si ça colle, peur de me dévoiler à vous. Peur de ne pas vous plaire.

Peur.

Je vous embrasse.

Votre Anaëlle,
partante pour une course d'orientation

PS : Arriverez-vous à me suivre dans les pentes ???!!

*

Strasbourg, vendredi 23 septembre

Mon Anaëlle,

J'aimerais vous voir. Rapidement. Un besoin irrépressible de vous prendre dans mes bras…

Dites-moi où et quand, j'y serai.

Je vous embrasse.

Hervé, sur la bonne pente

*

Cher Hervé,

Vendredi 30 septembre à 18 heures. Barrage Vauban. Sur la plate-forme, le tunnel est trop glauque. J'ai besoin de lumière. Et nous aurons ainsi une vue magnifique sur nos ponts couverts à nous, ceux de Strasbourg. J'aurai mon appareil photo. Clint et Eastwood m'accompagneront, libres de toute contrainte. Ils pourront éventuellement faire connaissance avec Meryl et Streep, si un cordon de sécurité de lapins obèses nous permet d'être seuls.

Anaëlle

87

Qu'ils paient tous

Jocelyne ne va plus voir sa mère que pour le strict minimum. Elle part dès que les mots s'enveniment, ce qui arrive assez rapidement. La fille aussi est malade, elle aussi a besoin qu'on s'occupe d'elle, qu'on la chouchoute, qu'on la dorlote, ou juste qu'on l'écoute.

Un déclic a eu lieu dans sa tête. Elle va partir. Après l'opération, après les traitements. Elle va tout laisser derrière elle. Ce salaud de procureur qui n'a pas su lui faire une place, sa fouine de mère qui n'a pas su l'aimer.

Et c'est à peu près tout ce qu'elle va laisser.

Elle partira vers la mer, pour tout recommencer. Un endroit accueillant, apaisant. En Bretagne, ou en Vendée. Peut-être en Normandie. Accompagner une vieille dame charmante. Il doit en exister. De celles dont les enfants ne peuvent pas s'occuper parce qu'ils sont trop loin. Elle peut être gentille, Jocelyne, elle peut être douce, et bienveillante. Elle peut être aimable.

Elle croit au moins encore à ça. Une dernière chose à laquelle s'accrocher pour tenir. Sinon, à quoi bon la vie ? Personne à aimer, personne à chérir, un corps sans attrait, un cancer brigand qui lui vole un morceau de sa féminité. Ce n'est pas parce qu'elle l'a très peu exploitée qu'il fallait la lui retirer. Elle pouvait bien encore servir, cette féminité enfouie. Jocelyne n'est pas si vieille que ça.

Alors elle va changer, remettre tous les compteurs à zéro. Et sa mère peut bien crever, Jocelyne n'a plus la force de l'affronter.

Elle fuit.

Mais avant, elle a une dernière chose à faire.

Elle attrape tous les journaux qu'elle trouve, surtout des magazines féminins, de ceux qui mettent des titres colorés pour dire aux femmes à quel point il est important d'être belle pour être aimée. Le message n'en sera que plus cynique s'il est multicolore.

Ciseaux, colle, papier, enveloppe. Elle est rompue à l'exercice maintenant. Devenue experte en la matière, ce sera rapide. Le message n'a pas besoin d'être long.

Inutile pour une épouse de recevoir un roman afin de comprendre que son mari la trompe. Une simple phrase suffit.

Elle va la peaufiner cette dernière lettre, savourer le temps qu'elle y passe, y apporter le plus grand soin, la laisser reposer, y revenir, qu'elle soit parfaite, cinglante, efficace. Elle a enfilé des gants en plastique fin qu'elle gardera jusqu'à la boîte aux lettres. En insérant l'enveloppe dans son imprimante, et en la voyant sortir avec l'adresse de Mme Leclerc, elle ressent ce mélange de rage et de justice.

Qu'il paie.

Qu'ils paient tous pour le mal qu'ils font aux femmes.

Et que les femmes qui partagent leur vie souffrent aussi. Elles sont complices en les acceptant tels qu'ils sont et en prenant toute la lumière pour elles.

88

Le dernier courrier

Quelque part dans un quartier de Strasbourg, au sein d'une famille aisée, un soir de
début d'automne, on a entendu des cris et
des pleurs, des menaces, de la douleur. De la
colère, du chagrin. Une femme qui hurle tout
cela en même temps après avoir ouvert le courrier du jour. Les enfants devaient être présents,
c'était l'heure du dîner. Une famille sans problèmes, de celles, exemplaires, qu'on envie
parfois. Comme quoi, les apparences...

Quelques mots colorés qu'il a fallu affronter,
jetant instantanément le trouble sur un équilibre conjugal que la vie avait mis des années à
installer.

89

Ou juste un homme

Anaëlle est arrivée à l'heure. Inutile de prendre de l'avance, au point où ils en sont, la petite voix intérieure acerbe qui la pousse à se cacher s'essouffle.

Elle s'est installée sur un banc, au soleil du soir, et regarde les fortifications entourant l'étendue d'eau. Elle tient contre elle le premier jet de son manuscrit pour le soumettre à Hervé, puisque c'est grâce à lui qu'elle a si bien avancé.

Les touristes sont encore présents, mais ils s'éloignent progressivement.

Elle regarde sa montre en tentant de chasser le début d'étonnement à l'idée qu'il puisse être en retard.

Hervé en retard à un rendez-vous avec elle, c'est du domaine de l'impossible. Pas après tout ce qu'il a écrit.

Et pourtant.

Pourtant, voilà maintenant une demi-heure qu'il aurait dû être là. Anaëlle regarde son téléphone trois fois par minute, vérifie qu'il fonctionne, ne comprend pas, commence à sentir monter l'angoisse.

Un accident ?

Un lapin au-delà de l'obésité morbide ?

Elle s'apprête à lui téléphoner quand son appareil vibre, annonçant l'arrivée d'un message :

> *Pardon, Anaëlle. Pardon. Je ne peux pas. Je vous expliquerai. Pardon…*

Puis un autre quelques secondes plus tard :

> *Je suis un mufle avec la raie sur le côté. Ou juste un homme, je crois.*

Anaëlle décide de rejoindre immédiatement sa voiture, pour quitter au plus vite cette vue tant attendue sur les ponts couverts.

Une sorte d'état de sidération lui permet de rouler sur l'autoroute puis de s'enfoncer dans la vallée sans encombre. C'est en arrivant dans les derniers virages avant son village qu'elle sent monter un haut-le-cœur irrépressible.

Elle se gare précipitamment sur le premier chemin qui s'offre à elle, sort de sa voiture et va vomir sa colère dans le fossé. Les premières feuilles d'automne sont tombées. Rouges, orange, jaunes, et cette humidité du soir qui les fait briller.

Elle se sent mieux. Du moins son ventre. Pour le reste, elle s'en veut de n'avoir rien vu venir, de s'être laissé porter par la douceur de l'échange et cet espoir sur lequel elle a pris appui pour se redresser.

C'est en retrouvant ses esprits qu'elle entend un petit cri. Intriguée, elle suit le son, cherche d'où il vient. Elle est proche mais ne voit rien. Les cris redoublent. Des miaulements. Elle aperçoit alors un petit chaton caché sous les orties, à deux mètres de la route. Elle trouve un bâton et soulève les herbes pour l'en sortir. Il se laisse prendre. Il est minuscule et n'a pas pu marcher si loin depuis le village. Un petit chaton noir, certainement abandonné là par un être sans scrupules.

Elle pense à Nougat. Le destin lui envoie-t-il un autre chat pour garder un minimum d'allergènes dans sa maison et la rendre incompatible avec un homme qui gonfle au moindre contact ?

Quelle qu'en soit la raison, elle ne peut pas laisser ce chaton à l'abandon. Il mourra écrasé par la première voiture qui passe. Elle le dépose dans son sac à main qu'elle referme délicatement, seul moyen de le transporter en sécurité. La maison n'est pas loin.

En arrivant chez elle, Anaëlle cherche la litière et les croquettes qu'il lui reste encore. Manifestement, il a faim et soif. Elle le regarde se sustenter sans penser à rien. Puis il vient se réfugier contre elle à la recherche de caresses rassurantes. C'est quand il commence à ron-ronner au bout de quelques secondes à peine qu'elle se met à pleurer.

Pleurer ces quelques mois passés et toutes les émotions diverses qui se sont entre-choquées.

Pleurer la découverte de ce chat comme un signe pour savoir où aller désormais. Donc renoncer. Mais pour du meilleur peut-être.

Elle l'appellera Moustique, puisqu'il est sorti des orties, et elle a bien envie de faire le plein d'allergènes dans sa petite maison.

90

Trois mots simples

Elle ne l'a pas vu hier soir à son retour. Les yeux brouillés, l'obscurité, la déception du rendez-vous manqué aux ponts couverts, et puis ce chaton perdu dans les mains qui occupait toute son attention. Même ce matin, en ouvrant la porte pour aller dans le jardin, elle n'a rien remarqué.

C'est en regagnant sa petite maison en milieu de matinée, quelques fleurs dans le creux du coude et un peu de salade dans les mains, qu'elle aperçoit l'objet accroché à sa porte.

Elle comprend immédiatement qui l'a déposé là. Une montgolfière taillée dans une rondelle de tronc, des nervures creusées par un couteau à bois pour imiter les plis du nylon. Quelques fils retiennent une minuscule nacelle fabriquée dans un entrelacs de fines brindilles souples de saule. Un petit mot y est plié et coincé. Peut-être un mot doux ? C'est bien aussi d'en recevoir de son vivant.

Anaëlle frétille de découvrir ce cadeau. Comme un signe. Un autre après le petit chat.

Elle n'en veut pas à Hervé, ni à sa lâcheté. Elle est triste et déçue. Quoiqu'un peu en colère. Beaucoup, même. Elle avait espéré que le respect imprégnait leur jolie relation. Elle ne s'est pas sentie respectée hier soir. Ce qu'il avait probablement vécu après leur premier rendez-vous manqué. Mais c'était bien avant.

Une attitude qui a de quoi grignoter sa confiance envers lui, preuve qu'il n'était pas si idéal que ce que ses lettres voulaient bien le laisser imaginer. Mais cet homme lui a au moins permis de mettre en exergue sa capacité à croire en elle et en cette petite flamme d'envie de reconstruire un avenir, flamme qu'elle croyait soufflée par l'accident mais qui n'était que braise sous la cendre de son corps cabossé. Une braise prête à se raviver au premier souffle.

Parfois, les rencontres sont fugaces, et parfois décevantes, mais en garder le bon fait avancer d'un pas. Celui d'Anaëlle se veut bionique.

Elle va déposer la salade et les fleurs dans l'évier et revient à la nacelle tressée qui contient le petit morceau de papier. Elle l'en extrait et le déplie délicatement, lit les trois mots simples qui y sont inscrits, soupire et regarde les montagnes en face.

Où est-il ?

91

Ce qu'il pouvait de plus grand

Thomas s'est levé tôt ce matin. Un besoin de quiétude et de solitude.

Il est d'abord passé inspecter le petit refuge qu'ils ont fini d'aménager avec Annabelle. La taupe est toujours là. Sa patte est guérie, ils pourront bientôt la relâcher. Il y a aussi le merle qui s'était violemment cogné à une vitre chez les parents de Simon. Il reprend des forces.

Simon serait heureux de voir fonctionner ce refuge. Ce projet lui tenait tellement à cœur qu'il était impossible pour son frère de ne pas le poursuivre. Annabelle s'y investit pour deux. Sa façon à elle d'encaisser le départ de son amoureux. De donner du sens aux journées, à sa petite échelle. Des morceaux de vie à sauver. Au moins essayer.

Il ne sait pas si Anaëlle a trouvé son « Nous reverrons-nous ? », et si elle y répondra. Il a osé, c'est déjà ça. Il s'est dit très simplement que s'il ne meurt pas d'un chagrin d'enfant, il ne mourra jamais d'un chagrin d'amour. Alors autant prendre quelques risques pour donner une nouvelle saveur à son avenir.

Il repense au courrier du notaire reçu l'avant-veille. Une notification de testament récemment établi par le vieil homme aux chênes. Sans descendance, le dernier de sa lignée, M. Kuhn préfère transmettre sa forêt à Thomas qu'à la commune. Pour qu'il en fasse bon usage. Pour le réparer aussi. Donner des projets au jeune homme, qui a pleuré en lisant le courrier. Thomas ira le voir tout à l'heure, le remercier, apprendre un peu mieux ce bout de forêt.

Il a marché d'un pas serein jusqu'au chêne coupé. Celui de son petit frère.

Assis sur la souche, il pense à lui. La minuscule clairière ainsi dégagée accueillera des herbes folles et quelques fleurs au printemps prochain. Il lève doucement la tête et regarde les branches alentour remuer sous l'effet d'un vent léger qui vient de se lever.

De ce bruissement s'échappe un papillon qui descend vers lui en virevoltant.

Mais non. C'est un petit copeau de bois. De ceux qu'ils ont lâchés depuis la montgolfière il y a deux semaines. Un petit morceau de l'arbre, un petit bout de Simon. Il devait être resté coincé dans les feuilles d'un chêne voisin et un souffle vient de le déloger.

Thomas inspire profondément.

Quand il venait avec son petit frère dans ce coin de forêt, à la découverte des trésors, des merveilles, mais aussi des dangers, Thomas ne le quittait pas des yeux. Il en avait la responsabilité, il devait le protéger.

Il n'a pas pu le défendre de tout, mais il a fait ce qu'il pouvait de plus grand. L'aimer.

Il pose ses deux mains à plat sur la souche et ferme ses paupières.

Désormais, il ne le quittera plus du cœur.

Dans le murmure des feuilles qui dansent, il y a des mots doux, des papillons, des yeux émerveillés, de la force, du courage, de la joie, beaucoup de joie.

Dans le murmure des feuilles qui dansent, il y a surtout les petits bouts d'âme de ceux qu'on aime mais qu'on ne peut plus prendre dans nos bras.

BIBLIOGRAPHIE

Collection *La Hulotte* (le journal le plus lu dans les terriers) : un petit magazine formidable pour apprendre la nature :

https://www.lahulotte.fr

La Vie secrète des arbres, Peter Wohlleben, Les Arènes, 2017.

Entre autres…

À Jean, le kiné-ange gardien d'un centre de rééducation alsacien pour ses précieuses informations techniques.

À Yves, directeur forestier, pour cette mémorable balade en forêt. Et pour le chêne tombé. Il était important de le vivre.

À toute l'équipe d'onco-hématologie du CHU d'Hautepierre pour son soutien il y a une dizaine d'années, et pour avoir permis à notre enfant de laisser jaillir sa fantaisie.

À toute l'équipe d'Albin Michel pour sa confiance et son soutien sans faille.

À mes ami(e)s d'être présent(e)s dans ma vie, sans pouvoir tous(tes) les citer. Mais en particulier Guillaume, le pêcheur du lac, Anne et Marie-Pierre, mes femmes sages sœurs de cœur.

À Valérie, talentueuse et juste…

À Emmanuel, pour sa première lecture, et sa présence, toujours.
À mon père, pour la deuxième lecture.

À Olivier, pour sa façon de me relire, de me dire et de m'encourager. Comme un frère.
À Frédéric d'avoir accepté de convoquer son talent fou pour dessiner mes mots doux, et de m'offrir sa confiance…

À Benjamin d'avoir été grand frère, même s'il était alors si petit. À Apolline d'être petite sœur, avec un cœur si grand.

À Nathanaël de nous avoir donné la force de vivre sans lui et de nous dire « chaud ou froid » pour trouver la joie.
Merci, mon petit, d'être resté dans le murmure des feuilles qui dansent…

PAPIER À BASE DE
FIBRES CERTIFIÉES

Le Livre de Poche s'engage pour
l'environnement en réduisant
l'empreinte carbone de ses livres.
Celle de cet exemplaire est de :
300 g éq. CO$_2$
Rendez-vous sur
www.livredepoche-durable.fr

Composition réalisée par PCA

Achevé d'imprimer en juin 2019, en France sur Presse Offset par
Maury Imprimeur – 45330 Malesherbes
N° d'imprimeur : 238816
Dépôt légal 1re publication : septembre 2019
LIBRAIRIE GÉNÉRALE FRANÇAISE – 21, rue du Montparnasse – 75298 Paris Cedex 06

47/0123/7